D0988671

Nach dem Band «Maskenscherz» mit den frühen Erzählungen Klaus Manns (rororo Nr. 12745) folgt jetzt eine Sammlung seiner Erzählungen aus dem Exil. Viele davon werden erstmals veröffentlicht. Die Geschichten, entstanden zwischen 1933 und 1943, handeln von Außenseitern und Ausgestoßenen, von Einsamen und Selbstmördern. Sie spiegeln das ganze Elend des Lebens in der Emigration. In der bisher ungedruckten Titel-Erzählung «Speed» und in der «Afrikanischen Romanze» werden Erfahrungen mit den künstlichen Paradiesen der Rauschgifte beschrieben. Der Band enthält auch Klaus Manns berühmte Novelle um den Tod des Bayern-Königs Ludwig II., «Vergittertes Fenster».

Klaus Mann wurde am 18. November 1906 in München als ältester Sohn von Thomas und Katia Mann geboren. Schon als Schüler schrieb er Gedichte und Novellen. 1924 ging er als Theaterkritiker nach Berlin. Mit seiner Schwester Erika, Pamela Wedekind und Gustaf Gründgens gründete er ein Theaterensemble. Mit den eigenen Stücken «Anja und Esther» und «Revue zu Vieren» erregte er in Berlin und auf Gastspielreisen frühes Aufsehen. 1927/28 unternahm er zusammen mit Erika eine Weltreise, die von improvisierten Vorträgen und Auftritten der Geschwister finanziert wurde. Darüber schrieben sie das Reisebuch «Rundherum» (rororo Nr. 4951). 1932 veröffentlichte Klaus Mann die Autobiographie seiner bewegten Jugend «Kind dieser Zeit» (rororo Nr. 4996). Im Frühjahr 1933 emigrierte er, zunächst nach Amsterdam. 1936 veröffentlichte er den Roman «Mephisto», der sich mit den Zuständen im Dritten Reich auseinandersetzte. (Seit seinem Erscheinen heftig umstritten und 1968 in der Bundesrepublik verboten, erschien der Roman 1981 als rororo Nr. 4821. Der von István Szabó gedrehte Film erhielt 1982 den «Oscar».) 1938 verließ Klaus Mann Europa und ließ sich in New York nieder. Er nahm als US-Soldat am Feldzug in Nordafrika und Italien teil und besuchte 1945 im Auftrag der Armee-Zeitung «Stars and Stripes» Österreich und Deutschland. Am 21. Mai 1949 starb Klaus Mann in Cannes an den Folgen einer Überdosis Schlaftabletten.

Als rororo-Taschenbücher erschienen von Klaus Mann außerdem: «Der Vulkan» (Nr. 4842), «Symphonie Pathétique» (Nr. 4844), «Flucht in den Norden» (Nr. 4858), «Treffpunkt im Unendlichen» (Nr. 4878), «Alexander» (Nr. 5141), «Der Wendepunkt. Ein Lebensbericht» (Nr. 5325), «André Gide und die Krise des modernen Denkens» (Nr. 5378), «Der fromme Tanz» (Nr. 5674) und «Der siebente Engel. Die Theaterstücke» (Nr. 12594). In der Reihe «rowohlts monographien» erschien als Band 332 eine Darstellung Klaus Manns mit Selbstzeugnissen und Bilddokumenten von Uwe Naumann, die eine ausführliche Bibliographie enthält.

Klaus Mann

SPEED

Die Erzählungen aus dem Exil

Herausgegeben
von Uwe Naumann

Rowohlt

Umschlaggestaltung Barbara Hanke

Die Erzählungen «Speed», «Le Dernier Cri»,
«Hennessy mit drei Sternen», «Ermittlung»,
«Afrikanische Romanze» und «Der Mönch»
wurden für diesen Band ins Deutsche übertragen
von Heribert Hoven und Monika Gripenberg

Originalausgabe
Veröffentlicht im
Rowohlt Taschenbuch Verlag GmbH,
Reinbek bei Hamburg, September 1990
Copyright © 1990 by edition spangenberg,
München 40
Satz Garamond (Linotronic 500)
Gesamtherstellung Clausen & Bosse, Leck
Printed in Germany
1180-ISBN 3 499 12746 6

Inhalt

Wert der Ehre

Keß waren sie beide, doch sie immer noch kesser als er. Es geschah oft, daß er ihren allzu radikalen Zynismus tadelte. «Meine Liebste», mahnte er mit zärtlicher Strenge, «die Ideale, über die du dich lustig machst, haben mehr inneren Wert, als du annimmst; übrigens auch mehr äußeren», fügte er hinzu. Worauf sie enerviert und verächtlich die Achseln zuckte.

«Ehrgefühl ist bürgerlicher Quatsch», sagte sie anschließend. Darüber gerieten sie in ihrem Pariser Hotelzimmer ernsthaft in Streit.

Beide hatten fast immer Geld, beinahe zufälligerweise, woher es kam, wußte niemand genau. Er wie sie behaupteten stets, irgendwo komplizierte Geschäfte schwelen zu haben. In Frankfurt oder in Argentinien.

So war es nicht nötig, daß sie hochstapelten und die Hoteliers um das Ihrige brachten. Aber Jenny erklärte, mit Überzeugung: «Ich bin ehrlich, nur weil sich mir niemals ein reizvoller Anlaß zum Betrügen geboten hat. Prinzipiell bin ich täglich bereit, gegen jedes Gesetz zu verstoßen. Für meine bürgerliche Ehre gibt mir kein Mensch einen Heller.»

Ralf, der sich besser auskannte, lächelte verschmitzt.

Der junge Gentleman, der das anspruchsvolle Juwelengeschäft der Champs-Élysées vormittags um halb elf Uhr siegesgewiß betrat, machte, mit kariertem Anzug, Monokel, weißen Gamaschen, den Eindruck dessen, der zu reisen gewohnt ist, Geld reichlich hat und es noch reichlicher ausgibt, eine Wohnung in London und Paris besitzt, Freundinnen aber auch in anderen Städten.

Die Kleinodien, die man ihm vorlegte, prüfte er mit der Miene des gewiegten Kenners; er entschied sich für ein Perlenkollier, das eine halbe Million Francs kostete. Er unterschrieb einen Scheck, bat nachlässig darum, den Schmuck sofort ins Claridge hinüberzuschicken.

Derselbe junge Mann betrat um halb zwölf Uhr den benachbarten Laden, diesmal war seine Haltung nervöser. Er bat hastig, den Besitzer sprechen zu dürfen, und erklärte dem Herrn, der höflich, wenn auch etwas mißtrauisch lauschte, kurz und bündig, daß er Geld brauche. «Ich bin in Not», sagte er einfach. «Dieser Schmuck gehörte meiner seligen Frau.» Er wischte sich die Augen, man bemerkte, daß sie trocken waren. Es schien klar, daß er log.

Das war verdächtig, um so verdächtiger, als die Perlen keineswegs seiner seligen Frau gehört hatten, vielmehr noch diesen Morgen dem Geschäft nebenan, was der mißtrauische Besitzer, der die Auslagen der Konkurrenz kannte, auf den ersten Blick feststellte. Hier stimmte nicht alles. Es wurde noch klarer, als der junge Mann, nach dem Preis gefragt, den er forderte, fünfzigtausend Francs wollte. Nebenan, das wußte der Geschäftsmann, hatte das Stück noch diesen Morgen das Zehnfache gekostet. Die Echtheit der Perlen unterlag keinem Zweifel. Der junge Gentleman schien ein Betrüger; freilich hätte er, der Geschäftsmann, davon den Vorteil gehabt, es war die Konkurrenz, die hereingelegt wurde.

Der Händler kämpfte einen kurzen, aber heftigen Kampf. Sollte er einen Betrüger entlarven, der ihm selbst zu verdienen gab, die Konkurrenz aber schädigte? Schließlich siegte das Solidaritätsgefühl mit dem andern Kapitalisten, gegenüber einem Abenteurer, der der Gesellschaft gefährlich war; zudem konnte es vorteilhaft sein, sich den Nachbar durch Edelmut zu verpflichten.

Er schickte ein Fräulein hinüber, das sich erkundigen sollte, wie die Sache mit dem Perlenkauf stand. Den karierten jungen Mann, der sich bleich auf die Lippen biß, bat er, nicht ohne Strenge, zu warten.

Die Antwort von nebenan fiel nicht anders aus, als zu vermuten gewesen war: die Perlen waren mit einem Scheck bezahlt worden. Wenn einer als Bezahlung für ein Kollier um halb elf Uhr einen Scheck über eine halbe Million Francs unterschrieb und ebendasselbe Schmuckstück eine Stunde später für fünfzigtausend Francs verkaufen wollte, lag der Sachverhalt klar: der Scheck mußte ungedeckt sein.

Der Geschäftsmann, der um ein Haar betrogen worden war, eilte herbei, um dem anderen, der ihn gebeten hatte, gerührt die Hand zu schütteln; so kameradschaftlich waren die beiden Herren noch nie miteinander gewesen. Den Karierten, der verzweifelt zur Erde starrte, streiften sie mit einem eisigen Seitenblick.

Er wurde gebeten, noch ein wenig Geduld zu haben. Indessen sandte man einen Angestellten zur Bank, auf deren Namen der Scheck lautete.

Er kam zu spät, es war Samstag und zwölf Uhr zehn. So mußte man das Einholen der Erkundigungen verschieben. Die befreundeten Juweliere besprachen sich erregt, doch konzentriert. Es war alles klar, der Verdacht zu dringend: man hatte die moralische Verpflichtung, den Hochstapler vorläufig in Gewahrsam zu nehmen. – Übrigens schien der Jüngling sich selber als überführt, seine Lage als hoffnungslos anzusehen: er widersprach nicht, knirschte nicht mit den Zähnen, als die Polizeibeamten ihn aufforderten, sie zu begleiten.

Die Zeit von Samstag vormittags bis Montag früh verbrachte Ralf im Gefängnis; seine Freundin vermutete ihn auf einer Geschäftsreise in London.

Montag früh stellte sich heraus: der Scheck war gedeckt, das Bankguthaben des Herrn Ralf betrug sechshundertfünfzigtausend Francs.

Nach französischem Gesetz bekam der unter falschem Verdacht ins Gefängnis Gesetzte vom Staate einen moralischen Schadensersatz von hunderttausend Francs bei der Haftentlassung ausbezahlt. «Freilich kann dieses Geld die Schmach nicht gutmachen, die wir Ihnen unter falschen Voraussetzungen zugefügt haben», sagte der Beamte gefühlvoll. «Ehre ist unbezahlbar.» – Auch die Juweliere entschuldigten sich.

«So viel ist Ehre wert», sagte Ralf als Abschluß seiner hochdramatischen Geschichte zu Jenny, die erschüttert nickte. «Mit Schurkerei so schnell Geld zu verdienen ist nicht leicht. Ehre ist der höchstbezahlte Artikel.»

Übrigens schenkte er ihr die Perlen.

April, nutzlos vertan

Max Perzel, ein junger Mann aus dem Mittelstande, war bis jetzt immer sehr achtlos mit seiner Zeit umgegangen. Neunzehn war er alt geworden, ohne daß sich in seinem Leben etwas Ungewöhnliches zugetragen hätte. Er hatte das Gymnasium in der mitteldeutschen Kleinstadt absolviert, in der sein Vater pensionierter Beamter war, weder in der Schule noch im Familienkreise war er je im guten oder schlechten Sinne aufgefallen. In der Klasse gehörte er stets zur schlechteren Hälfte der Schüler, vermied es aber durch einen dauerhaften und ehrhaften Fleiß, jemals zu den wirklich Gefährdeten, den eigentlichen Sorgenkindern hinabzusinken. So wurde er, von Schuljahr zu Schuljahr, mit einem eben noch knapp mittelguten Zeugnis versetzt. Bei den Spielen, in der Pause oder nachmittags auf der Wiese, war er niemals, keine halbe Stunde lang, unter den Tonangebenden, Regierenden; von zu gewagten, tollkühnen Unternehmungen hielt er sich völlig zurück. Da er bei anderen, harmloseren Gelegenheiten von einer maßvollen und soliden Forschheit sein konnte, blieb es ihm trotzdem erspart, in den Ruf des Feiglings, Duckmäusers oder Musterknäbleins zu kommen. – Brüder hatte er nicht, nur eine Schwester, die aber schon ins Büro ging. Sie war für ihn eine fremde, etwas schnippische junge Dame. – Als Max achtzehn Jahre alt war und nicht mehr so viele Pickel im Gesicht hatte, meinten einige wohlwollende Leute, daß er eigentlich ein ganz hübscher Junge wäre. Er war ziemlich groß; leider mußte er eine Brille tragen, wegen leichter Kurzsichtigkeit. Sein Haar – dunkelblond – wäre angenehm von Farbe und Qualität gewesen, wenn er es nicht zu stark pomadisiert hätte. Auch das Abitur ging vorüber, und seine Eltern waren zufrieden, als er es mit der Durchschnittsnote Drei bestanden hatte. Es war beschlossen, daß er die Rechte studieren sollte, und zwar zunächst ein Semester in Heidelberg. Er packte seinen Koffer, bekam von seinem Vater das Eisenbahnbillett dritter Klasse, von der Mutter ein Körbchen mit Wurstbroten, einem halben Sandkuchen, zwei harten Eiern, drei Äpfeln und drei Orangen ausgehändigt, und er fuhr los. In Heidelberg suchte er die alte Pension auf, deren Adresse sein Vater ihm gegeben hatte. Von seinem Fenster hatte er einen schönen Blick über den Neckar. Das Semester hatte noch nicht begonnen. Der Tag gehörte ganz ihm.

Es gab einige Formalitäten auf der Universität zu erledigen. Es war selbstverständlich, daß er die freie Zeit, die ihm blieb, zur vernünftigen Arbeit verwendete. Er legte sich Bücher und Zeitschriften auf dem Schreibtisch zurecht. Als er aber das Fenster öffnete, um sein Zimmer zu lüften, bemerkte er, daß über den Bäumen und Gebüschen ein sehr zartes Grün lag, wie er es noch nie gesehen zu haben glaubte. Er dachte, daß es Knospen seien, die so schimmerten. Das Wort «Knospen» bestürzte ihn, als dächte er es zum erstenmal. Er sah zum Himmel hinauf und war noch einmal bestürzt – über seine empfindliche und reine Bläue, in der, reizend geformt, leichte weiße Wolken wie Vögel schwammen. Ich könnte spazierengehen – dachte Max Perzel. Der Student darf sich ein wenig Freiheit gönnen, dachte er konventionell.

Als er das Haus verließ, ging eben eine alte Dame vorüber, die von einem jungen Mädchen geführt wurde; Max konnte den beiden einen vollen Augenblick in die so verschiedenen Gesichter sehen. Die Alte hing schwer am Arme des jungen Mädchens; sie hatte einen merkwürdig stampfenden, grimmigen, ja wütenden Gang. Auch der Ausdruck ihres Gesichtes war zornig –: ein großes weißes Gesicht, konstatierte Max Perzel, steinern verhärtet, von unzähligen Fältchen durchzogen. Die weit aufgerissenen, stahlblauen Augen wirkten kahl ohne Brauen und Wimpern – kahle Eisaugen unter einer hohen, eigensinnigen, gottverlassenen Stirn. Die alte Frau war groß und breitschultrig, von einer angsterweckenden Rüstigkeit. Sie trug ein schwarzes Pelzkleid – es war kein Mantel, sondern ein Kleid, knapp gearbeitet; es muß aus Seehundfell sein, dachte Max Perzel. Das Antlitz der

Alten war so bedeutend und derart erschreckend, daß es den Blick von dem süßen Gesicht des jungen Mädchens auf eine herrische Art ablenkte. Nur eine halbe Sekunde lang durften die Augen des jungen Menschen dieses Gesicht berühren, das sich ihm wie flehend entgegenhielt. Das empfindliche Halbprofil, das ihn, über die majestätische Schulter der Alten hinweg, mit seinem angstvollen Lächeln beschenkte, schien ihm zartgetönt, mit mattgelben Lichtern, wie altes Elfenbein. Die dunklen Augen hatten malaiischen Schnitt. Der weiche, dunkle und schöne Mund schien auf eine pathetische Art zu schmollen. – Die Alte riß an dem Mädchen, auf das sie sich stützte. Während sie weiterstampfte, hörte Max Perzel sie deutlich sagen: «Marsch – los, April!» Er überlegte eine Sekunde lang, ob das schöne Mädchen April heißen möge; ob er die Alte mißverstanden habe oder ob diese einfach geisteskrank sei. Gleichzeitig dachte er: Und dabei ist der April fast zu Ende. – – Als er wieder zu den beiden hinschauen wollte, waren sie um eine Ecke verschwunden. Er eilte ihnen nach, entdeckte aber keine Spur mehr von ihnen. – Man schrieb den 30. April. Es war mittags zwölf Uhr.

Student Perzel blieb mitten auf der Straße stehen, wie einer, dem etwas Ungeheuerliches zugestoßen. In welche Tragödie hatte er hier einen so flüchtigen und bewegenden Einblick bekommen? Was geschah diesem Mädchen, dieser Holdheit, diesem exotischen Kinde? – Welche Welt von finsteren und romantischen Zusammenhängen! Wie konnte man eingreifen, wie helfen? Wie das Mädchen wenigstens wiedersehen? – Eine wahrhaft panische Angst, nur ja nichts zu versäumen, bemächtigte sich des trägen jungen Mannes. Er fühlte sich physisch verändert, eine Unruhe ergriff ihn, die sein Körper niemals gekannt hatte. Was hatte er bis jetzt mit seiner Zeit getan? Wie schlapp, wie tatenlos hatte er sie dahingehen lassen. Mit einem Schlag war die Zeit kostbar, geheiligt –: das war die große Veränderung. Ohne Frage war die Welt immer und überall voll von so erregenden, unerklärbaren und wilden Abenteuern – er hatte nur bis jetzt die Augen nicht offen gehabt hinter seinen dummen Brillengläsern. Aber dieser April war noch nicht vorüber. Nutze die Stunde! Wirf dich in die Minute! Halte zäh und zärtlich die Sekunde fest!

Er eilte dahin, niemals war eine solche Ungeduld in seinem Gang gewesen. Zum Fluß hinunter – und noch niemals hatte er Wasser mit Bewußtsein zwischen seinen Fingern hindurchrinnen lassen –; über Wiesen; wieder zurück in die Stadt. Nirgends das Mädchen, aber überall eine veränderte Welt. Andere Farben, Gerüche, Gesichter; alles gesteigert, anspruchsvoll, heftig geworden, und zwischen allen Geräuschen –: die Stimme des Mädchens, die er so deutlich zu hören glaubte. Sie verlangte nach ihm, von ihrer schrecklichen Herrin gepeinigt; man gab ihr Gift zu trinken, man schlug sie. – – Wie anders war dieser Tag als alle vorhergegangenen, endlos viel länger und dabei abgekürzt auf eine stürmische Weise. Die Frucht, die er anfaßte, als er schließlich Hunger bekam, schien ihm elektrisch geladen. Zwischen ihm und dem Kellner im Restaurant ereignete sich ein bedeutungsvolles und stummes Gespräch der Blicke, als hätten sie etwas Entscheidendes untereinander auszutragen. – Während er eilte oder ermüdet saß, arbeitete es in seinem Kopf ununterbrochen. Wie habe ich die ganze Zeit bis jetzt gelebt? Neun unverzeihliche Jahre habe ich den Stumpfsinn des Gymnasiums mitgemacht. Und nun – Jura studieren, wo die Welt doch voll ganz anderer Mysterien ist. Ich werde nicht Rechtsanwalt, im Gegenteil, ich mache Gedichte. Ich werde Schauspieler, gleich hier, und jetzt springe ich auf die Gartenbank und rezitiere etwas Beispielloses. Ich lerne Geigenspielen und wunderbar Flöteblasen. Ich gehe auf Wanderschaft. Das Mädchen finde ich doch, und trotz allem. Ich erwürge die Alte – mit diesen meinen Händen erwürge ich sie –, ich werde hingerichtet, aber erst gründe ich eine geheime Gesellschaft; ich sprenge die Universität in die Luft – o Gott, mein Gott, was habe ich nur bis jetzt mit meiner Zeit getan! Läßt es sich nachholen, so viel Versäumtes? Sei noch nicht vorüber, April, verweile noch, verweile noch, nie wieder werde ich deiner teilhaftig sein. Vergängliche Minute, mach eine Ausnahme, verzögere dich, es ist ja schon abends, Viertel nach elf, der gesegnete Monat ist gleich vorüber, und wenn kein Wunder geschieht, habe ich ihn nutzlos vertan.

Es ist gut, daß keiner seiner Kameraden ihn sieht, denn er hat seine Brille verloren, sich beim Laufen in den Gebüschen ein klaffendes Dreieck ins Hemd gerissen; seine Krawatte hat sich auch gelöst. Man müßte ihn für sehr heruntergekommen halten. Wir aber folgen gerührt seinem taumeligen Gang am Rande des Flusses, in dessen treibender Dunkelheit, zu seinem fassungslosen Glück, Lichter schwimmen. Noch sehen wir ihn zusammenschauern, da die Uhr Mitternacht schlägt. Und dann überlassen wir dies Herz, das so gleichmütig geschlagen hatte, seiner stürmischen Wonne über die gegenwärtige, seiner Verzweiflung über die entrinnende Minute.

Une Belle Journée

Madame Leroux, die Wirtin des Hotels de la Plage, unterhielt sich mit den beiden alten Herrschaften, die im schattigen Vorgärtchen des Hotels beim Mittagessen saßen. «Es ist heute ein friedlicher Tag», meinte Madame Leroux. «Ein Sonntag, so recht, wie er sein soll.» Mit blanken Augen sah sie der alten Dame zu, die sich ein gewaltiges Stück Schinken auf ein noch umfangreicheres Stück Weißbrot legte. Die alte Dame aß stark; sie hatte eine fast grimmige Würde in Gesicht und Haltung, wenn sie sich enorme Portionen auf den Teller tat und verzehrte. Der schlohweiße, etwas fahle und müde Herr ihr gegenüber war mäkliger: er vermied schwere Speisen, ließ manches liegen. Die beiden wirkten wie ein altes Ehepaar, er etwas matter, kränklicher als sie. In Wahrheit war sie die Mutter des Herrn, der neunundsechzig Jahre alt war; sie selber war einundneunzig.

Nicht ohne Beunruhigung beobachtete Madame Leroux, mit welch trotziger Geschwindigkeit die Greisin Sardinen, Radieschen, rohen Schinken durcheinander verzehrte. «Ja, es ist ein herrlicher Tag», wiederholte die Wirtin und blinzelte von der schmausenden Alten fort, zum palmenbestandenen Platz hinüber, wo eine faule Menge flanierte.

Das Meer ruhte in seiner satten, unendlichen Bläue. Die braunen Segel einiger Fischerboote schwankten träge in seinem mittäglich atmenden Frieden. Madame Leroux war mit ihrem Ausblick so zufrieden, daß sie lächeln mußte. Sie war vierzig Jahre alt, üppig und fest. Ihr rosig gepudertes Gesicht schaute energisch, liebenswürdig, intelligent. Sie war Varieté-Künstlerin, dann Besitzerin einer großen Music-Hall in Tunis gewesen, ehe sie sich hier, in der Nähe von Toulon, niedergelassen hatte. Ihr Hotel ging gut.

Madame Leroux hob mit einer wollüstig ausladenden, dabei

trägen Gebärde den Arm, um ihre Frisur zu ordnen. Sie lächelte immer noch. Aus einem offenen Fenster kam plötzlich Musik; ein Grammophon spielte. Vor dem Hotelgärtchen, wo noch ein schmales Stück Straße war, ehe es, einen Meter tief, zum blauen Wasser hinunterging, stieg ein junger Mann pfeifend in einen halbgeschlossenen Wagen. Man hörte, wie er den Motor anließ. Aus dem Fenster sang es, süß und bewegt: «Dann sag' ich dir auf Wiedersehen…» Der junge Mann begann in einem ziemlich flotten Tempo nach rückwärts zu fahren: er wollte auf dem schmalen Stück Straße seinen Wagen wenden.

Es krachte, plantschte, Wasser spritzte hoch auf. Der Wagen war ins Wasser gestürzt. Die Greisin, ein Weinglas in der Hand, schrie mit einem rauhen Kehlkopflaut; Madame Leroux silber-hell.

Innerhalb ganz weniger Sekunden war die Menschenmenge zusammengeströmt. Der Platz, die Promenade lagen plötzlich vereinsamt, friedlich in der Sonne. Alles Leben hatte sich mit grausamer Neugierde um die Unglücksstelle versammelt. Man redete, schrie durcheinander, aber niemand griff ein. Eine schreckliche Sache, eine tolle Bescherung, so was war ja lange nicht vorgekommen.

Was für ein beklagenswerter Anblick! Die vier Räder des gestürzten Wagens schauten gerade noch aus dem Wasser, das sich schmutzig gefärbt hatte – der schlammige Grund war aufgewirbelt; sonst war nichts mehr zu sehen. Wo aber war der Mann, der den Wagen geführt hatte? War er ertrunken? Aus der Volksmenge kam die Frage als Schrei. – Da stieg der Mann, triefend, mit einer Schramme über der Stirn und mit verzerrtem Gesicht, aus den Fluten. Der Schwung des Sturzes hatte ihn, aus dem Wagen hinaus, weiter ins Wasser geschleudert. Es war ihm gar nichts geschehen. Wie durch ein Wunder war der Mann gerettet.

Er war höchstens fünfundzwanzig Jahre alt, mager und lang. Das Hemd mit den kurzen Ärmeln, die grauen Hosen klebten durchnäßt am Körper. Das verwirrte Haar hing ihm in die blutige Stirn. Er starrte einige Sekunden lang mit einem völlig verwirrten Blick, der schwarz vor Entsetzen war und nichts sah, in die Menge, die ihn und sein Unglück umstand. Dann wandte er sich mit einem jähen Ruck, richtete den Blick auf die vier Räder, die so melancholisch aus dem Wasser ragten, und hob beide Hände mit der Geste jäher Verzweiflung zu den Schläfen empor; die Arme mit den spitzen Ellenbogen ragten als zwei groteske und pathetische Flügel. «O Gott!» schrie er – und jetzt funkelten seine Augen unter der blutenden Stirn; «o Gott, mein Gott – welch ein Unglück!» Er war Südfranzose, sprach den Dialekt der Gegend, was allgemein sympathisch berührte. Eine Dame aus der Menge rief: «Er lebt!» – als hätte sie es jetzt erst bemerkt. Man lachte: einerseits über die Dame, andererseits aus Erleichterung darüber, daß der junge Mann gerettet war.

«Der Kerl hat Glück gehabt!» riefen einige der Herren. Man begann sich zu erzählen, wie das Unglück zustande gekommen war. «Beim Umdrehen», sagten wichtig die jungen Fischer, die in der Nähe gewesen waren. «Es ist beim Wenden passiert.» «Da heißt es eben, vorsichtig sein!» Ein alter Herr lachte herzlich. «Er hätte unter das Auto kommen können, und er wäre ertrunken!» konstatierte angeregt eine reife Dame; man merkte, wie die Gänsehaut, wollüstig gruslig, ihr über den Rücken lief, da sie sich den ganzen Schrecken, der hätte passieren können, so recht ausmalte.

Inzwischen spielte der junge Mann seine große Szene: es war primitives, schönes Theater, dabei von Herzen erlebt. Er rollte die Augen, immer die Hände an die Schläfen gepreßt oder in die Haare gewühlt; eilte mit großen Schritten umher. Er wehklagte, brüllte – wirklich, es flossen Tränen über sein weißes, verstörtes Gesicht, sie vermischten sich mit dem Blut, das von der Stirne rann. «Das ist fürchterlich!» schrie er, wobei er den Kreis seiner ergriffenen Zuschauer mit großer Gebärde teilte, taumelnden Schrittes bis zum Hotelgärtchen und wieder zurück, zum Kai, rannte, wo sich die Menge seines Publikums gleich wieder um ihn schloß. «Das ist entsetzlich, wie konnte mir das passieren! Unser schönes Automobil! O wehe, wehe!» Er raufte sich das Haar, krallte sich die Nägel in die Wangen, stampfte mit beiden Füßen.

Junge Leute klopften ihm gutmütig-tröstend die Schulter; alte Herren suchten ihn mit überlegenem Lächeln zu beruhigen. «Seien Sie doch froh, daß Sie mit dem Leben davongekommen sind!» sagte man ihm. Er aber entwand sich allen, die ihn halten wollten, um nur weiter zu rasen und zu brüllen: «Wie konnte das nur passieren! Unser schönes Automobil!»

Die gefräßige Greisin stand in der ersten Reihe der Zuschauer – man hatte sie respektvoll vorgelassen – und verschlang gierigen Blickes das sensationelle Schauspiel. Ihr alter Sohn bot dem Tobenden, als dieser gerade einmal an ihm vorüberrannte, eine Zigarre aus seinem Etui an. Der junge Mann nahm sie mit großen, ziemlich abgearbeiteten Händen. Einen Augenblick hielt er inne in seinem Verzweiflungslauf, während man ihm das Feuer reichte; dabei murmelte er, zur Greisin gewandt, flüchtig und konventionell: «O Madame, wie ich unglücklich bin, oh, ich Unglücklicher!» Dann eilte er weiter, nun gierig rauchend beim Laufen und Lamentieren. Madame Leroux erschien tatkräftig mit einem Kognak. Sie sah den Verzweifelten, der das Glas hastig leerte, aufmunternd aus blanken und erfahrenen Augen an.

Einige aus der Menge behaupteten, den ständig Tobenden zu kennen. Er sei aus Toulon – wurde behauptet –, habe in den Tropen gearbeitet. Die Hitze dort habe ihm zugesetzt, er habe was weg, man verstehe doch, einen Stich, einen kleinen Koller... Andere hatten ihn hier, in einem kleinen Restaurant am Hafen, frühstücken sehen. Er habe zuviel getrunken, mehrere Apéritifs und reichlich Rotwein, auf solche Weise geschehen dann solche Unglücksfälle.

Aus den wild hervorgestoßenen, von Jammerlauten zerrissenen Andeutungen des jungen Mannes ergab sich langsam der Grund seiner besonderen Verzweiflung, die Geschichte seines nie wiedergutzumachenden Pechs. Der verunglückte Wagen gehörte nicht ihm, vielmehr seinem Schwager, von dem er ihn sich über den Sonntag ausgeliehen hatte. Dieser Schwager schien ein gefährlicher Mensch zu sein, der sich aller Wahrscheinlichkeit nach auf das gräßlichste rächen würde – soviel war aus den unartikulierten Lauten des Triefenden zu erraten. «Wie konnte mir das nur passieren! Ach, ich hatte ja nichts vor, als mir *einen* guten Tag zu machen – *einen* guten Tag in der Woche! Der Wagen ist hin – oh, ich Unglücklicher!»

Ein Kran war zur Stelle. Arbeiter begannen damit, die Räder des versunkenen Fahrzeuges an Ketten zu befestigen und den Wagen in die Höhe zu ziehen. Sie stapften in ihren blauen Hosen durchs Wasser, das ihnen bis zum Bauch reichte. Der junge Mann sprang zu ihnen, wild gestikulierend stand er zwischen ihnen im Wasser, die nasse Zigarre in den rauhen Fingern. «Der Wagen ist hin!» schrie er ein über das andere Mal aus den Fluten, drohend um sich schauend. «Fester zupacken!» verlangte er von den Arbeitern. «Mein Schwager bringt mich um! *Ein* schöner Tag in der Woche! Oh, ich Unglücklicher!»

Die Menschenmenge am Kai war immer dichter geworden. Man ermunterte die Männer durch Witze oder sachverständige Zurufe. Ein Arbeiter bückte sich, um den Wagen, der sich langsam, Zentimeter für Zentimeter, hob, von unten zu stützen.

Plötzlich richtete der Gebückte sich auf, sein Gesicht war weiß, tödlich erschrocken. Er schaute eine Sekunde lang zu dem Gestikulierenden hin, der unter wilden Reden die Zigarre schwang. Der Arbeiter bückte sich wieder und zog langsam unter dem sich hebenden Wagen etwas Helles, Weiches hervor an die Oberfläche des Wassers. Es war ein menschlicher Körper – der Körper eines jungen Mädchens. Nun lag er, von den Armen des Mannes gehalten, wie schwimmend auf der blauen Wasserfläche.

Es herrschte ein Schweigen, als hätte ein eisiger Wind alle angeweht. Eine ewige Sekunde lang rührte sich niemand. Der junge Mann, versteinert mitten in einer theatralischen Geste, die Zigarre immer noch zwischen den Fingern, starrte in das gedunsene Gesicht seiner ertrunkenen Geliebten.

Der Arbeiter, plötzlich zitternd, ließ den Körper los, der lautlos ins Wasser zurücksank, wie in seine Heimat. Ein Schrei löste sich aus der Menge. Der junge Mann, immer noch ohne sich zu bewegen, sagte ganz leise:

«Ich habe Louise vergessen...»

Letztes Gespräch

Karl bog vom Boulevard Saint Germain in die Rue Saint Benoist ein; ging die Rue Saint Benoist rasch hinunter bis zur nächsten Straßenkreuzung; schwenkte dann nach links ab. Er ging schnell, die Hände in den Taschen seines schmutzigen, alten Trench-Coats, das junge Gesicht geneigt vor einem grimmigen Wind, der an Nase und Ohren weh tat. Schneien sollte es, dachte Karl. Es war sehr kalt. Beinah wäre er an seinem Hotel vorbeigelaufen, weil er die Stirn nicht gegen diese Kälte heben wollte. Dicht vor der Haustür merkte er, daß er am Ziel war; er lachte leise in sich hinein – es war eine angenehme kleine Überraschung –, stieß die Türe auf, ging durch das Vestibül – im Salon wurde Klavier gespielt, Chopin –, vorbei an der staubigen Palme im grünen Kübel, am Brett mit den Schlüsseln unter den Zimmernummern; am Glasverschlag, hinter dem die Patronne – sie war taub – im schwarzen Kostüm saß und ihn mißtrauisch musterte (er nickte ihr zu, aber sie erwiderte seinen Gruß nicht, er hatte seit vierzehn Tagen nichts bezahlt); rannte die Treppe hinauf (schmutzig-roter Läufer, vollgesogen von Staub; aus diesem Hause müßte man den Staub tonnenweise ziehen können, dachte er laufend, etwas atemlos); erster Stock, zweiter Stock, dritter Stock; schnaufend hielt er vor Zimmer achtzehn; riß die Türe auf; stand lachend im Zimmer.

«Ich habe Geld!» rief er lachend und fügte hinzu – als gelte es, eine übertrieben freudige Reaktion, einen Aufschrei etwa, der aber aus dem Zimmer gar nicht erfolgt war, zu dämpfen –: «Oh, nicht sehr viel! Aber es langt doch, um die Rechnung hier zu bezahlen. Wir können raus aus dem Loch hier, Annette!»

Statt des begeisterten Schreis, den er sich unterwegs, auf der kalten Straße, vorgestellt hatte, antwortete ihm aus dem halbdunklen Zimmer nur gedämpfte Musik. Das Grammophon spielte, eine schleppende und süße Melodie erfüllte den dämmrigen, kleinen Raum, mit dem Zigarettenrauch, wie eine zäh ziehende Wolke. – Karl konnte im ersten Augenblick gar nicht feststellen, wo Annette saß, so dunkel war es. Dann erkannte er sie, in der Ecke des breiten Betts, regungslos kauernd. «Mach doch die Türe zu, Liebling!» sagte sie mit einer hohen, piepsenden Stimme.

«Ich bin zu Bruno gegangen», redete er auf sie ein. «Wie idiotisch, daß ich es nicht längst getan habe! Er war prachtvoll wie immer. Noch ein paar Genossen sind dagewesen, es war wirklich fein, sie wiederzusehen. Was ich da alles gehört habe! Es wird ja viel, viel mehr getan und geplant, viel intensiver unterirdisch gearbeitet, als wir ahnen, Annette. Ja, und das Geld hat Bruno mir also geliehen. Es genügt, um in diesem verdammten Puff hier die Rechnung zu bezahlen – dafür genügt es. Wir haben ja verdammt fest hier gesessen. Jetzt können wir raus!» – Er warf den Trench-Coat über eine Stuhllehne, die Baskenmütze flog hinterdrein. Er reckte sich, lachend. Man hatte eine schwere und schlimme Zeit hinter sich. Aber nun fühlte er sich wieder wundervoll.

Annette sah vom Bett her seinen Bewegungen zu, die schön und beinah wild vor Freudigkeit waren. Sie sagte, ohne die Augen von ihm zu wenden und ohne ihre Stellung zu verändern: «Komm her! Gib mir einen Kuß.» Er stutzte; aber dann lachte er wieder. Lachend trat er zu ihr. Um sie zu erreichen, mußte er sich aufs Bett knien und dann immer noch die Arme nach ihr ausstrecken. Er zog sie näher an sich, ohne sie zu umarmen. Er legte nur sein Gesicht gegen ihres (sein Gesicht, frisch von der Kälte, mit roten Ohren, jung im Lachen wie das eines Achtzehnjährigen). Mit seinen Lippen berührte er leicht, sehr zärtlich ihre Stirn – kleine, runde Kinderstirn, dachte er, ergriffen von einer plötzlichen Besorgtheit. Diese Besorgtheit wuchs, da er seinen Blick weiter über ihr Antlitz gehen ließ, das sie ihm stumm hinhielt –: Antlitz eines Kindes, das zuviel erlebt hat, oder zuwenig; schon mitgenommen, schon ramponiert. Wie grau und locker das Fleisch ihrer Wangen. Armes Ding! dachte er. Sie sieht richtig krank aus. Sein fast ängstlich prüfendes Schauen erwiderte sie mit dem unschuldsvoll feuchten Blick ihrer runden, dunklen Augen, die in tiefen, bräunlichen Schatten lagen.

«Freust du dich, daß wir wegkommen von hier?» fragte er, so nahe bei ihr. «Das hier war nicht gut – auch für dich nicht.» Er machte eine angeekelte Handbewegung über das Zimmer. «Wir werden mit Bruno und den Genossen zusammenwohnen. Sie haben ein Atelier, es liegt ziemlich weit draußen, aber mit Metro-Verbindung. Zunächst brauchen wir gar nichts zu zahlen. Wir werden arbeiten – auch du wirst arbeiten, Annette. Hier waren wir ja so elend isoliert, so weg von den andern, so abgeschnitten. Freust du dich?» fragte er sie noch einmal. Sie sagte nichts. Ihr Lächeln, das er nicht beachtete – denn er suchte mit seinen Augen in ihren nach einer Antwort, die er nicht finden konnte –, wurde sehr traurig. Der große, dunkelgefärbte Mund in ihrem blassen Gesicht – ein Gesicht, das einmal rund gewesen war, pausbäckig (nur wer es so gekannt hatte, konnte diese vergangene Schönheit noch an ihm erraten) –, ihr großer, schöner Mund zitterte etwas im Lächeln. Sie hätte lieber geweint.

Sie stand plötzlich auf und ging rasch durchs Zimmer. Ihr Gang war elastisch, eitler und kraftvoller, als ihr verwundetes und müdes Lächeln es hätte vermuten lassen. Man konnte wieder ein wenig mehr Hoffnung für sie haben, da man sie gehen sah. Sie war sehr groß; das enge, schwarze Pyjama betonte ihre Magerkeit. Auf dem Schwarz des kurzen, seidnen Jäckchens trug sie eine blutrote schmale Kette; Karl hatte sie ihr vor Jahren geschenkt. – Sie beugte sich über das Grammophon, das leer lief, um es abzustellen. Noch über den Apparat geneigt, sagte sie leise: «Ich will nicht fort von hier, Karl. Ich bleibe.»

Hatte er nicht schon auf diese Worte von ihr gewartet? Nun stellte er sich, als täte sie ihm eine arge Überraschung an. «Was heißt das?» fuhr er auf – sie ging langsam an ihm vorbei, um sich wieder aufs Bett zu setzen. «Gefällt es dir hier so gut?» Er machte wieder dieselbe angeekelte Handbewegung – nur fiel sie diesmal heftiger aus – durch die dämmrige Stube, mit all ihrem Plüsch, gerafften Vorhängen, Schlafröcken und Hemden über Stuhllehnen. Annette zündete sich eine Zigarette an. Das Gesicht still über dem Streichholz, welches sie zu Ende glimmen ließ, fragte sie, sanft erstaunt: «Ob es mir hier gefällt? Wieso denn?» Das weiche, hellbraune Haar fiel ihr in die Stirne, sie warf es zurück, indem sie den Kopf hob und Karl beinah bittend anlächelte. «Aber ich will nicht mehr fort», sagte sie. «Ich will auch gar nicht zu Bruno, und von illegaler Arbeit will ich auch nichts wissen. Ich bin müde.»

Er betrachtete sie mit einem Blick, der unter zusammengezogenen Brauen immer finsterer wurde. Von ihr weg schaute er über das Zimmer. Mit einer grimmigen Genauigkeit prüfte er – als sähe er das alles zum ersten Mal – die billigen und makabren Requisiten ihrer Einsamkeit, die er, seit sie von Deutschland fort waren, mit ihr geteilt hatte. Über den Hocker, auf das das Grammophon stand, hatte sie einen dunkelroten, türkischen Schal gebreitet; Karl empfand plötzlich die gelben Blumen, mit denen der Schal bestickt war, als ungemein häßlich. Die Nachttischlampe war mit einem weichen Lumpen ähnlicher Art verhüllt. Auf dem Nachttisch lagen zwei zerlesene, gelb broschierte Bücher, ein zerknülltes, schwarzseidenes Tüchlein und eine lange, schwarze Zigarettenspitze neben einer leeren Parfümflasche und einer Kollektion von medizinischen Packungen: Schlafmittel, Beruhigendes, Schmerzstillendes; Tabletten, Tropfen, Zäpfchen und Tinkturen. – Als Aschenbecher benutzte sie die Seifenschale vom Waschtisch.

Was für ein billiger kleiner Aufwand! dachte Karl entsetzt. Er spürte plötzlich Haß gegen Annette, wegen der Seidenlümpchen und der leeren Flacons. Sie will eine Stimmung um sich herstellen, die ihr sozial nicht mehr zukommt. Das ist es – natürlich, da haben wir den Grund, warum dies alles so abstoßend wirkt. Unsereiner kann sich solchen Zauber nicht mehr leisten; dazu gehört ein Apparat, der kostspielig ist. Décadence, die noble Pathologie; Einsamkeit mit Drogen und Huysmans «À Rebours» in kostbarem Einband –: ich weiß schon, was ihr da vorschwebt, dem Kindskopf. Diese Launen kamen einer Bourgeoisie zu, deren Geschäfte gut gingen. Die konnte sich den Horizont mit Orchideen verstellen und müde vom Nichterlebten dem Tode zulächeln, während andre sich für sie plagten. Aber Orchideen sind teuer. Mit diesen abgeschmackten Seidenfetzen wirkt das Ganze nur blöd.

Laut sagte er: «Wie willst du überhaupt die Rechnung hier weiter bezahlen? Was ich habe, langt grade für das, was wir jetzt schon schuldig sind.» Sie erwiderte, ohne sich zu bewegen und ohne die Augen von ihrer Zigarette zu heben: «Vielleicht schickt Mama doch noch mal 'n bißchen was.»

Er wußte, daß sie es nicht glaubte – ja: daß sie von der völligen Unmöglichkeit ihrer Hoffnung überzeugt war –, und er erschrak gleich über den zugleich klaren und toten Klang ihrer Stimme. Um das sehr unangenehme Gefühl dieses Schreckens zu überwinden, redete er wieder eifrig und laut: «Was das wieder für Dummheiten sind! Du hast Launen, gut, dafür bist du eine Frau! Aber jetzt denk doch mal nach, nun nimm dich doch mal zusammen! Soll es denn ewig so weitergehen, mit dieser Schlappheit und mit dieser Faulheit und mit diesen traurigen Spielereien? Wieviel schöne Zeit wir schon verloren haben! Das ist doch unersetzliche Zeit. Wir hätten sie nutzen sollen – zur Arbeit. Auf wen soll die Bewegung denn rechnen, wenn *wir* so verkommen, und wir sind jung? In Deutschland herrscht das Grauen und die Barbarei, in andren Ländern steht es vor der Tür; wir sollen kämpfen – *kämpfen*, verstehst du, Annette? –, auf uns kommt es an! Und du liegst hier mit deinen Seidentüchlein.»

Es war fraglich, ob sie zugehört hatte. Ihr Gesicht – beinah friedlich bei aller Traurigkeit – zeigte keine Bewegung. Zu der Zigarette hinunter, die sie langsam zwischen den Fingern drehte, sagte sie mit derselben klaren und toten Stimme wie vorher: «Laß mich liegen. Ich mag nicht mehr.»

Ihre schreckliche Haltung ängstigte und erregte ihn derart, daß er schrie. «Unsinn!» schrie er, und: «Du weißt ja nicht, was du sprichst. Sitz doch nicht so da, ich beschwöre dich! Du lebst doch gern, du hast doch immer gerne gelebt. Nun – dann mußt du auch etwas dafür tun, dann mußt du dich mit uns plagen, daß aus dem Leben hier etwas Vernünftiges wird, etwas Lebenswertes –»

Er rannte im Zimmer auf und ab, gestikulierend und keuchend. Sie sagte, während sie die Zigarette in der Seifenschale ausdrückte: «Ja – es war hübsch mit dir –» Wahrscheinlich hatte er es gar nicht gehört, denn er schrie noch immer, wobei er nun vor ihr stehen blieb und sie sogar an den Schultern rüttelte – er spürte die Magerkeit ihrer Schultern –: «Steh auf! Komm mit mir! Die Welt will anders werden, und du bleibst hocken auf deinem Bett!»

Sie erwiderte langsam und ruhig – und entzog sich dabei seinem Zugriff –: «Die Welt will anders werden. Gut. Mehr als gut – ja, ich weiß schon, Karli: ganz ausgezeichnet. Es muß famos sein, da mitzuarbeiten.» Er wollte schon wieder auffahren, aber sie winkte seiner Entrüstung mit ihrer schönen, blassen Hand ab – es war die rechte Hand, die sie hob, er sah die vom Nikotin gelbgefärbten Spitzen von Daumen und Zeigefinger, es war aber nicht häßlich, nur rührend, Elfenbein, mußte er denken, Elfenbein, edel verfärbt, ach, wie unendlich hatte er diese Hände geliebt, lange Finger, schmale Gelenke und der schöne Schnitt der ovalen Nägel –: «Laß mich doch sprechen, Tolpatsch», sagte sie und lächelte ernst (sie ist älter geworden). «Du mußt mir doch zugeben: die Welt nimmt sich reichlich Zeit zu ihrem Anderswerden. Der Übergang dauert recht lange. Liebling – es *muß* ja nicht jeder dabeisein. Nicht jeder fühlt sich stark genug, da mitzumachen. Und ihr sagt ja selber, daß es auf den einzelnen nicht mehr ankommt.»

Hier konnte er sie unterbrechen, das gab Anlaß zur Diskussion. «Nein», konnte er heftig rufen – das Gesicht hitzig und angespannt, wie wenn er in Versammlungen sprach –, «nicht so, doch nicht in diesem Sinne, Annette. Da mißverstehst du wieder etwas, ja, da *weißt* du eben einfach nicht genug. Natürlich ist der einzelne unentbehrlich, jeder ist unentbehrlich für den sozialistischen Aufbau und für den Kampf um seine Vorbereitung – aber eben nur, wenn er sich unterordnet, nur als Teil des Ganzen –»

Einen Moment kam Langeweile in ihr Gesicht, aber sie wich gleich wieder einem freundlichen, wenn auch müden Ernst. «Sicher», sagte sie nachgiebig, «du hast recht, Liebling. Aber sicher ist der einzelne doch nur dann zu verwenden, wenn gewisse Voraussetzungen erfüllt sind; vor allem die, daß ihn die ganze Pastete – ich meine: das Schicksal der Menschheit – überhaupt so sehr interessiert. Die Menschheit – denk doch nur, Karli –: was für eine Bande. Gut, gut – soll sie doch sehen, wie sie mit sich zurechtkommt, soll sie doch recht grausam und störrisch sein – sie muß ja selbst alles büßen –, soll sie endlich ihre große Schreckenssache auffahren, ihre effektvolle Apokalypse, diesen Gaskrieg – jetzt schwatzt man so lange davon –; sie wird auch darüber wegkommen, sie ist ja zäh; und soll sie sich dann *noch* eine Diktatur einrichten, damit alles möglichst grausig bleibt. Aber – *ohne mich*, Liebling! Bitte bitte, Liebling –: ohne mich!» Ihre Bitte war ernst, sie hob flehend die Hände, Tränen standen in ihren kindlichen Augen.

Vor dem naiven Zynismus dieser Melancholie erschrak er wie vor einem Abgrund, der plötzlich aufsprang. Das war seine Geliebte, das seine Freundin seit so vielen Jahren! Mit ihr war er aus Deutschland geflohen, damit sie seine Genossin im Kampfe sei. Er nannte diesen Kampf «heilig», den sie abtat mit so trostlosen Worten. Annette! – «Aber Annette!» konnte er grade noch flüstern. Sie sprach schon weiter – jetzt hatte sie die schwarze Zigarettenspitze als ein Spielzeug zwischen ihren Fingern –: «Wir haben nichts mehr zu erwarten, was sich für jemanden lohnt, der das Kämpfen nicht mag. Seien wir doch mal ehrlich, mein Häschen: nur immer noch ekelhafter kann es werden. Wir haben zehn relativ vernünftige Jahre hinter uns. Jetzt fängt ein Zwischenspiel von Grauen an – ein etwas ausführliches Zwischenspiel, für meinen Geschmack. Was dann kommt, ist schon für die nächste Generation, bestenfalls; sicher nicht mehr für uns. Wozu da noch groß Kraftanstrengung machen?» In seiner Hilflosigkeit rief er: «Annette! Du bist siebenundzwanzig Jahre alt!» Sie beugte sich tiefer über die Zigarettenspitze, auf das armselige Spielzeug fiel ihr Lächeln wie Tränen. «Ja», sagte sie. «Ich war sechzehn, als ich dich kennenlernte. Das macht elf Jahre.» Sie berührte mit ihren Fingern seine Hand, die sich geballt hatte, aber sich löste, öffnete bei ihrer Berührung.

Kühle Berührung ihrer Hände – ewig geliebte Berührung –:

was stürzte da auf ihn ein? Ach, die Ewigkeit ihrer Liebe. Diese ersten Jahre, gemeinsam, in der Freien Schulgemeinde. Spaziergänge, endlos, und das endlose Gespräch. Die Vertrautheit ihrer Körper, innig, wie die Vertrautheit ihrer unreif schweifenden Gedanken. Reisen; dann das Leben in verschiedenen Städten. Und um wie vieles schöner das Leben wurde, da es anfing, ernster und verpflichtender zu werden. Er begann, sich um Politik zu kümmern, dann politisch tätig zu sein. Sie blieb ihm nahe, bei aller etwas spöttischen Skepsis, die sie dieser Sphäre gegenüber wahrte. Sie war immer sein Leben gewesen, oder doch sein geliebtester Teil. Er glaubte, daß er niemals ohne sie auskommen könnte.

Auch sie spürte Erinnerungen, während sie seine Hand streichelte; aber ein Schleier hängte sich davor. Im Innersten war sie doch schon bereit, dies alles, was ihr einst über alle Maßen kostbar gewesen war, gegen das große Dunkle einzutauschen, dem sie nun allein die tröstliche Macht zuerkannte. Ihr freigiebig und schrecklich frei gewordnes Herz verschenkte schon das Irdische, um das gnadenreichere Labsal dafür anzunehmen. Ihr Herz war lüstern und gierig nach diesem Tausch. Es hatte noch nichts vergessen und sich alle Zärtlichkeit bewahrt. Aber schon war diese Zärtlichkeit getränkt von dem unwiderstehlichen Gefühl ihrer Todessehnsucht, ganz durchdrungen von ihm und dadurch dunkel verändert. Die hingerissene Liebe zum Tod, die ihr Gesicht nicht bitter machte, sondern freundlich verklärte, schloß ihre treue Liebe zum Gatten und Freunde in sich ein. Sie vergaß ihn nicht, ihren Freund – wie hätte sie's können? –, aber was sie ihm noch an unvergänglichem Gefühl bewahrte, war doch schon nur ein Teil ihrer neuen Brautschaft.

Mit einem merkwürdig friedlichen Ausdruck im Gesicht konstatierte sie: «In Deutschland ist die Schweinerei zunächst unabsetzbar, und was nachher kommt, wird auch nicht viel besser sein. Ein feines Vaterland haben wir. Der einzige Trost bleibt, daß mit der übrigen Welt auch nicht mehr los ist.»

Das ernüchterte ihn. Alle seine Instinkte und all seine Grundsätze wehrten sich gegen diese schaurige Resignation. Ihre asoziale, hoffnungslos lächelnde Friedsamkeit empörte ihn. Er sagte mit Schärfe: «Wenn alle so dächten wie du, könnte die Menschheit Selbstmord begehen.» Worauf sie mit dem sanftesten Lächeln zu entgegnen hatte: «Erstens wäre das nur ein Gewinn, und zweitens denken ja leider nur die allerwenigsten wie ich, oder trauen sich doch nicht, es sich einzugestehen.» Statt ihr auf diese Bemerkung, die er als geradezu unverschämt empfand, zu erwidern, dachte er nach, die Stirne trotzig gesenkt, in großen, harten Zusammenhängen.

Merke ich das jetzt erst? Wir gehören nicht mehr zusammen. Ich habe eine Aufgabe, sie hat keine. Ich glaube an etwas, sie nicht. Wir dürfen uns nichts mehr vormachen. Das wußten wir ja, als wir damals loszogen aus Deutschland: diese Situation muß alles auf die Spitze treiben, auch das Private. Es wird Entscheidung verlangt. – Nein, sie wird sich doch nichts antun, das doch nicht! Er dachte diesen Gedanken zum ersten Mal oder doch zum ersten Mal mit solcher Klarheit. Mit einer Unaufrichtigkeit vor sich selber, die nicht ganz unbewußt sein konnte, wies er ihn gleich wieder von sich. Solche Unaufrichtigkeit gestattete er sich um der Sache willen. Wer so wie sie mit dem Tod kokettiert, läßt sich nicht im Ernst mit ihm ein, zwang er sich zu denken. Hat sie denn einen Grund zum Selbstmord? Ich «verlasse» sie nicht. Was sind das überhaupt für bürgerliche Vokabeln. Es liegt nur so, daß wir einander im Augenblick durchaus nichts nützen können. Ich darf mich jetzt mit ihr nicht belasten, so sicher bin ich selber noch nicht. Ein Glück, daß ich mich nicht schon mehr an ihr angesteckt habe. Diese Begegnung mit Bruno war meine Rettung. Vielleicht findet sie später doch noch zu uns, wahrscheinlich, es muß ja so kommen, im Grunde ist sie ein prachtvoller Mensch, und wir gehören zusammen. Es wird meine Aufgabe sein, ihr zu helfen, sie zu erziehen. Ich habe da gewiß viel falsch gemacht. Aber ich verkomme selbst, und sie mit mir, wenn ich hier in dieser Atmosphäre weiterlebe.

Vor ihrem Bett stehend fragte er sie noch einmal mit einer künstlichen Ruhe, sehr streng: «Du willst also nicht mit mir zu den Genossen gehen?» Sie schüttelte den Kopf.

«Ich habe es aber den Genossen versprochen, daß ich zu ihnen komme», sprach er weiter. «Ich habe es Bruno versprochen. Ich brauche Bruno und die andern, ich brauche sie jetzt.»

«Dann mußt du eben gehen», sagte sie.

«Aber dann verlierst du mich», schrie er sie an.

Sie lächelte vertrauensvoll. «Dich habe ich doch – hier», sagte sie und deutete auf ihr Herz.

«Wenn du meinst –» antwortete er verbissen. Und dann, hastiger: «Es ist natürlich nur für ein paar Tage. Du wirst nachkommen, warte nur ab. Ich werde mit Bruno nächstens hier anrücken und dich einfach holen.» Er lachte. Plötzlich eilig, rannte er ein paarmal durchs Zimmer, warf Gegenstände in eine Handtasche: die Zahnbürste, das etwas zerrißne Pyjama. «Ich nehme nur das Nötigste mit», redete er im Hantieren. «Morgen hole ich die anderen Sachen und schaue nach, ob du vernünftiger bist. Wir werden heute abend bei Bruno eine große Besprechung haben, einen Arbeitsplan werden wir machen. Ich zahle unten die Rechnung, wenn ich bei der alten Tauben vorbeikomme. Denke darüber nach, ob es sich nicht doch lohnt zu kämpfen, Annette – ob sich das Leben um des Kampfes willen nicht doch lohnt.»

Sie folgte mit ihrem verhangenen Blick seinen raschen und ungeschickten Bewegungen. Ohne zu lächeln, aber wohlwollend beobachtete sie, wie er sich so rasch wie möglich den Trench-Coat anziehen wollte und mit dem rechten Arm den Ärmel nicht fand. Er fuchtelte heftig. Während er sich dann nach der Handtasche bückte, überlegte er sich einen Augenblick, ob er ihr noch einen Kuß geben solle; kam aber zu dem Entschluß, daß ein wenig pädagogische Strenge nur heilsam wirken könne. «Also, werde mir gescheiter bis morgen!» sagte er, bei der Tür. Und, schon mit einem Fuß auf dem Korridor: «Ich bin wirklich froh, aus dem Muff hier herauszukommen.»

«Adieu, Karli», sagte Annette.

Ziemlich laut fiel die Tür hinter ihm zu. Sie lauschte, wie sich seine Schritte die Treppe hinunter entfernten. Wenn sie angestrengt hinhörte, konnte sie noch unterscheiden, wie er unten mit der Patronne verhandelte und wie dann die Haustür hinter ihm zufiel. Die Stille, die nach diesen entfernten Geräuschen plötzlich einsetzte, schien ihr riesenhaft. Wie betäubt von ihrer Wucht – die als ein Lärm, auf den sie nicht gefaßt gewesen war, das Zimmer erfüllte –, legte sie sich zurück. Dabei streifte ihr Blick, neugierig, freundlich und ernst, über die Medikamente auf dem Nachttisch. An der Schachtel mit den Veronal-Tabletten blieb ihr Blick haften. Er wurde nicht feierlicher dabei, sondern von einer beinah fröhlichen Nachdenklichkeit. Dann wandte sie noch einmal den Kopf, so wie man sich für einige kurze und reizvoll spannende Sekunden von einem höchst begehrten Gegenstand entfernt, um dann, wenig später, mit um so größerem Genuß zu ihm zurückzukehren. Sie drückte ihre Wange fester gegen das Kissen, auf dem sein Kopf neben dem ihren geruht hatte in den vielen Nächten dieser letzten schweren Monate. «Mein Liebling», sagte sie in das Kissen hinein. Aber da wußte sie nicht mehr: galt es noch ihrem Karl oder schon dem anderen Freunde, dessen erlauchte Gegenwart bald ihr armes Zimmer strahlend verdunkeln würde.

Der Bauchredner

Die Stadt Prag hat viele Gesichter; sie ist sehr alt und sehr jung zugleich. Nun, da es Abend wird, liegen auf der «Kleinseite» die Barockpalais und die engen Gassen, die schönen Brunnen, Plätze und Figuren in einem feierlichen, etwas verwunschenen, etwas düsteren Frieden; über den Wenzelsplatz aber weht Großstadtluft: der mit Energien geladene Lärm der sich verjüngenden und entwickelnden, kraftvollen slawischen Kapitale.

Der Himmel hat noch ein wenig Licht, aber die elektrischen Lampen sind schon angegangen. Es ist die Stunde, da die Leute aus ihren Geschäften und Büros nach Hause gehen. Man drängt sich vor den Kinos, vor den offenen Restaurants; am dichtesten vor den Automatenbüfetts, wo es die besten Dinge für ein geringes Geld zu verzehren gibt. Die Schreie der Zeitungsverkäufer haben einen enthusiastischen und dabei verzweifelten Akzent. Letzte Sportnachrichten – man kann sie in tschechischer oder in deutscher Sprache haben. Was ist in Genf passiert, was in Abessinien? – Über die Lesenden, Schwatzenden und Kauenden hinweg locken die legendären Augen der Filmdiva, deren Porträt, in riesenhafter Vergrößerung und grell angeleuchtet, über dem Portal des Kinotheaters schwebt. Die Straßenhändler suchen an Lärm einander zu überbieten: sie preisen Füllfederhalter oder Taschenkämme an; Hautcreme, Krawatten oder Detektivromane; Gefrorenes, bunte Taschentücher oder Lehrbücher der französischen Sprache. Einer zeigt, am eigenen behaarten Beine, den Herren das Patent des neuen Sockenhalters. Auch um diese Darbietung bilden sich Gruppen. Der Mann, der seinen Arbeitstag hinter sich hat, möchte sich jetzt unbedingt etwas zerstreuen und ergötzen, und sei es auch nur an einem Patentsockenhalter.

Ein junger Mensch aber, der keine Arbeit hat, ist kaum dazu aufgelegt, sich von solchem Jahrmarktslärm unterhalten zu lassen, obwohl doch gerade er reichlich Zeit dazu hätte. Nur ist ihm leider nicht danach zumute. Er schlendert in einem Anzug, der keine Farbe und keine Form mehr hat, sondern eigentlich nichts mehr ist als ein mausgrauer Sack, über den strahlenden, lärmenden Platz, und was er denkt, ist nur dies: Wann werde ich mal wieder irgendwas zu tun bekommen? Ganz egal, was. Hauptsache, daß endlich mal wieder ein bißchen Geld in meine Taschen kommt. Annemarie fängt schon an, etwas unfreundlich mit mir zu werden. Sie wird mich verlassen, wenn ich ihr auf die Dauer nichts bieten kann, und dann habe ich gar nichts mehr...

Mit solchen Gedanken gehen ja heute viele junge Männer herum, überall, in den großen wie in den kleinen Städten des Erdteils. Der, dem wir eben ein paar Schritte gefolgt sind, heißt Milosch. Er ist dreiundzwanzig Jahre alt, und er könnte ein recht nett aussehender Junge sein, wenn er nur nicht gar so bleich und abgerissen wäre. Übrigens gehört er bei weitem noch nicht zu den Allerunglücklichsten. Er verfügt über gewisse Verbindungen, die er nun in Anspruch nehmen wird, da er seine Situation nicht mehr haltbar findet.

Wirklich: es gelingt ihm, er findet eine Beschäftigung. Freilich, es ist keine von der angenehmsten und feinsten Sorte; aber er nimmt sie an, denn er will wieder etwas Geld in die Taschen bekommen, damit er am Sonntag einen Ausflug machen kann mit Annemarie, die schon anfängt, etwas unfreundlich mit ihm zu werden. Ja, hauptsächlich im Hinblick auf Annemarie, deren Blick und Lächeln es ihm mächtig angetan haben, akzeptiert Milosch die neue «Stellung».

Ganz entschieden erregt die riesige Figur, die nun von morgens bis abends den Wenzelsplatz auf und ab spaziert, ein gewisses Aufsehen. Sie ist mindestens doppelt so hoch wie ein gewöhnlicher Mann; an der weißen Ballonmütze, der weißen Schürze, dem enormen Bauch und dem Kochlöffel, den der Riesenmensch wie ein Gewehr geschultert trägt, kann jedes Kind erkennen: Dieses Ungetüm ist ein Koch. Wer zu lesen versteht, der mag sich durch die Inschrift auf dem umfangreichen

Schilde, das der Riese auf seinem Rücken hat, darüber belehren lassen, wie vorzüglich und dabei preiswert man in dem neu eröffneten ungarischen Restaurant um die Ecke speist.

Man hat es wohl schon erraten: In dem Riesenkoch, der auf dem Wenzelsplatz für das neue ungarische Restaurant Reklame spaziert, steckt kein anderer als Milosch, unser armer Freund. Für seine Annemarie hat er diese weder sehr leichte noch sehr ehrenvolle Beschäftigung auf sich genommen.

Sehr gemütlich ist es grade nicht im Innern des Riesenleibes. Die Luft dort ist ebenso dumpfig, wie sie gewesen sein muß im Bauche des großen Fisches, von dem der Prophet einst verschluckt wurde. Außerdem hat unser Milosch recht schwer zu tragen an seinem hochragenden künstlichen Oberkörper. Denn er selbst – ein magerer junger Mann von normaler Größe – würde dem Riesen, wenn er neben ihm stünde, kaum bis zum Gürtel reichen. Da er nun in ihm steckt, sitzt sein Gesicht mitten im Bauche des Monstrums, gleichsam als der Nabel des Riesen. Vor dem Gesicht – also mitten auf dem kolossalen Bauche des Koches – ist ein Gitterchen angebracht, damit der arme Milosch doch etwas sehen und ein wenig atmen kann. Wer aber von den sehr vielen Menschen, die im Laufe des Tages den Wenzelsplatz hinauf und hinunter gehen, bemerkt das hinterm Gitterchen versteckte Menschengesicht? Sie sehen alle nur das rote, breite, behaglich und doch zornig grinsende Maskenantlitz des Riesenkoches, das, zugleich einladend und erschreckend, über dem künstlichen, enormen Oberkörper schwankt.

Der gute Junge hatte sich seine neue Arbeit weniger anstrengend und nicht so beschämend vorgestellt. Nun fand er es furchtbar ermüdend, den lieben langen Tag in so umfangreicher Vermummung den Wenzelsplatz auf und ab zu spazieren; seine Füße – Menschenfüße, die so überraschend klein unter den breiten weißen Hosen des Ungeheuers zum Vorschein kamen – taten ihm weh, und auf die Dauer machte es Mühe, hinter dem Gitterchen Atem zu kriegen. Übrigens empfand er es nach und nach als peinlich, daß so viele Menschen über ihn lachten; vor allem die kleinen Buben, aber auch die Mädchen amüsierten sich über die große, wackelnde Puppe mit ihrem Kochlöffel und mit ihrem großen Bauch.

Da war es doch noch ein Trost, daß sich ab und zu ein Kamerad einfand, der sich ein paar Minuten oder selbst eine Viertelstunde lang vor dem großen Bauche aufstellte, um mit Milosch zu plaudern. «Na, wie fühlst du dich in deiner neuen Würde?» fragte der Kamerad. Und Miloschs Stimme antwortete dumpf aus der Tiefe des weißen Bauches: «Danke, man muß zufrieden sein. In den Füßen spürt man das viele Laufen.» – Die beiden lachten und sprachen noch ein wenig zusammen; für die Vorübergehenden war es ein drolliges Bild, wie da ein Mensch auf diesen großen Bauch einredete, aus dessen Innerem dumpfe Antwort kam. «Man fühlt sich ja ganz winziglklein neben dir», sagte der Kamerad. «Du bist wirklich ein Riesenkerl geworden – haha.» Auch aus dem Bauch scholl ein Lachen; denn unser Milosch war immer noch leidlich guter Dinge.

Besonders nett und erfreulich war es, daß gegen Abend auch einmal Annemarie bei ihrem so gewaltig in die Höhe und Breite gewachsenen Liebsten erschien. Milosch sah sein Mädchen schon von weitem kommen. Zuwinken konnte er ihr ja nicht, denn seine eigenen Arme waren unsichtbar, und die dicken weißen Arme des Kochs, in den er sich verwandelt hatte, wollten ihm nicht gehorchen. So stapfte er ihr nur, beschwingten und watschelnden Ganges, ein paar Schritte entgegen.

Annemarie schien vorzüglicher Laune zu sein. «Nein, wie komisch du aussiehst!» lachte sie ein über das andere Mal. «Ich hätte dich wahrhaftig niemals erkannt!» – «Das glaube ich wohl», antwortete die Menschenstimme im Bauche. «Ich habe mich ja auch gewaltig verändert.» Sodann machte der Riesenkoch ein paar tänzerische Schritte und Sprünge für die kleine Annemarie, die sich darüber nicht genug amüsieren konnte. – «Wie ist es?» fragte sie schließlich, als der Große genug getanzt hatte. «Wirst du mit mir abendessen gehen?» – «Aber ich muß doch bis zehn Uhr auf dem Wenzelsplatz bleiben», sagte die Bauchstimme betrübt. Daraufhin war Annemarie sofort etwas pikiert. «Langweilig», sagte sie nur und schaute um sich, als wollte sie sich, gleich jetzt und hier, einen anderen Begleiter für ihre Mahlzeit suchen. «Dann muß ich eben mit meiner Freundin essen», fügte sie mürrisch hinzu. – Der Abschied zwischen Annemarie und dem Mann im Bauche war etwas kühl; aber es war doch nett von ihr gewesen, daß sie überhaupt vorbeigekommen war.

So dachte Milosch, der sich am Abend sehr müde, aber nicht unzufrieden ins Bett legte und durchaus nicht gefaßt war auf die große Unannehmlichkeit, die sein Mädchen ihm am nächsten Tag bereiten würde. – Diesmal erschien sie schon zur Mittagsstunde. Ihre Miene war trotzig, als sie vor dem großen Koch stehenblieb, der wieder seine hohe Mütze, seinen Kochlöffel, sein Reklameschild und sein grinsendes Gesicht auf dem Platze spazierentrug.

«Es ist eine Schande!» schrie Annemarie den Bauch an, ohne jede schonende Vorbereitung.

«Was denn?» erkundigte sich ängstlich die Stimme hinter dem Gitterchen.

«Wie du herumläufst!» erklärte sie streitbar. «Alles lacht über dich.»

«Ist mir doch egal, ob sie lachen», sagte der Bauch. «Die Hauptsache, daß ich mein Geld verdiene.»

«Mir ist es aber nicht egal.» Es war deutlich: sie wollte Streit haben, um jeden Preis. «Schließlich bist du mein Bräutigam. Ich mag aber keinen, der sich als abscheuliche Puppe zurechtmacht.»

Wie mochte sie nur so ungerecht und dumm daherreden! Der Bauch hatte einen würdevollen und gekränkten Ton, als er antwortete: «Arbeiten ist nie eine Schande. Ich wäre auch lieber Generaldirektor.»

«In dieser Maskerade will ich dich jedenfalls nie wieder sehen!» rief Annemarie mit einer hysterischen, schrillen Stimme – sie war ganz verändert, irgend jemand mußte sie gegen Milosch aufgehetzt haben, vielleicht die Freundin, mit der sie gestern gegessen hatte, oder war es gar keine Freundin gewesen, sondern ein Kerl? Milosch knirschte mit den Zähnen bei dieser Idee, vor lauter zornigem Mißtrauen: ein unheimliches Geräusch, wenn ein Bauch mit den Zähnen knirscht. «Was willst du eigentlich von mir?» fragte er drohend.

Ihre Stimme war immer noch sehr schrill, als sie einschrie auf den armen Bauch. «Was ich von dir will?! Daß du mich nicht vor der ganzen Stadt blamierst, mein Lieber! Jeder fragt mich schon nach meinem ausgestopften Freund. Bist du überhaupt noch ein Mann? Obenherum bist du hohl!» Sie reckte sich auf die Zehenspitzen, um ihm gegen die künstliche Brust klopfen zu können.

Nun wurde der Bauch ernstlich böse. «Suche dir doch einen Grafen, wenn du einen findest!» grollte er. «Meinst du, mir macht es Spaß, so herumzulaufen?»

«Wahrscheinlich macht es dir Spaß!» rief das zänkische Mädchen. «Du hast immer ein Vergnügen daran gefunden, den Hanswursten zu spielen – gestern noch hast du so närrische Schritte für mich gemacht, man mußte sich ja schämen zuzusehen. – Wenn du diesen lächerlichen Beruf nicht aufgibst, bin ich fertig mit dir. Verstehst du?»

Erst als sie dieses gesagt hatte, kam aus dem Innern des Riesenkoches jener beleidigende Ausdruck, der Milosch für immer trennen sollte von seiner Annemarie. Der Bauch nämlich rief mit dumpfer, aber nur zu vernehmlicher Stimme: «Dumme Gans!» Dies aber war zuviel für das Mädchen Annemarie. Sich von einem gemeinen Bauche, am hellen Mittag auf offenem Wenzelsplatz, als «dumme Gans» beschimpfen zu lassen: es ging entschieden über das Erträgliche.

Einige Sekunden lang stand sie reglos vor Wut, wie versteinert. Dann entschloß sie sich dazu, ihren Milosch zu ohrfeigen. Zu diesem Zwecke schlug sie dem großen Koch, dem Propagandariesen des neuen ungarischen Restaurants, aus Leibeskräften mitten auf den Bauch – zum Gelächter der Umstehenden, wie man sich vorstellen mag. «Pfui!» keifte sie; und: «Da hast du es!» – wobei sie immer weiter auf den armen Bauch einprügelte, bis sie sich endlich, zornig schluchzend, abwandte und davoneilte. «Mich siehst du nie wieder!» ließ sie ihn noch über die Schulter wissen.

«Annemarie!» rief es leise hinter dem Gitterchen – nun nicht mehr zornig, sondern innig bittend und klagend. «Annemarie – so bleib doch – so hör doch!» Aber weg war das Mädchen; sicherlich hatte sie gestern abend doch mit einem fremden Mann gegessen.

Da stand der breite und hohe Koch, mit seinem Kochlöffel über der Schulter, mit seiner Reklametafel und mit seinem roten, grinsenden Gesicht. Unter den weiten Hosen kamen die Menschenfüße, merkwürdig klein, in sehr abgetragenen schwarzen Schuhen zum Vorschein. Der Koch rührte sich nicht.

Ein kleiner Junge, der mit seinen Eltern vorüberging, fragte: «Schaut doch mal – ist der echt – der große Koch da?»

Der Vater sagte: «Aber du siehst es doch – er ist ausgestopft!»

«Ich möchte so gern mal seinen Bauch anfassen!» bettelte das Kind. Und als die Eltern es ihm gestattet hatten, stellte er sich auf die Zehenspitzen, um den großen Bauch mit seinem Zeigefinger zu berühren. «Huh!» schrie der kleine Junge. «Es steckt ein Gesicht im Bauch – hinter einem Gitterchen – huh, ein Menschengesicht!» Und er begann vor Schrecken zu weinen.

In der Fremde

Bobby Talbot ist noch nicht ganz dreiundzwanzig Jahre alt. Sein Vater ist Geschäftsmann in Milwaukee, wohlsituiert, aber nicht reich. Bobby hat zwei Brüder und eine Schwester. Die Schwester ist sieben Jahre älter als er und mit einem Zahnarzt verheiratet, den Bobby nicht ausstehen kann. Von den Jungen ist Bobby der älteste; die beiden anderen, sechzehn- und achtzehnjährig, interessieren sich nur für Fußball und Markensammlungen. Bobby schreibt ihnen manchmal eine hochmütig abgefaßte Ansichtskarte. Er sieht auf sie herab und findet, es sind kleine Barbaren. – Da die beiden Buben noch nichts verdienen, kann der alte Herr Talbot seinem erwachsenen Sohn – der eigentlich schon in den Jahren ist, wo man für seinen Lebensunterhalt selber aufkommen sollte – nur einen bescheidenen Monatswechsel genehmigen.

Bobby war ein Jahr lang auf der Yale-University; dann ein halbes Jahr in Paris, wo er sich recht gut amüsierte und in den Montparnasse-Cafés eine Menge englischer, deutscher und skandinavischer Literaten und Maler kennenlernte. Bobby fand aber, daß dieses endlose Auf-den-Caféterrassen-Sitzen à la longue etwas langweilig wurde. Außerdem reichte auch sein Geld nicht aus, um jede Nacht die vielen Drinks zu bezahlen.

Jetzt ist Bobby in Wien. Er will hier ein halbes Jahr lang bleiben und dann nach Italien. Italien lockt ihn ganz besonders, er verspricht sich gerade von diesem Lande die schönsten Anregungen. Übrigens sieht er selber beinahe wie ein Italiener aus. Das mag allerdings auch an dem schwarzen Hemd liegen, das er trägt, weil er es exzentrisch und kleidsam findet. Wenn man sich bei ihm erkundigt, ob er Faschist sei, lächelt er geheimnisvoll und sagt: «Vielleicht…» In Wirklichkeit interessiert er sich überhaupt nicht für Politik und liest keine Zeitungen. – Er hat schwarzes, sehr dichtes Haar und dunkle, lebensvolle Augen, die ein kindliches Leuchten bekommen, wenn er lacht, und sich drohend verfinstern, wenn er sich über etwas ärgert oder traurig ist. Seine Stirn ist ziemlich hoch und steil: eine eigensinnige Stirn mit zwei kleinen Buckeln. Obwohl sein Mund weich und liebenswürdig ist und viel lächelt, gibt diese Stirn seinem hübschen jungen Gesicht etwas Störrisches, Bockiges und Rechthaberisches, was manche Leute ein wenig abstößt. Andererseits kommt es manchmal vor, daß Frauen gerade diesen trotzigen Zug an Bobby mögen.

In Wien besucht Bobby nicht mehr die kunstgeschichtlichen Kollegs – wie er es in Paris noch getan hat –; inzwischen nämlich ist er zu dem Entschluß gekommen, kein Student mehr zu sein, sondern ein freier Schriftsteller. Ein Band Gedichte liegt fertig vor, und es besteht gute Aussicht, daß er im nächsten Winter bei einem jungen Verleger in New York erscheinen wird. Neuerdings beschäftigt Bobby sich mit der italienischen Renaissance und plant eine Novelle oder ein Drama aus dem Kreise der Borgias. Er besucht jede Woche zweimal die Berlitz-School und nimmt Unterricht in der italienischen Sprache.

Gar nicht leicht war es gewesen, in Wien ein geeignetes Zimmer zu finden. Diese angenehmen, billigen, etwas schmutzigen, aber behaglichen kleinen Hotels, von denen es im Quartier Latin und auf Montparnasse eine solche Menge gab, existierten hier nicht. So mußte man zunächst ein Dutzend möblierter Stuben besichtigen, von denen eine melancholischer als die andere war. Schließlich entschied er sich für eine im Dritten Bezirk. Das Zimmer lag im Mezzanin – wie man hier sagte –; hatte weiß getünchte Wände und enthielt relativ wenig von jenen monströsen «Nippes-Sachen», die den meisten kleinbürgerlichen Wohnungen den schauerlichen Charakter geben. Apotheker Böschel, der Besitzer der Wohnung, schien ein biederer Mann zu sein. Das Badezimmer, welches Bobby mit der ganzen Familie Böschel teilen mußte, war nicht gerade sehr appetitlich; vor allem erschien es dem jungen Amerikaner absurd und quälend, wie hier mit den Handtüchern gespart wurde. Zu Hause war es eine Selbstverständlichkeit, daß man täglich seine frischen Handtücher hatte; Frau Böschel aber vergaß sogar manchmal, sie wöchentlich zu wechseln. Darunter litt Bobby, der einen geradezu abergläubischen Widerwillen gegen gebrauchte Tücher hatte und von der Angstvorstellung besessen war, man könnte sich durch ihren Gebrauch die häßlichsten Krankheiten zuziehen. Endlich entschloß er sich dazu, im Warenhaus ein Dutzend Handtücher einzukaufen, die er nun eifersüchtig in seinem Zimmer hütete und selber in heißem Seifenwasser wusch. Nachdem das peinliche Handtuch-Problem aus der Welt geschafft war, fing er an, sich in seinem neuen Logis etwas wohler zu fühlen.

Er machte sich das kahle, weiße Zimmer so nett wie möglich mit den paar Sachen, die er mitgebracht hatte: über das Bett hängte er eine Picasso-Zeichnung, die er in Paris einem jungen Maler, der sich in Geldschwierigkeiten befand, für wenig Geld abgekauft hatte und die eine Gruppe von anmutig-riesenhaften Frauen mit schweren Brüsten, breiten Schenkeln und melancholisch edlen griechischen Profilen vor einer öden Felsen-Szenerie darstellte; auf dem Schreibtisch stand in einem silbernen Rahmen die Photographie des Mädchens, in das er, während des Jahres auf der Yale-University, verliebt gewesen war: sie hieß Blanche, hatte eine kleine Stupsnase, ein süßes Lächeln und trug einen breiten, mit Blumen garnierten Strohhut. Die Bücher, die er teilweise aus den Staaten mitgebracht, teilweise in Paris angeschafft hatte, wurden auf der Kommode aufgebaut: es waren ihrer ungefähr dreißig an der Zahl, darunter der «Ulysses» von Joyce, die «Fleurs du Mal» von Baudelaire, Mereschkowskys «Lionardo da Vinci», die Romane von Hemingway, zwei Bücher von Mencken, der «Immoraliste» von Gide, eine italienische Grammatik, «The New American Credo» von Georges D. Nathan, ein englisch-französisches Lexikon, Shelleys Gedichte, die «Madonna im Schlafwagen» von Decobra, der «Reigen» von Schnitzler – den Bobby auf deutsch zu lesen versuchte –, mehrere Bände Baedeker, ein illustriertes Werk über schwedische Gymnastik und Walt Whitmans gesammelte Schriften.

Eine greuliche Eigenschaft der Böschelschen Wohnung war,

daß Frau Böschel sang. Sie sang wirklich beinahe den ganzen Tag – wenigstens schien es Bobby so; in Wahrheit übte sie drei bis vier Stunden täglich, aber es waren immer genau die Stunden, während derer Bobby sich inspiriert fühlte und Lust zum Arbeiten hatte. Zornig fragte er sich, warum Frau Böschel – eine üppige Fünfzigerin – sich noch so viel Mühe mit dem Gesangsstudium mache. Hoffte sie auf eine Karriere im Konzertsaal oder gar in der Oper? Das war doch lächerlich. – Bobby, der übrigens nicht besonders musikalisch war, fand, daß die Stimme der Apothekersfrau abscheulich spitz und schrill in der Höhe wurde. Andererseits war der fleißigen Sängerin eine Begabung für Koloratur nicht abzusprechen: gewisse Triller wurden nicht ohne Bravour zum Vortrag gebracht. Aber gerade diese öde, unbeseelte Gewandtheit des Vortrages war geeignet, einem jungen Poeten, der über zarten Reimen oder über den interessanten Sünden der Familie Borgia grübelte, fürchterlich auf die Nerven zu gehen. Oft lief Bobby wütend aus der Wohnung, aber er hatte ja niemanden, den er hätte besuchen oder mit dem er sich im Caféhaus hätte treffen können.

Zwei ganz nette New Yorker Bekannte, mit denen er während der ersten Wochen abends meist zusammen gewesen war, waren nach Budapest abgereist. Im Café Imperial, wo er einsam bei seiner Zeitung und seinem «Schwarzen mit Schlagobers» saß, hatte er einmal, zu seiner großen Freude, am Nebentisch einen Jungen entdeckt, mit dem er früher in Yale recht gut befreundet gewesen war. Aber der hatte ein Mädchen bei sich gehabt – seine Braut, wie er sie vorstellte – und war gar nicht sehr liebenswürdig zu Bobby gewesen; hatte auch keineswegs vorgeschlagen, daß man sich wieder mal treffen sollte. Wahrscheinlich hatte er Angst, daß man ihm sein Mädchen abspenstig machen könnte, der alberne Bursche, dabei war sie überhaupt nicht Bobbys Typ. Zu dumm, diese krankhafte Eifersucht. Übrigens mag der arme Kerl vielleicht einen gewissen Anlaß zu ihr haben – dachte Bobby höhnisch –, das Mädchen hat mir wirklich gleich einen ziemlich vielversprechenden Blick zugeworfen. – Bobby hatte also keinen Menschen in Wien. Er war ganz allein.

Allein war er ein paar Mal im Prater gewesen, aber gerade dort war er am allertraurigsten geworden. Dann ging er eine Zeitlang viel in Bildergalerien, dort störte die Einsamkeit am wenigsten. Im Kino war sie auch ziemlich erträglich; nur verstand er leider so wenig von dem, was die Leute auf der Leinwand redeten. Amerikanische Filme waren eine Seltenheit. – Manchmal drehten sich Frauen nach ihm um, im Café oder auf der Straße. Aber als er einmal eine ansprach, stellte sich heraus, daß sie kein Wort Englisch verstand, und sein Deutsch war immer sehr mangelhaft. Das machte ihn mutlos. Übrigens wußte man nie, ob es sich nicht am Ende um Damen handelte, die auf Bezahlung aus waren.

So geht dieser Bobby durch die Straßen dieser fremden Stadt. Denkt er an Milwaukee? Oder an die Universitätszeit? An ein Mädchen, an ein Haus, einen Weg, oder nur an ein Wort, das ein Mädchen oder ein Kamerad oder die Mutter irgend einmal irgendwo gesprochen hat? …So ist das also, wenn man «draußen in der Welt» sich herumtreibt: man hatte es sich eigentlich etwas anders vorgestellt. Vor allem hatte man doch wohl nicht geglaubt, daß man selber die Bekanntschaft dieses trivialen Gefühles machen würde, welches Heimweh heißt…

Wenn du nun nach Hause kommst, Bobby Talbot – aber ist dieses Mezzanin beim Apotheker Böschel ein Zuhause? –: wenn du die Wohnungstüre aufgeschlossen hast, deinen Mantel im Korridor aufgehängt, und nun den etwas dumpfigen Geruch der Böschelschen Wohnung wieder spürst und die öden Triller deiner unermüdlich gesangesfreudigen Hausfrau wieder in den Ohren hast: Was wirst du dann tun, wenn du in deinem weißen Zimmer allein am Schreibtisch sitzt, gegenüber dem Bilde deines Mädchens, von dem heute wieder kein Brief gekommen ist und das dich wahrscheinlich schon vergessen hat? Du wirst mehrere Minuten stille sitzen, die eigensinnig steile Stirn in die Hände gelegt. Und dann wirst du schreiben. Du wirst versuchen, ein Gedicht zu schreiben. Vielleicht gelingt es dir. Vielleicht bist du wirklich ein Dichter. Vielleicht aber kommt auch nur dummes Zeug zustande.

Wie wird diese Zeit in deiner Erinnerung aussehen, später? Färbe sie nicht rosig – gestehe doch: es ist eine bittere Zeit! Aber vergiß bitte nicht, daß diese Trostlosigkeit des Jungseins und des Alleinseins – daß diese Schwermut des unbefriedigten Ehrgeizes, der unbefriedigten Liebe auch alle Wonnen, allen Hochmut, allen unvernünftigen und gerade deshalb süßen Triumph des Jungseins heimlich in sich enthält.

Vergittertes Fenster

Vous fûtes un poète, un soldat, le seul Roi
De ce siècle où les rois se font si peu de choses...
Verlaine, «À Louis II de Bavière»

«Es ist der König!» sagten die Diener, und sie erschraken alle bis ins Innerste.

Einige drängten sich im Korridor des ersten Stockwerkes an den Fenstern; andere waren hinunter gelaufen, in die Halle oder auf den Kiesplatz vor dem Schloß.

Jeder von ihnen wußte, was geschehen war, und es gab unter ihnen keinen, der diesem Augenblick nicht mit einer Spannung, in die sich Grauen mischte, entgegen geharrt hätte.

Ihr Herr und König, Ludwig II. von Bayern, hielt Einzug in seiner schönen Besitzung, Schloß Berg am Starnberger See. Ach – aber er kam nicht an, wie es einem freien Herrscher geziemt. Ärzte und Wärter begleiteten ihn. Herren vom Münchener Hof folgten dem melancholischen, macabren Transport, der bewacht wurde von berittener Polizei.

Die Diener wußten: Man hatte ihren Fürsten, auf Schloß Hohenschwangau drüben, gefangen genommen als einen Irrsinnigen, fast wie einen Verbrecher. Die Doktoren in München hatten, im Einverständnis mit der Familie Wittelsbach und mit den Ministern, über ihn das schreckliche Urteil gefällt: Der König war krank – dahin lautete der ärztliche Spruch –, geisteskrank, und wahrscheinlich unheilbar: wie sein Bruder, Prinz Otto, der seit Jahren, von der Welt getrennt, irgendwo ein halb tierisches Dasein fristete. Die Krankheit, zu der die Gelehrten und die Würdenträger Seine Majestät nun verurteilten, wie man einen Übeltäter zu strenger Strafe verdammt, war genannt: Paranoia. Keiner der Diener verstand das beängstigend fremdartige Wort; aber alle erschauerten sie vor seinem bösen Klang.

War es möglich, daß ein König, der doch von Gottes Gnaden

und eigentlich unantastbar ist, Paranoia bekam, wie ein Bettler den Aussatz oder wie ein Kind Keuchhusten? – Ludwig II. sollte nicht mehr regieren dürfen, weil er mit der Paranoia geschlagen war wie mit einer Pest. «Es muß wohl in der Familie liegen», sagten die älteren und klügeren unter den Lakaien, mit düsterer Anspielung auf den unglücklichen Prinzen Otto. Aber skeptisch waren auch sie, was das Verhalten der Familie Wittelsbach, der Ärzte und der Minister in dieser wirren und schauerlichen Affäre betraf. Die Diener auf Schloß Berg vermuteten alle, daß ihr Herr und König auf Grund übler Machenschaften entmündigt, abgesetzt und als verrückt erklärt worden war. Prinz Luitpold, der Onkel des Königs, wollte Regent von Bayern werden: darauf lief alles hinaus. Deshalb sollte der Herrscher von Gottes Gnaden nun verschwinden in einem Zimmer, das eigentlich schon fast ein Kerker war. Weil Prinz Luitpold lüstern war nach der Krone, – so argwöhnten die Lakaien – hatte die Wissenschaft, repräsentiert durch den Obermedizinalrat Doktor von Gudden und durch einige seiner Kollegen, das teuflische Wort «Paranoia» erfunden und dem König angehängt: Über diesen Punkt waren alle Diener in Schloß Berg – biedere Männer vom Lande – im Grunde sich einig. Aber sie wagten ihre Meinung und ihre Verdächte nicht mehr offen auszusprechen. Die *Macht*, der Staat hatten sich für den Prinzen Luitpold und den Doktor von Gudden entschieden – *gegen* den König. Dieser war geliefert, preisgegeben, geopfert –: wer durfte sagen, ob er als König überhaupt noch zu bezeichnen war, nachdem die Macht ihn auf so eklatante Weise hatte fallen lassen? Widerstand war nutzlos: das begriffen die Lakaien sehr wohl; denn sie waren es gewohnt, im Dunstkreis der Macht zu atmen, und wußten, daß ein Aufbegehren gegen sie praktisch kaum je in Frage kam. Heimlich sympathisierten sie mit den Leuten von Hohenschwangau, den Männern von den Bergen und der braven Gendarmerie des Ortes, die eine richtige kleine Revolution veranstaltet hatten, als die Herren aus München – die Ärzte, die Minister und die Hofbeamten – eingetroffen waren, um den König abzuholen und einzusperren. Wie wacker war das von den Leuten in Hohenschwangau gewesen! –: so empfanden ausnahmslos alle Diener. Aber andererseits: Was hatte es genutzt, welche Konsequenz hatte die tollkühne kleine Aktion der Hirten, Knechte und Bauern gehabt? Freilich, zunächst einmal war es gelungen, die Herren aus München zu erschrecken und heimzuschicken mit Sensen, Flinten und bedrohlichem Lärm; aber sie waren wiedergekommen, und sie legitimierten sich als die Macht – alle Größe der Macht stand unsichtbar hinter ihnen –, und sie zwangen den König von Gottes Gnaden, vor dem sie sich noch gestern bis zur Erde verneigt hatten, in eine Kutsche zu steigen und von Schloß Hohenschwangau nach Schloß Berg, am Starnberger See, in der Nähe Münchens, zu fahren, wo er verwahrt und eingesperrt werden sollte, wie ein reißendes Tier.

Zahlreiche Vorsichtsmaßregeln hatten die Münchener Herren – Prinz Luitpold, Doktor von Gudden und die Minister – in Schloß Berg treffen lassen, damit der abgesetzte König dort nur ja recht gut aufgehoben sei und weder ausbrechen noch sich ein Leid antun könne. Man hatte, zum Beispiel, den Dienern dringlich eingeschärft, sie dürften Ludwig niemals allein mit einem Eßbesteck – mit einem Messer im Zimmer lassen. Es waren auch Handwerker gekommen und hatten die Fenster im Schlafzimmer Seiner Majestät vergittert: vor jedem Fenster hatten sie fünf oder sechs dicke Eisenstangen, ziemlich dicht nebeneinander, angebracht. Dies bedeutete und bewies, daß es in der Tat plötzlich aus und zu Ende war mit der Herrlichkeit Ludwigs II., der in so vielen schönen Schlössern frei und prächtig gehaust hatte. Durch so erniedrigende Vorsichtsmaßnahmen wurde sein Gottesgnadentum ihm grausam aberkannt von der Macht. Hinter vergitterten Fenstern, wie ein Raubmörder, würde der gestürzte Monarch den Rest seiner Tage verbringen müssen…

All diese unbarmherzigen Demonstrationen der Wissenschaft und des Staates gegen den armen und schönen Herrn beeindruckten natürlich stark die Lakaien. Trotzdem wollten sie es nicht glauben, daß König Ludwig ein Wahnsinniger und daß sein Haupt geschlagen sei mit der fürchterlichen Krankheit, Paranoia geheißen. Gerade die hielten dies für gänzlich ausgeschlossen, die dem Herrn persönlich gedient hatten und also um seine krassen Wunderlichkeiten, seine wilden Schrullen und Launen Bescheid wußten. Die großartig-unberechenbare, zu Exzessen geneigte Art des Monarchen, an der die Minister so erbitterten Anstoß nahmen, imponierte den Bauernsöhnen. Fast alle, die so den König kannten, liebten ihn auch. Aber nun schwiegen sie, aus lakaienhaftem Respekt vor der Macht, und muckten nicht, als die Handwerker in Schloß Berg sogar die Türklinken in den Gemächern Seiner Majestät entfernten.

«Es ist der König!» flüsterten die Lakaien mit blassen Lippen, und sie beobachteten, vom Portal oder von den Fenstern des ersten Stockwerkes aus, die Anfahrt des Wagens.

Es regnete dicht und gleichmäßig, schon seit Tagen. Alle Lakaien sagten, einen so nassen und kalten Juni, wie diesen des Jahres 1886, habe man noch niemals erlebt. Der Regen hüllte die Landschaft ein wie ein graues Tuch. Man konnte das gegenüberliegende Ufer des schmalen Sees nicht sehen. Der Regen rauschte auf dem Dach des Schlosses und in den Baumwipfeln des Parkes.

«Es ist der König!»

Aus einem zweiten Wagen, der weiter hinten im Park gehalten hatte, kam ein Mann in Zivil – ein Arzt wahrscheinlich oder ein Wärter – und öffnete von außen mit einem Drücker die Kutsche, in der Ludwig II. saß. Die Lakaien besprachen sich – halb empört und halb vor der grausamen Umsicht des Staates ehrfürchtig erschauernd – über dieses neue Detail: Man hatte von der Kutschentüre die Klinke entfernt, wie von der Türe zu des Königs Schlafzimmer.

Noch ein Herr war herbeigeeilt, um Seiner Majestät aus dem Wagen zu helfen; einige der Lakaien erkannten ihn, es war der Medizinalrat von Gudden. Aber Ludwig lehnte jede Stütze ab. Die Diener beobachteten es, nicht ohne Genugtuung, wie ihr Fürst – den Oberkörper schon aus dem Wagen geneigt – eine hochmütig abwehrende Gebärde gegen den Medizinalrat machte und, ohne den hingehaltenen Arm zu berühren, mit elastischen, großen, fast vergnügten Bewegungen – so, als wäre er froh, aus diesem engen Loch, diesem rollenden Käfig befreit zu sein – die Kutsche verließ. Er trat zwei oder drei lange Schritte vom Wagenschlag weg; blieb dann aber stehen, unbeweglich, wie zur Bildsäule erstarrt: eine hoch ragende, beinah riesenhafte, breite, tragisch dunkle Figur, im Faltenwurf seines tief herabwallenden schwarzen Regencapes, den breitrandigen schwarzen Hut in die Stirne gezogen.

Der Schatten der Hutkrempe bedeckte die obere Hälfte seines Gesichtes wie eine Maske. Der etwas verwilderte Bart und der weiche, gedunsene Mund blieben sichtbar. Die Winkel des Mundes waren mit einem Ausdruck von Gram und Ekel herabgezogen.

Der Medizinalrat verharrte, in devoter, aber auch erstaunter, abwartender, zur Eile mahnender Haltung – den Kopf entblößt, die hohe, kahle Gelehrtenstirn dem unablässig rauschenden Regen preisgegeben – neben Seiner Majestät. Ludwig zögerte noch mehrere Sekunden – ihm schien es ein böses Vergnügen zu sein, die Glatze und das wenige dünne Haar des Doktors recht gründlich naß werden zu lassen –; setzte sich dann in Bewegung; ging, ohne sich noch einmal umzudrehen, mit gewaltigen Schritten auf das Schloß zu – Gudden konnte kaum folgen –; eilte, an den sich beugenden Lakaien vorbei, durchs Portal, durch die Halle, die Treppe hinauf, bis zu seinem Zimmer. Es folgten in hastigem Trabe die Wärter, Ärzte und jene Hofbeamten, die eigentlich Wächter und Spione waren: die melancholische Suite der gestürzten, entmündigten Majestät.

Das Erste, was Ludwig oben in seinem Zimmer feststellte, war: «Man hat die Fenster vergittert.» Dabei zuckte er auf eine unendlich hochmütige Art die Achseln, und sein Blick, immer noch beschattet vom breiten Hutrand, ward erschreckend finster. Doktor von Gudden verneigte sich leicht: «Ein Zufall, Majestät... Aus rein dekorativen Gründen...» sagte er, völlig sinnlos – und eben in dieser Sinnlosigkeit seiner Worte lag etwas für den König Beleidigendes und Herabsetzendes: so als ob dieser überhaupt nicht mehr zu unterscheiden im Stande wäre, was Sinn und Unsinn ist in einer Rede.

Der Medizinalrat versuchte zu lächeln – ein Unternehmen, das kläglich mißglücken mußte, angesichts der jähen, großartig-zornigen Gebärde, mit der Ludwig das Haupt weit nach hinten, in den Nacken warf. Dabei schlossen sich die Augen des Königs – der immer noch in seiner sonderbar romantischen Wanderer-Tracht, in wallendem Mantel und breitrandigem Hut verblieb –, und seine beiden Hände verkrampften sich zu Fäusten. Der Ausdruck des Schmerzes und des Widerwillens auf dem großen, weißen Antlitz, dessen jammervolle Fläche er zürnend dem bemalten Plafond hinhielt, war ungeheuer.

Gudden beobachtete ihn, erschreckt, aber auch lauernd; ärztlich besorgt, aber auch mit Befriedigung, ja, nicht ohne einen gewissen Triumph. ‹Wenn sein bayrisches Volk und die europäische Öffentlichkeit ihn jetzt sehen könnten, da er den Gesichtsausdruck eines Rasenden hat›, dachte der Arzt, ‹dann würde niemand mehr daran zweifeln, daß meine Diagnose richtig – und daß der König unheilbar ist.›

Es war, als erriete Ludwig die Gedanken des Doktors. Überraschend änderte er die Positur und das Mienenspiel. Wahrscheinlich war es eben in diesem Augenblick, daß er beschloß, sich von jetzt ab in Guddens Gegenwart unbedingt zusammenzunehmen – sich nicht mehr gehen zu lassen vor Gudden, bis zum Ende nicht mehr.

«Es macht ja nichts», bemerkte er leichthin, mit einer leisen, etwas rauhen, aber beinah wohlgelaunten Stimme. «Gitter vor dem Fenster», sagte er noch und zuckte wieder die Achseln. «Warum denn nicht… Eine Abwechslung, gar nicht unamüsant…»

In seinem Blick war eine kleine, tückische Flamme. Dieses böse, hinterlistige Aufleuchten gab es in seinen Augen nun beinah immer, wenn er Gudden anschaute. Der Medizinalrat indessen schien es nie zu bemerken.

Ludwig machte ein paar Schritte, die beschwingt und fast tänzelnd waren – was merkwürdig anmutete: Man hätte dem fetten Riesenleib, diesem schwammigen Fleischkoloß so viel grazile Behendigkeit kaum zugetraut. – «Wie lange soll diese – Kur denn dauern?» fragte er, während er durchs Zimmer eilte, flüchtig über die Schulter. Dabei warf er endlich, mit der schwungvollen

Geste eines Schauspielers, Hut und Mantel ab. Der dunkle Zivilanzug, den er trug, war nicht ganz sauber; er zeigte Flecken, die von Wein oder Liqueur herrühren mochten, und die Spuren von Zigarettenasche.

«Das hängt ganz davon ab», versetzte Doktor von Gudden gemessen, «ob Majestät geruhen werden, den Ratschlägen der Ärzte zu folgen. – Ein Jahr lang mindestens», schloß er mit einer gewissen Strenge, «werden wir den Gesundheitszustand Ihrer Majestät zu beobachten haben.»

«Ein Jahr lang mindestens!» wiederholte mit einem fast lautlosen Kichern der König. Übrigens fing er nun damit an, sich auf eine animierte Art die Hände zu reiben – so als lauschte er köstlichen Anekdoten –, während er seinen hastigen Spaziergang durchs Zimmer fortsetzte. Der Ausdruck seines flächigen, fahlen, verwüsteten Gesichtes ward schelmisch, als er, vertraulich nahe an Gudden herantretend, mit besonders rauher und gedämpfter Stimme hervorbrachte: «Gewissen Herren in München wäre es sicherlich lieber, wenn aus dem einen Jahr viele Jährlein werden könnten – recht viele Jährlein, unzählige Jährlein… Bei meinem Bruder Otto hat man es ja so einzurichten gewußt… Meinem Onkel Luitpold», sagte er neckisch und immer noch auf diese lustige Art sich die Hände reibend, «möchte es wohl gefallen, wenn man den angestammten König, den Herrscher von Gottes Gnaden lebenslänglich in einem Zimmer mit vergitterten Fenstern verschwinden ließe…» Er zeigte, amüsiert grinsend, das nackte, rosig-grau gefärbte Zahnfleisch. In seinem Munde gab es fast keine Zähne mehr, nur noch gelbliche Stummeln.

Der Doktor schwieg und richtete, unter seinen buschigen Augenbrauen, einen tadelnden, etwas gekränkten Blick auf seinen wohlgelaunten Patienten. Der aber war noch nicht zu Ende mit den anzüglichen Schelmereien. «Oder – wer weiß? –» sprach er kichernd – in einem Tone, als käme er nun zu der unübertrefflich witzigen Pointe seiner humorvollen Kombinationen – «wer weiß es denn? Vielleicht denkt man gar nicht daran, mich so lange in einem Zimmer mit vergitterten Fenstern am Leben zu lassen? Vielleicht bin ich den Münchener Herren selbst noch hier zu gefährlich? Es sollen ja gewisse Tränklein existieren, mit denen man sogenannte Krankheiten wie die meine ein wenig abkürzt; das Ende geschwind und unauffällig herbeigeführt. Gewisse Tränklein und Mixturen – oh, ich habe schon manches von ihnen gehört, sie spielen ihre Rolle in der Historie, Katharina von Medici, zum Beispiel, soll in ihrer Zubereitung und Verwendung excelliert haben. Sicher kennen auch meine lieben Minister und die Herren vom Münchener Hof diese geheimen Rezepte... Hat man Sie, mein lieber Doktor von Gudden, nicht beauftragt, mir ein Tränklein solcher Art recht bald in die Suppe zu schütten?» erkundigte sich Ludwig bei seinem Arzt, ganz ohne drohenden Ernst, vielmehr mit einer munteren Neugierde.

Hierauf mußte der Obermedizinalrat denn doch etwas antworten. Sehr würdevoll sprach er: «Auf eine solche Frage einzugehen, Majestät, verbietet mir meine Ehre.» Dabei legte er die rechte Hand aufs Herz und preßte das Kinn mit dem rundgeschnittenen Vollbart gegen den hohen, steifen, blendend weißen Hemdkragen.

Der König machte eine kleine Handbewegung, die etwa ausdrücken sollte: Was lohnt es sich, weiter davon zu sprechen? – Dann fragte er noch – ein wenig müde plötzlich, und während er sich in einem Sessel niederließ: «Und worin bestehen die Vorschriften – ich meine natürlich: die Ratschläge meiner Ärzte?»

«Vor allem empfehlen wir Eurer Majestät – Ruhe!» versetzte Gudden mit erhobenem Zeigefinger. «Ruhe, Ruhe und noch einmal Ruhe! Keinerlei Aufregungen! Körperliche Bewegung! Regelmäßige Tageseinteilung! – Mögen Eure Majestät doch Vertrauen zu uns fassen!» bat der Medizinalrat, plötzlich mit einer warmen, innig vibrierenden Stimme. «Die Aufgabe und der schöne Ehrgeiz der Wissenschaft ist es, zu helfen, nicht zu zerstören!» versicherte er, beinah flehend.

Ludwig, matt im Sessel ruhend, nickte kurz und gelangweilt. Sein Blick ging an Gudden vorbei, starr zur Wand. Nach einer Pause sagte er: «Würden Sie, mein sehr lieber Herr Medizinalrat, die Freundlichkeit haben, mich ein wenig allein zu lassen? Ich bin müde.» Dabei gähnte er, ohne sich die Hand vor den Mund zu halten: der unschönen Zahnstummeln, die sichtbar wurden, schien er sich nicht zu schämen.

Gudden zögerte ein paar Sekunden lang; neigte dann devot den Oberkörper und bewegte sich – nach höfischer Sitte rückwärts gehend – auf die Türe zu. «Ich bleibe zur Verfügung Eurer Majestät und werde mir erlauben, mich in geraumer Zeit nach Dero Wohlbefinden zu erkundigen», sagte er noch. Behutsam öffnete er die Türe, und er ließ sie lautlos hinter sich zugleiten.

Der König, unter hochgezogenen Brauen, starrte ihm nach. «Die Wissenschaft!» sprach er ziemlich laut vor sich hin, und sein schlaffer Mund verzerrte sich vor Haß und Ekel. Dann, noch einmal, mit einem bitter höhnischen Lachen – als spräche er den Namen eines alten, bösen, zugleich ridikülen und gefährlichen Feindes aus –: «Die Wissenschaft!»

Er erhob sich mühsam und ein wenig keuchend. Jetzt war sein Gang schwerfällig und langsam; er taumelte etwas, als er das Fenster erreicht hatte. Wie jemand, der in Gefahr ist, hinzustürzen, nach einem Halt, einer Stütze greift, langte er nach dem Fenstergitter. Seine großen, weißen Hände krampften sich um die Eisenstäbe. Er ließ die Stirne gegen das Gitter sinken, und er schauderte bei der Berührung mit der kalten Feuchtigkeit des Metalls.

Es regnete unaufhörlich. Die rinnenden Tropfen benetzten das Eisengitter, wie Tränen ein Gesicht überschwemmen.

Der neblig verhüllte Park rauschte im Regen.

In Oberbayern gibt es viel schlechtes Wetter. Ludwig kannte diese langen Regentage, die Monotonie der regnerischen Wochen. In Hohenschwangau, in Herrenchiemsee, am Starnberger See: jetzt schien es ihm, an allen diesen Orten hatte es beinah immer geregnet. Noch niemals aber war das Geräusch des vom Himmel fallenden Wassers so quälend für ihn gewesen, wie jetzt und hier. Das Rauschen, Plätschern und Rieseln in den Baumwipfeln, auf dem Kiesplatz, in den Pfützen der Parkwege, in den Regenrinnen: nun empfand er es als eine Folter, die kaum erträglich war.

‹Wenn es doch aufhören wollte zu regnen!› wehklagte er, und

sein weißes, gedunsenes Gesicht, mit dem verwilderten Bart und den klagend aufgerissenen Augen, bewegte sich hinter den Gitterstäben, wie das Gesicht eines Tieres hinter den Stäben des Käfigs. ‹Ah, cette pluie! Cette pluie, toujours… C'est atroce, c'est horrible…›

Der Ausdruck eines ungeheuren Schmerzes war wie der tiefschwarze Schatten einer vorüberziehenden Wolke auf sein Gesicht gestürzt und verwüstete seine Züge.

Was er in den letzten Tagen und Stunden hatte erleben müssen, war zu viel und zu schlimm. Da man ihn nun alleine ließ – alleine in diesem Zimmer mit den vergitterten Fenstern –, fand er sich in einem Zustand, wie der Sträfling, den man unbarmherzig gepeitscht und gefoltert hat und der in der Einsamkeit seiner Zelle zurückbleibt, mit seinem Körper, der überall schmerzt: er weiß nicht, wohin seine Glieder tun, alle Glieder sind wie ein einziges Brennen; er weiß nicht, ob er liegen, stehen oder sitzen – ob er schreien, fluchen oder beten soll.

Ludwig öffnete ein wenig die weichen, bläulichen Lippen. Erst sog er nur mit einem leise pfeifenden Geräusch die Luft ein – die feuchte, kühle Luft des regnerischen Tages –; aus dem Pfeifen wurde ein Röcheln, dann ein tiefes, brummendes Stöhnen.

Der gefangene König stand am Fenster und stöhnte. Seine Hände glitten die Gitterstäbe entlang – immer wieder diese nassen Eisenstangen hinauf und hinunter.

Dann erschrak er. Plötzlich meinte er zu spüren, daß er beobachtet wurde. Er drehte sich hastig um; fand das Zimmer leer. Als er die Türe aufreißen wollte, um festzustellen, ob jemand sich hinter ihr versteckt gehalten, bemerkte er, daß sie verschlossen war; nicht einmal eine Klinke gab es, um an ihr zu rütteln. Vielleicht war in der Türe, oder seitlich von ihr, in der Wand, eine geheime Luke angebracht, durch die Doktor Gudden, oder ein anderer Arzt, oder ein Diener, jede Bewegung, die der König machte, verfolgen konnte. Ludwig war ganz fest überzeugt vom Vorhandensein einer solchen Luke, und er beschloß:

‹Ich will Würde zeigen. Man beobachtet mich. Den Spähern an der Türe werde ich das Schauspiel nicht bieten, das sie sich von mir erhoffen. Von nun ab wird nicht mehr gestöhnt, und ich presse die Stirne nicht mehr gegen dieses Eisengitter. – Alles kommt darauf an, daß ich Ordnung in meine Gedanken bringe. Die Lügner und die Rebellen wagen zu behaupten und zu verbreiten, ich sei geisteskrank – Ich, der König, le Roy luimême! Welch dreiste Ungeheuerlichkeit! Ich widerlege sie schlagend, indem ich mich – den fürchterlichen und unglaublichen Umständen zum Trotz, in denen ich mich befinde – als ein ruhiger und gefaßter Mann betrage.›

Unter so guten und vernünftigen Vorsätzen ließ der König sich in einem Sessel nieder, der nicht weit vom Fenster stand.

Aber die Gedanken in seinem Kopfe wollten nicht beieinander bleiben; sie verwirrten sich, wurden verdrängt von Bildern, Vorstellungen, Assoziationen, die gar nicht zur Sache gehörten und nur stören konnten. Zum Beispiel kam Ludwig, Minuten lang, nicht los von Wortverbindungen wie diesen: ‹Sie wollen mir den schwarzen Purpur von den Schultern reißen! Mir, dem Herrscher – Mir, dem siebenfach gesalbten Fürsten von Mitternacht! Es wird ihnen niemals glücken. Ich bin der Schwanenritter, und ich bin der Schwan. Der schwarze Schwan bin ich, und erhebe mich mit ungeheuren Flügelschlägen über sie – über das Pack, über die Intriganten, über die Wissenschaft! – Den schwarzen Purpur wollen sie mir von den Schultern reißen, mir, dem siebenfach gesalbten...› Und die gleichen Sätze begannen in seinem armen Haupte wieder von vorn.

Ludwig merkte selber, daß er so nicht weiterkam.

Wenn dieser Regen doch einen Augenblick aufhören wollte zu rauschen! Cette pluie! Cette pluie horrible!

‹Ich muß mich beruhigen! Muß ganz ruhig sein! Meine Hände dürfen nicht mehr zittern, meine Gedanken müssen in Ordnung kommen. – Beruhige dich, hoher Herr!› beschwor Ludwig sich selber, mit Devotion und Inständigkeit.

Er zog mechanisch seinen kleinen Taschenkamm und begann, sich das Haar zu frisieren. Sein Haar war dunkel und ziemlich dicht geblieben: letzter Rest seiner Jugendschönheit, seines berühmten, unwiderstehlichen Reizes. Freilich, auch dies Gelock war so verführerisch nicht mehr wie einst und früher. Es hatte eingebüßt an Glanz und Weichheit, und es wich weiter von der Stirne zurück als damals, da Ludwig noch der vielgeliebte, höchst bezaubernde junge Herr gewesen war. Immerhin: es war eine chevelure, die sich wohl noch konnte sehen lassen und deren ein Fürst sich nicht zu schämen brauchte. Ludwig pflegte sie denn auch mit zärtlicher Sorgfalt und verbrachte täglich Stunden mit dem Leibcoiffeur Hoppe – einem seiner vertrautesten Freunde und politischen Berater –, der ihm das Haupt frisierte, massierte, salbte und parfümierte.

‹Du mußt ruhig und schlau sein!› Der König redete sich gut zu, während er den kleinen Kamm durchs Gelock gleiten ließ. ‹Du mußt deine Gedanken sammeln; mußt deiner Neigung zu einer gewissen leichten Zerstreutheit durchaus Herr zu werden wissen –: deiner ungeheuer großen Position, deinem enormen Ruhm und fabelhaften Ansehen in der Welt bist du dies schuldig.› – «Je suis le Roy!» rief er laut. «Ach, wenn es doch endlich aufhören wollte zu regnen!»

Er erschrak vor dem Klang der eigenen Stimme; blickte scheu um sich und flüsterte: «Warum bin ich allein? Warum ist keiner bei mir?»

‹Dies ist die Stunde›, dachte er, ‹da ich meinen großen Freund am dringlichsten brauchte; da ich meines innig geliebten Meisters wahrhaft bedarf. Aber wo ist er? Wo kann Wagner sein? Wohin ist Richard verschwunden?› fragte er sich gequält – und dann fiel ihm ein: ‹Freilich, er hat in feierlicher Stunde zu Venedig den Geist aufgegeben. Ich schrie auf, als ich davon Kenntnis bekam; hüllte mich in schwarzes Trauergewand, bestreute mein Haupt mit Asche und weinte viele viele Nächte lang, auch tagsüber vergoß ich Tränen. – Das war vorauszusehen›, sann er gekränkt, ‹so mußte es kommen: Zu der Stunde, da ich wirklich angewiesen bin auf meinen großen Freund, ist er nicht zur Stelle. Er macht sich auf und davon. Er hat seinen triumphalen Tod gehabt – den Tod des Siegers, den festlichen Tod – und überläßt mich meinem langsamen, schmählichen Ende.› Mit heftigerer, fast zorniger Gebärde frisierte Ludwig sich den Rest seiner Jugendschönheit, das gewellte Haar.

‹Mein höchst geliebter Freund ist immer rasend egoistisch gewesen. Natürlich wußte er es so einzurichten, daß er schon – kalt, enfernt, unerreichbar – bei den Unsterblichen weilt, während ich hier unten, vom Ministerpack und von den Charlatanen der Wissenschaft, gehetzt werde wie ein edles Wild. Statt mir, seinem Freund und König, freundschaftlich nahe zu bleiben, sorgte er sich nur um die effektvolle Inszenierung des eigenen Todes. Das muß jeder ihm lassen: Er wußte seinem Sterben die schönste Dekoration, den wirkungsvollsten Hintergrund zu geben. Venezia, Canale Grande; schwarze Gondel; Cosimas reichlich fließende Tränen. Die Witwe des großen Mannes – umsichtig bei aller Verzweiflung – versendet Hunderte von Depeschen: an Kaiser und Könige, an Opernintendanten und Bankiers, an Journalisten, Botschafter und Tenöre: Richard Wagner ist tot… Das geht wie ein Jammerlaut durch Europa. Keinen anderen aber trifft es wie mich. Ich stürze hin, von einem Keulenschlag aufs Haupt getroffen.

Sähe mein einzig geliebter Meister mich in der unerfreulichen Lage, die jetzt eben die meine ist – vielleicht sieht er mich –: würde er nur halb so viel weinen, wie ich damals schluchzen mußte, als die Drahtpost aus Venedig kam? Ach, ich fürchte, seine Augen wären beinah ganz trocken geblieben. Er hatte keine Zeit, sich dem großen, heiligen Gefühl des Schmerzes hinzugeben – mit der Regie des eigenen Ruhmes beschäftigt, wie er es meistens gewesen ist. Manchmal fürchte ich: er paßte und gehörte in unsere schlechte, späte – viel zu späte –, den großen, heiligen Impulsen schaurig entfremdete Epoche. Mit den Schikanen, Intrigen und üblen Machenschaften, die sie mit sich bringt und vor denen ich mich entsetze, wußte er sich durchaus abzufinden. Als er alt und mit allen Wassern gewaschen war, brachte er es fertig, sich selbst mit so infernalischen Mächten wie der Wissenschaft, der Presse und dem Hause Hohenzollern zu verständigen –: der verfluchten preußischen Hohenzollern-Familie, die sich anmaßt, mehr zu sein als Ich, der gesalbte König, und mein echtes Königreich ihrem falschen Kaiserreich einzuverleiben –, und mit der Wissenschaft, dieser eklen Pest des Jahrhunderts, die mir jetzt den Lebensatem abwürgen will. Ja, um seines Ruhmes willen vertrug er sich mit meinen Widersachern; versöhnte sich mit dieser fürchterlichen modernen Zeit, an der ich zu Grunde gehe…

Ach, ich hätte in ein anderes, schöneres Jahrhundert – in ein Grand Siècle hätte ich geboren werden sollen! Mein Meister aber schloß, auf seine durchtriebene Art, Frieden mit dem Pöbel und verriet unseren Bund. Als ich ihm das letzte Mal in Bayreuth begegnete – wie lang, wie lang ist das her? – wimmelte es um ihn herum von Journalisten und Professoren, und man erwartete die Ankunft des sogenannten Kaisers aus Berlin: der kam herbeigereist, um sich den ‹Parsifal› – *meinen* ‹Parsifal› anzuhören! Ach, welche Entweihung meines Weihespiels für internationale Touristen! – Der Meister und ich, wir kannten – wir erkannten uns kaum noch, während dieser schaurigen Bayreuther Tage. Wir saßen uns gegenüber und starrten uns fassungslos an. Ich reiste ab, ohne ‹Parsifal› gesehen zu haben. So einsam wie damals war ich noch nie gewesen, oder bin ich doch heute erst wieder. Eine schwarze Welle von Schmerz überflutete etwas in mir und spülte etwas hinweg, was ungeheuer groß und ungeheuer süß in mir gewesen war. Verloren, weh mir, verloren! Damals liebte ich meinen Meister nicht mehr.›

Über diesen Gedanken – ‹Damals liebte ich meinen Meister nicht mehr!› – erschrak Ludwig so heftig, daß er es nicht mehr aushielt in seinem Sessel, sondern aufspringen mußte. Er eilte wieder durchs Zimmer und – vergessend, daß er wahrscheinlich durch eine Luke beobachtet wurde – hämmerte er sich mit beiden Fäusten verzweifelt gegen die Stirn.

«Damals liebte ich meinen Meister nicht mehr!» stöhnte er laut, und dann arbeiteten die Gedanken weiter in seinem gequälten Haupt. ‹Wie furchtbar ist es, was ich mir da eingestehe! Ich hatte nur *eine* Liebe im Leben, und der treu zu bleiben, war ich nicht stark genug. Wagnern habe ich verbannt aus meinem Herzen: deshalb ist es dort so leer geworden, und diese Leere tut weh. Aber ist es nicht auch seine Schuld gewesen, daß ich ihn verbannen mußte? Als ein Hilfesuchender, als ein Bettler ist er zu mir gekommen: ich habe ihn überschüttet mit meiner Großmut. Seinetwegen habe ich mirs bieten lassen, daß das Volk in meiner eigenen Hauptstadt mich verhöhnte. Man sang unverschämte Lieder, auf ihn und auf mich. Wie haben sie ihn doch genannt, damals in München – welchen Spitznamen hatten sie doch für ihn? Lolus… ganz richtig: Lolus…›

Der König, in all seinem Schmerz, kicherte hysterisch in der Erinnerung an diese Abgeschmacktheit, die zu einer Zeit, da Richard Wagner bei ihm in allerhöchsten Gnaden stand, auf den Münchener Gassen populär gewesen war. Lolus: dies gehässige und dumme Scherzwort, mit dem man zugleich den König und seinen ehrgeizigen Favoriten treffen wollte, spielte frech auf eine historische Scandalaffäre der Familie Wittelsbach an: nämlich auf das berühmte Verhältnis des Königs Ludwig I. mit der spanischen Tänzerin Lola Montez. Der bayrische Monarch hatte die fremde Schöne zur «Gräfin von Landsfeld» arrivieren lassen und um ihretwillen auf den Thron verzichtet. Verblichene Sensationen, verjährter Klatsch: von den Stammtischen und den Journalisten, von den Weibern und den Gassenbuben ward die aventure des Großvaters aufgewärmt, als der Enkel auf so provokante Art den exzentrischen Musikschreiber und Schuldenmacher, diesen tief verdächtigen Wagner protegierte.

«Lolus»: jetzt, so viele Jahre später – Wagner war tot und Ludwig II. fand sich in einem Zimmer mit vergitterten Fenstern – wurde der König von einem bösen und etwas närrischen kleinen Lachen geschüttelt, weil der törichte und gemeine Spottname ihm wieder eingefallen war.

‹Wie viele Beleidigungen habe ich hinnehmen müssen, um Wagners willen›: dies war sein bitterer und gereizter Gedanke. ‹Die Witzblätter wagten es, mich zu verhöhnen; ‹im Hoftheater hat man mich ausgezischt, als ich meine Loge betrat, und dies Zischen galt *ihm*, meiner Freundschaft, meiner Treue zu ihm. Er aber, zum Danke, hat mich verraten. Hat mich verraten an Cosima, an Bayreuth, an seinen Ruhm; hat mich seinem monströsen, frevelhaften Ehrgeiz geopfert. So Unsägliches hat er mir angetan – und ich war nicht nur der, der ihn am meisten geliebt hat – am meisten von allen, ich weiß es! –: Ich war auch sein König!› – «Je suis le Roy!» schrie der Gefangene; reckte sich und sank wieder in sich zusammen.

Sein Gesicht mit den großen, bleich gedunsenen Wangen, dem schlaffen Mund wurde starr von Hochmut, während er weitersann: ‹Natürlich mußte ich mich ganz von ihm zurückziehen und seinen Namen aus meinem Herzen verbannen, da er mich so fürchterlich verraten hatte. Sollte ich hinter ihm herlaufen wie eine unglücklich Liebende? Je suis le Roy, der gesalbte Nachfolger bin ich der schönen großen Herren von Versailles. Sehr viel Macht ward mir anvertraut von Gott dem Allmächtigen. Und wenn auch die Familie Hohenzollern versucht hat, mir einen Teil meiner Herrlichkeit zu entreißen: ich bin immer noch der Gewaltigsten einer auf Erden, dem erhabenen Louis XIV in Aussehen, Charakter und Position auffallend ähnlich. Ich verzichte nicht auf meinen angestammten Thron und Herrschersitz, einer Lola oder eines Lolus wegen – solche Schwachheit erwarte man doch ja nicht von mir! Vielleicht habe ich etwas dieser Art früher manchmal erwogen; aber sehr schnell bin ich über solche Anfechtungen hinweg gekommen... Mir blieb anderes zu tun, als Wagnern, dem großen Selbstsüchtigen und Ungetreuen, nachzutrauern und nachzulaufen. Mir war es aufgetragen, der Welt die Herrlichkeit meines Königtums zu zeigen und zu beweisen; der eigenen Größe mußte ich das unvergängliche Denkmal setzen. Schlösser mußte ich bauen, und Marmortreppen anlegen lassen in Parks, und Grotten anlegen lassen, durch die ich in einer rosig-silbrigen Dämmerung, bengalisch angeleuchtet, spazieren fahren konnte im Nachen – *alleine* mich ergötzen im geschmückten Boot.

‹Denn natürlich war ich immer alleine›, dachte, stolz und kummervoll, König Ludwig. ‹Für den Fürsten von Mitternacht gibt es keine Gemeinschaft. Wenn er Freunde sucht, dann ist er wohl genötigt, von seiner eisigen Höhe für eine kleine Weile herabzusteigen… Manchmal suchte ich Freunde. Nicht immer war der Platz neben mir leer, im Nachen oder der goldenen Karosse oder im Bett, unter dem breiten samtenen Baldachin. Zuweilen war ein Liebling in meiner Nähe, irgendein Junger, mit schönen Haaren und mit schönen Augen. Aber die mußte ich alle verlieren – ich hatte wohl auch nicht den Willen, sie festzuhalten… Einer von ihnen… ja, unter all diesen Einer wäre vielleicht würdig gewesen, bei mir zu bleiben. Es gefiel mir, seinen Bewegungen zuzuschauen, wenn er auf der Bühne agierte oder wenn er zu mir, in meine Einsamkeit, trat. Joseph Kainz… an den erinnere ich mich noch sehr genau. Er hatte eine Stimme aus Metall und einen ungeheuer leuchtenden Blick. Große Kraft und großer Reiz waren ihm eigen. Als ich ihn zum ersten Mal sah, war er Romeo. Als ich ihn aber angerührt hatte mit meiner Liebe – so wie Magier Gegenstände mit ihrem Stabe anrühren und verwandeln –: da wurde er Hamlet. Da er durch die Begegnung mit meinem überströmenden Gefühl reif und ganz er selbst geworden war, bedurfte er meiner nicht mehr: Er ging auf und davon, wie die anderen – wie die anderen alle.

Ich mußte sie alle verlieren. Ich wollte keinen von ihnen halten. Allein im Theater und im Opernhaus; allein an der Tafel und im Schlafgemach. Die Berührung mit Menschen beschmutzt. Menschen sind Pöbel. Der Fürst von Mitternacht zieht die Einsamkeit vor –: aber wie furchtbar hat er unter ihr gelitten!

…Manchmal besuchte oder empfing ich meine fürstliche Verwandte, meine wahre Braut – mir anverlobt! mir bestimmt! –: wenngleich man sagt, daß sie die Gattin des Kaisers von Österreich ist –: Elisabeth, die Einzige, die Meinesgleichen; meine Schwester in der Würde, meine Schwester im Schmerz. Aber sie verweilte bei mir immer nur ziemlich kurz. Elisabeths Leben war unruhig und beladen mit Schwermut, wie meines. Meine Hohe Schwester pflegte viel unterwegs zu sein; zuweilen schickte sie mir Botschaften von einem nördlichen Meer – gereimte Botschaften in recht schönen Versen –, und bezeichnete sich selbst als die Möwe, mich aber als den Adler in meinem Horst. Plötzlich aber erschien sie zu einer knappen Visite. Mit ihren trostlosen Lippen berührte sie meine trostlose Stirn. Wir verneigten uns tief voreinander, ehrerbietig der eine vor des anderen Würde und Traurigkeit. Nach dem Stirnkuß und der Verneigung – den edlen Riten unserer unerfüllbaren, heiligen Liebe – blieb uns nicht mehr viel zu tun. Sie raffte ihr üppig besticktes Kleid; ich raffte den Purpurmantel, und wir schieden. Klagend riefen wir uns noch zu: Übers Jahr, meine Schwester – übers Jahr, mein Bruder, sehen wir uns wieder!

Der Fürst von Mitternacht war der Einsamkeit geweiht wie eine Nonne dem Dienst des Herren.

Anblick und Geruch der Menschen beleidigten mich. Schon das Tageslicht tat meinen Augen meistens weh. Ich zog die Nacht vor. Meine Liebe gehörte der dunkelsten Stunde, der Stunde Minuit, wenn die Menschen schweigen, die Brunnen und die Bäume aber ihre Sprache finden. Mein Meister, der zu Venedig verstorben ist, hat die Nacht besungen wie keiner – aber nur, um sie schließlich doch noch an den Tag zu verraten, an den grellen Tag nämlich seiner Ruhmeslaufbahn, seiner irdisch-vergänglichen Karriere.

Ich verrate die Nacht nicht. Ich liebe sie mehr und mehr, immer inniger, mit permanent wachsender Zärtlichkeit – so daß der Tag mir schon zum beinah unerträglichen Ärgernis geworden ist.

Wer mich nur am Tage gekannt hat, weiß nichts von mir. Erst wenn Minuit, meine geliebte Stunde, läutete, wuchsen mir Flügel. – Ich wurde der schwarze Schwan, breitete mächtige Schwingen und erhob mich über mein Land. Tränen ließ ich fallen auf mein armes Land – arm, weil es von sterblichen, unwissenden, häßlichen Menschen bewohnt wird, – und dann senkte ich mich auf das Wasser eines meiner schönen Seen. Das Lied der Wellen klingt gar tröstlich für einen schwarzen, weinenden Königsschwan. Ich liebe das Wasser wie ich die Nacht liebe. Die Wellen machen die gleiche Musik wie die Nacht: Rheingold-Musik, Tristan-Musik...›

«Aber nicht dieser Regen!» schrie der König, dem mit Entsetzen zum Bewußtsein kam, daß seine Gedanken abseitige und wirre Pfade gingen: daran gab er nun dem monotonen, zugleich einlullenden und enervierenden Geräusch des Regens die Schuld.

‹Da haben wir es: Ich kann meine Gedanken nicht ordnen›, empfand er verzweifelt, und starrte auf das nasse, schwarze Eisengitter vor dem geöffneten Fenster. ‹Die Ärzte haben wohl recht, wenn sie behaupten, ich sei wirr im Kopfe. Aber welcher Sterbliche hält das aus, was ich während der letzten vierundzwanzig Stunden auszuhalten hatte – wenn ich mich denn nur der letzten vierundzwanzig Stunden erinnern will? Diese fürchterliche Nacht in Hohenschwangau; die infernalische Kutschenfahrt… Und immer dieser Regen! Cette pluie insupportable!… Außerdem habe ich seit einiger Zeit wohl auch etwas zu reichlich Schlafmittel genommen… An den Schläfen und im Hinterkopf tut es mir weh, und ganz besonders stark schmerzt die Stirne… Mein armer Kopf ist verwüstet von Medikamenten, die vielleicht giftig gewesen sind… Den Ärzten – und denen, die meine Ärzte bestechen – wäre es sehr wohl zuzutrauen, daß sie den gesalbten König mit gräßlich präparierten Schlafmitteln hübsch allmählich um die Ecke bringen…

Ich muß meine Gedanken ordnen.

Da ich über meine Zukunft zu entscheiden habe, ist es unbedingt notwendig, daß ich über meine Vergangenheit genau Bescheid weiß; daß ich klar und verständig alles begreife, was geschehen ist.

Aber ist es nicht eine Absurdität, das Wort «Zukunft» zu denken? Als ob es etwas, was diesen Namen verdient, überhaupt noch geben könnte für mich – der ich am Ende, am Ende, am Ende bin. C'est la fin. Voilà la fin d'un Roy. Voilà la fin.

Meine Zukunft – der Tod.

Meine Hoffnung – der Friede.

Ach, ahnte jemand, wie mein Herz nach ihm lechzt! Wagner hätte es vielleicht verstanden. Elisabeth begriffe es wohl; aber sie ist ja so viel unterwegs – wo weilt sie gerade jetzt?

So begreife Du mich, mein Gott – da ich mich von den Menschen verlassen finde! So nimm Du Dir die Mühe, in mein ratloses Herz zu schauen! Siehe, ich bin gierig danach, ausgelöscht zu werden! Höre mich, Herr, ich schreie nach der Vernichtung!

Zerrüttet von so viel Abenteuern, tausendfach enttäuscht, müde zum Niedersinken, bin ich angelangt an jener Stelle, wo es ganz und gar nicht mehr weiter geht. Ich erwarte nur noch den Gnadenstoß – Gott mein Herr, geruhe, mich nicht lange mehr warten zu lassen! Mögest Du auch bedenken, mein Allmächtiger Gott, daß ich nicht der Erste-Beste bin, keineswegs zur Canaille gehöre – je suis le Roy, und bin es nicht gewöhnt, zu betteln, sondern zu befehlen.

Ach, was rede ich da, Herr Du mein Gott! Du weißt es ja, ich habe zu viel Schlafmittel geschluckt, und eine lange Kutschenfahrt hat mich übermüdet: verzeihe bitte meine Verwirrtheit. Ich bin gar kein König. Von allen Elenden dieser Erde ist keiner so elend wie ich. Ich habe alles falsch gemacht. Mein ganzes Leben ist ein einziger Irrtum gewesen. Ich bereue jeden Tag, den ich gelebt habe. Hörst Du mich, Gott mein Herr? Bitte, höre mich! *Ich bereue!*

Mein Fleisch war schwach, und ich habe abscheuliche Sünden begangen. Ich habe geliebt, wie man nicht lieben darf: Dies vor allem bereue ich. Immer wieder habe ich alles daran gesetzt, die verbotenen Triebe im Zaum zu halten, die bösen Lüste zu zügeln. Ich habe mir selber Befehle gegeben: «Enthalte dich der sündigen, höchst unnatürlichen Liebe!» habe ich mir täglich zugerufen, und habe diese Mahnungen an mich selbst sogar schriftlich niedergelegt, um ihnen noch mehr Gewicht zu verleihen. Nichts nützte: Ich verging mich aufs neue – Ich, der König, frevelte wider das königliche Gesetz – das auch Dein Gesetz ist, Herr Du mein Gott! Aber Du weißt ja, Gewaltiger, wie stark Satan ist in unserem armen Fleische – welches Staub war und zu Staub zerfallen wird.

Ich bereue, Herr. Gar keinen anderen Gedanken kann und will ich mehr fassen, außer dem einen: Daß ich bereue.

Wenn es irgendetwas gibt, was ich zu meiner Entschuldigung anführen darf, so ist es: daß ich sehr gelitten habe. Du hast mich ja immer beobachtet, Herr, und hast mich nie aus dem Auge gelassen: Du sahst es – ich bin tief hinunter in den Abgrund des Leides gefahren.

Jetzt aber nimm mich zu Dir, Gott der Gnade, und erlöse mich von dem Übel. Denn es ist das Leben selber, das ich als das Übel erkenne; das Da-Sein selber, das Atmen-Müssen, das Sündigen-Müssen. Befreie mich von der gar zu großen Qual.

Meine Hoffnung – der Tod.

Du bist ja davon unterrichtet, Allwissender: Während der letzten Nacht in Hohenschwangau – ehe die Schurken von Ärzten und von Ministern mich als ihren Gefangenen mit sich nahmen –: da wollte ich meinen Tod erzwingen – aber was erzwingt man gegen Deinen Willen, Allgegenwärtiger? Ich bat den sonst sehr zuverlässigen Coiffeur Hoppe darum, er möge mir ein bißchen Zyankali servieren; aber der Haarkünstler behauptete, es sei kein Zyankali im Hause. Ein schönes Königsschloß, muß ich schon sagen! Voll von Schätzen und Kostbarkeiten bis zum Dach, und nicht vorrätig ist die kleine Dosis von Gift, die vonnöten wäre, um dem gesalbten Hausherrn den Frieden zu verschaffen – den Frieden, nach dem er lechzt.

Ich befahl auch meinem Diener, dem braven Weber, mir die Schlüssel zum Turm zu bringen: Meine Absicht war, mich vom hohen Turme in die Schlucht zu stürzen, das wäre ein geschwinder und relativ schmerzloser Tod gewesen. Der Schlüssel war nicht zu finden. Das ungetreue und unordentliche Personal hatte den Schlüssel verloren.

Dann forderte ich auch noch – um nichts unversucht zu lassen – die Leibwache auf, mich niederzuschießen. Der dumme Soldat nahm stramme Haltung an und rührte sich nicht.

Alle meine Versuche hast Du scheitern lassen, unbegreiflicher Gott! Nun aber scheint es mir geraten, daß Du mich, Allbarmherziger, nicht noch länger quälest. Nimm meine geschundene Seele zu Dir!›

Der König hatte die Hände zum Gebet gefaltet. Er war im Begriffe, vom Sessel gleitend, in die Knie zu sinken, um kniend seinen Tod von Gott dem Herrn zu erflehen. Aber ehe noch seine Knie den Boden berührt hatten, siegte in seinem gemarterten Haupt wieder die andere Empfindung: ‹Du mußt dich zusammennehmen, denn du bist der König. Der Nachfolger und legitime Erbe bist du des Sonnenkönigs, des schönen großen Herren von Versailles. Deine Schlösser im Bayernland sind mindestens ebenso prachtvoll wie die Paläste deines erhabenen französischen Vorgängers. Ein großer Fürst kniet nicht nieder, um von Gott den Tod zu erflehen – es paßt sich für ihn einfach nicht, und er darf sich dergleichen keinesfalls gestatten. Übrigens ist gar nicht der Tod meine einzige Zukunft und Hoffnung. Im Gegenteil, ich habe ganz andere Zukunftsmöglichkeiten und sehr anders geartete Hoffnungen. Gleich – in ein paar Minuten schon – werde ich mich mit diesen auseinandersetzen und klaren Geistes beschäftigen. Nur muß ich erst ein wenig Ordnung in meine Gedanken bringen und mich recht deutlich erinnern: warum, wieso, unter was für Umständen ich in diese abgeschmackte Lage, in diese unpassende und – wenn man will – sogar lächerliche Gefangenschaft geraten bin.›

Ludwigs Haltung hatte sich gestrafft; er war wieder zum Fenster getreten. ‹Sieh da, ein Gitter!› dachte er trotzig. ‹Warum kein Gitter? Mich stört es nicht. Vielleicht hat man es wirklich nur aus dekorativen Gründen hier angebracht – manchmal redet sogar ein Medizinalrat die Wahrheit. – Ein nasses Gitter, vom Regen naß – seit einiger Zeit regnet es ziemlich stark. Bitte, soll es doch regnen. In einem Lodenmantel kann man trotzdem spazieren gehen. Ich habe sogar ausgesprochen Lust, in einem Lodenmantel zu promenieren. Am See gibt es hübsche Pfade. Doktor von Gudden – Repräsentant der Wissenschaft – könnte mich begleiten... Eine charmante Vorstellung: Mit dem Medizinalrat, allein, am Wasser...

Die Wissenschaft erklärt, ich sei krank und müsse durch eine Kur wieder hergestellt werden. Ich, der König sei geisteskrank und nicht mehr fähig, mein hohes Amt auszuüben – wagt die Wissenschaft zu behaupten. Mein tüchtiger Onkel Luitpold soll Prinzregent werden. Der sogenannte Kaiser – sagt man mir – hat aus Berlin sein Einverständnis zu meiner Entmündigung gegeben: sie arbeiten einander schlau und gewandt in die Hände. Ist auch der Fürst von Bismarck mit der sauberen Gruppe im Bunde? Doch wohl nicht ganz. Der Fürst kennt mich, weiß mich als Politiker zu schätzen – er braucht mich ja, anno 71, um seine großartige «Reichsgründung» durchführen zu können –; der Fürst, der einiges Gefühl für die monarchische Würde zu besitzen scheint, läßt sich nicht so schnell einreden, daß Ich, der König aller Bayern, geisteskrank sei. Bismarck hat einen klaren Kopf. Der Ratschlag, den er mir zuletzt noch depeschiert hat, war vielleicht gar nicht so übel – nur daß leider mein Gesundheitszustand durch die überreichliche Konsumation von Schlafmitteln damals schon zu reduziert gewesen ist, als daß ich diesem Ratschlag hätte nachkommen können. Der Fürst meinte, ich sollte, um alle infamen Gerüchte um mich herum zu zerstreuen, schnell nach München fahren, mich dem Volke zeigen und zu ihm reden. Meine lästigen Kopfschmerzen und mein Widerwille vor der Canaille, dem Gestank des Pöbels, hinderten mich daran, dies zu tun.

Aber meine Gedanken schweifen schon wieder ein wenig ab. (Ach, dieser Regen! Cette pluie morne!) Nicht um Herrn von Bismarck und seine mehr oder minder vortrefflichen Einfälle handelt es sich; sondern darum: dahinter zu kommen, was für *Vorwände* diese ruchlose, verdammte Wissenschaft benutzt hat, um Mir, dem Herrn, so viel Ungerechtigkeit und Schmach anzutun. Man sparte sich ja sogar die Mühe, mich zu untersuchen. Es seien Indizien genug gegen mich vorhanden – wurde behauptet –: Indizien, wie gegen einen Verbrecher!

Muß ich fürchten, daß die Wissenschaft von meinen *wirklichen* Sünden, von den schlimmen Schwachheiten meines Fleisches unterrichtet ist? Aber wer könnte mich verraten haben? Die, mit denen ich mich lasterhaft verging, haben mir Verschwiegenheit gelobt, und es samt sind und sonders brave, mir ergebene junge Leute. Oder versteht es die Wissenschaft, in meinen Gedanken, in meinem Herzen zu lesen? Die furchtbare Reue über den Fall meines Fleisches in meinem leidvollen Blick zu erkennen? Welche Absurdität! So weit ist diese verfluchte Wissenschaft nicht – so weit wird sie niemals gelangen! Mit meiner großen, abscheulichen Sünde bin ich ganz allein, oder habe nur Gott als Mitwisser, und freilich die, die meine Partner gewesen sind beim verderbten Spiel… Übrigens gelobe ich mir nun allen Ernstes, daß ich von jetzt ab den teuflischen Neigungen Widerstand leisten werde. Nur noch die psychische Liebe sei mir erlaubt; die physische streng verboten. Auch das Küssen hat völlig aufzuhören: Ich, der König, befehle es Mir, dem gesalbten Herrn. Keinen Stallknecht, keinen Chevauxleger schaue ich mehr an: die begehrlichen Blicke sind durchaus unwürdig eines Mannes in meiner riesigen Position. Adoration à Dieu et la Sainte religion! Obéissance absolue au Roy et à sa volonté sacrée! *Ich bin der König!!*

…Wenn die Wissenschaft mir *diese* Verfehlungen vorhielte, – es sind schwere Verfehlungen! verzeihe mir, Gott mein Herr! – müßte ich schamvoll verstummen. Was sie mir indessen wirklich zum Vorwurf macht, das sind lauter Lächerlichkeiten.

Ich verlangte von meinen Dienern, daß sie nur mit schwarzer Maske vor dem Gesicht bei mir erschienen: das ist wohl nicht mehr als selbstverständlich gewesen. Wie sollte ich denn den Anblick ihrer ordinären Menschengesichter ertragen? Entweder er ekelte mich, oder er weckte die bösen Lüste in mir: Beides ist unbekömmlich… Und war es nicht nur natürlich, daß ich gewisse Strafen über die Knechte verhängte, wenn sie sich renitent und vergeßlich zeigten, und zu schwach, um nachts ein paar Stunden mit mir zu wachen? Ja, ich befahl, sie zu peitschen und sie zu foltern: das war mein Recht, denn ich bin der König. Manchmal fiel es mir ziemlich schwer, solches anzuordnen: unter denen, die ich züchtigen lassen mußte, gab es vielleicht einen, dessen Anblick mir gar nicht unangenehm, oder gar zu angenehm war. Es wäre mir nicht unlieb, jetzt noch zu erfahren, daß einige meiner strengsten Urteile gegen gewisse Personen nicht ausgeführt worden sind…

Die Wissenschaft hat die Stirne, mir die gerechte Strenge, die ich gegenüber der eigenen Dienerschaft walten ließ, als Zeichen geistiger Verwirrung auszulegen!

Sie wagt es auch, mir vorzuwerfen, daß ich mich von den

unaussprechlich langweiligen öffentlichen Geschäften, den «Staatsfadaisen», in allerletzter Zeit ein wenig zurückgezogen habe. Warum aber sollte ich Minister empfangen, die häßlich aussehen, von denen ich weiß, daß sie heimlich gegen mich intrigieren, und die mir öde, meistens lügenhafte, oft auch ganz unverständliche Vorträge halten? Warum sollte ich in die Hauptstadt, nach München, fahren, wo in engen, stinkenden Gassen sich der Pöbel drängt? Ich hatte anderes zu tun. Ich bin der Herr der Schlösser. Die unvergänglichen Denkmäler ließ ich mir errichten, und mußte in meinen zahlreichen Palästen so leben, wie es des gesalbten Herrschers, des hohen Freundes der schönen Künste würdig ist: den Versen der großen Dichter nachträumend, nachträumend den Melodien der Meister – den unsterblichen Melodien *meines* Meisters... Was sollte ich noch in der Stadt? Nicht einmal das Theater machte mir mehr Vergnügen. Seit ich Wagner verloren hatte, seit ich Joseph Kainz nicht mehr als Romeo oder Mortimer sehen konnte, reizte mich am Theater nichts mehr. Kainz – ehrgeizig fast wie Wagner, und beinah ebenso egoistisch wie dieser – hat meine Hauptstadt verlassen, um in größeren Städten fremdem Volk Komödie vorzuspielen... Nein, in München gibt es für mich gar nichts mehr... Zu Hause fühle ich mich nur in der schönen Einsamkeit meiner Schlösser... Wenn man mir Zeit läßt, muß ich mir noch ein paar dazu erbauen: das ist sogar sehr wichtig und notwendig... Zum Beispiel soll die wundervoll gelegene Burgruine Falkenstein renoviert und in einen großartigen Palast verwandeln werden...

Freilich, ich weiß ja: die freche, gottlose Wissenschaft behauptet, daß auch, oder gerade, meine Freude am Schlösser-Bauen krankhaften Charakter habe. Was für ein ruchloser Unsinn! Als ob es nicht die natürliche, von Gott gewollte und übrigens seit Jahrtausenden geübte Betätigung aller Monarchen wäre, Schlösser aufzurichten als die Denkmäler ihres Ruhmes! Wenn ich ein Narr bin, weil ich die Schlösser liebe, dann wäre auch mein großer Vorgänger und unsterblicher Vetter, der göttliche Bourbone, Sonnenkönig von Frankreich, Louis XIV, ein Narr gewesen. Hat dieser erhabene Mann sich etwa durch kleinliche Bedenken finanzieller Art von der Ausführung seiner schönen Pläne zurückhalten lassen?

Immer schwatzen sie mir vom Gelde! Wie ich dieses Wort hasse – wie ich es verachte: Geld… Fast so widrig ist es mir wie das Wort «Wissenschaft»: Beide zusammen, das Geld und die Wissenschaft, beherrschen ja wohl, wie man mir versichert, unser elendes, entgöttertes Jahrhundert.

Als ich noch ein Knabe war, quälte und erniedrigte mich mein Hochseliger Vater, indem er uns – dem armen Bruder Otto und mir – nur ein paar Gulden Taschengeld in der Woche genehmigte. Niemals konnten wir uns etwas kaufen, was uns Spaß machte; arm waren wir gleich den Bettelkindern – wir, die Prinzen! Ich erinnere mich noch, wie mein armer Bruder Otto zu einem Zahnarzt lief, der für schöne, gesunde Zähne Geld bot. Mein armer Bruder wollte seine beiden Reihen weißer Zähne hingeben, nur um ein paar Gulden zu bekommen: so weit hatte uns arme Prinzen der fürchterliche Vater getrieben – Seine Majestät König Maximilian von Bayern, verflucht sei sein Andenken.

Er starb – ich saß einige Minuten lang allein an seinem Bett, als er sterben mußte, und ich starrte ihn an, und wir hatten uns nichts zu sagen. Er war tot, und ich war der junge König, und plötzlich hatte ich alles, was mein kühnes, unverwöhntes Herz begehrte.

So meinte ich damals. Ach, wie täuschte ich mich! Als ich ein wenig Geld für Richard Wagner brauchte, kamen die Minister und tadelten mich, und sogar die Zeitungen brachten die üble Keckheit auf, mich anzugreifen! Ich rettete das *eine* große Genie der Epoche vor Elend und Untergang; ich sicherte ihm den Platz in der Welt, den es verdiente – und diese Staatsbeamten rechneten mir vor: Den Etat überschritten, 10000 Gulden zu viel ausgegeben – o pfui, pfui, pfui, mich schüttelt's, wenn ich dran denke…

Ärger wurde es noch, als ich erkannt hatte, was mein eigentlicher Auftrag war: – *zu bauen*; als die schönen Schlösser Linderhof, Neuschwanstein, Herrenchiemsee nach meinem Plan und königlichem Geschmack entstanden. Man langweilte, enervierte, erniedrigte, marterte mich mit dem öden Geschwätz: Geld Geld Geld... Schulden Schulden Schulden... Siebeneinhalb Millionen Schulden hast Du gemacht –: das mußte ich mir erst unlängst wieder anhören. Siebeneinhalb Millionen Schulden – zufällig habe ich mir die Zahl gemerkt. Aber was gehen Zahlen mich an? Je suis le Roy!

Wahrhaftig: unter elenden Vorwänden hat die Wissenschaft ihr furchtbares Verbrechen an der gesalbten Majestät begangen! Wüßte ich nicht, daß der Tag der Vergeltung kommt und daß der Herr mein Gott Sein Jüngstes Gericht halten wird, ich müßte verzweifeln, müßte irre werden an der Gerechtigkeit der Weltordnung.›

Der Regen rauschte. Die Bäume des Parkes empfingen geduldig die schwer und reichlich fließenden Tränen des niedrig hängenden Himmels.

Der Regen begleitete mit seinem großen Rauschen den stummen und verwirrten, zerknirschten und aufbegehrenden Monolog des gefangenen Königs.

Durch ein Guckloch, das an unauffälliger Stelle in der Türe angebracht war, beobachtete ein Wärter im Auftrag des Medizinalrates von Gudden jede Bewegung Seiner Majestät.

Der Wärter sah, wie Seine Majestät mit geschlossenen Augen eine lange Zeit unbewegt und aufrecht am Fenster stehen blieb. Das einzige Zeichen von Erregtheit, das der Krankenpfleger an seinem königlichen Gefangenen bemerkte, war, daß Ludwig beide Hände zu Fäusten geballt hatte. Das Gesicht des Königs – dieses große, grau-bleiche, aufgeschwemmte Antlitz mit den tiefen, schwärzlichen Schatten auf den geschlossenen Lidern – war starr wie das Gesicht eines Hypnotisierten.

Ludwig, regungslos am vergitterten Fenster stehend, durchlebte noch einmal – zum wievielten Male? – das Drama der letzten Tage, die Katastrophe der gerade erst vergangenen vierundzwanzig Stunden.

Als die Hofkommission aus München, unter der Führung des Grafen Holnstein und mit dem Beglaubigungsschreiben des Prinzen Luitpold, zum ersten Mal vor Schloß Hohenschwangau erschien, um Seine Majestät als Geisteskranken gefangen zu nehmen – da mußte sie zurückweichen vor der erbitterten Widerstand der Bevölkerung. Der Leiter der Gendarmerie von Hohenschwangau hatte das versiegelte Schreiben des Prinzen Luitpold zerrissen und dem Grafen Holnstein ins Gesicht gesagt: «Ich kenne nur einen Befehl, und der kommt von Seiner Majestät!» –: Ludwig, am vergitterten Fenster, spürte noch einmal den Triumph, der ihn fast bis zu Tränen erschüttert hatte, als ihm diese Nachricht überbracht worden war. – Der Amtmann von Hohenschwangau war im Begriffe gewesen, die Münchener Hofkommission als Rebellen gegen den Monarchen verhaften zu lassen: Ludwig entzückte sich an der Erinnerung. Sie bewies ihm: Das Volk liebt mich. *Für* mich sind die einfachen Leute, sie haben den Instinkt für die echte Größe. Unzweideutig steht das Volk zu seinem angestammten Herrn – *gegen* die höfischen und ministeriellen Intriganten.

Freilich, bei ihrem zweiten Erscheinen waren die Beauftragten des Prinzen Luitpold erfolgreicher – ach, nur gar zu erfolgreich waren sie gewesen!

Die letzte Nacht in Schloß Hohenschwangau, diese letzten Stunden, ehe der König, von Dr. Gudden geleitet, die schwarze, verschlossene Kutsche besteigen mußte: Ludwig – sich am vergitterten Fenster erinnernd – sieht dem Finale der eigenen Tragödie zu, wie dem fünften Akt eines Trauerspieles von Schiller. Aber keiner der Helden in den Dramen des geliebten Klassikers war umgeben von solcher Einsamkeit wie Ludwig in jenen Stunden. Man hatte ihm alle genommen – noch den letzten Ritter und Getreuen, der ihm geblieben war, den jungen Flügeladjutanten, Graf Dürckheim: ihn hatte das Münchener Kriegsministerium unbarmherzig von der Seite des Königs gerufen.

Seine einzige Gesellschaft war der ewig rauschende Regen – cette pluie morne, cette pluie cruelle –, und die beiden Lakaien, Mayer und Alfons Weber. Sogar der Kutscher – ein braver und ergebener Mann, er hieß Osterholzer – durfte nicht mehr in die Nähe des Monarchen kommen; man befürchtete wohl, der König könnte sich von ihm zur Flucht nach Österreich verhelfen lassen.

Aber was für eine schöne Scene war es gewesen, als der gefangene Fürst seine letzte Habe an die getreuen Diener verteilte: Ludwig, in der Erinnerung, genoß noch einmal den tragischen Reiz dieses edlen Vorgangs, der an den rührenden Abschied der verurteilten Maria Stuart von ihren Kammerfrauen gemahnte. Alfons Weber hatte 1200 Mark in bar, eine Brillant-Agraffe und einen Schein auf 25 000 Mark erhalten, von dem übrigens ungewiß war, ob er jemals eingelöst werden würde. Auch sein Gebetbuch hatte der König dem Lakaien überreicht und dazu gesprochen: «Bete für mich! Ich brauche nichts mehr!» –: so, als ob es nötig gewesen wäre, Webern zur Annahme der Geschenke erst durch feierliche Worte zu überreden, während der Bediente doch nicht im mindesten gezögert hatte, die wohlverdienten Aufmerksamkeiten zu akzeptieren.

Nachdem diese schöne Zeremonie erledigt gewesen war, hatte Ludwig damit begonnen, ziemlich viel Rotwein und Cognac durcheinander zu trinken: er meinte jetzt noch, in der Erinnerung, den scharfen Geschmack der Alcoholica auf der Zunge zu spüren. Rauchend, trinkend und Gedichte deklamierend war er im Eßzimmer auf und ab gerannt. So hatte der Medizinalrat von Gudden ihn angetroffen, als er erschien, um den König in die verschlossene Kutsche zu bitten. «Majestät, dies ist die traurigste Aufgabe meines Lebens!» hatte der Doktor heuchlerisch gesprochen.

Ludwig sah die verhaßte Fratze des Gelehrten so deutlich vor sich, daß er die Faust hob, um in sie hineinzuschlagen: Der Wärter an seinem Guckloch konstatierte die jähe Geste seines Patienten mit einigem Schrecken.

Es gelang aber dem König, das Bild Guddens, die Erinnerung an seine ölige Stimme von sich zu scheuchen, wie einen Alptraum. Er riß die Augen auf, reckte sich und beschloß: ‹Ich will mir darüber klar werden, auf welche Weise ich am ehesten freikomme von diesem satanischen Ungeheuer.›

‹Ich muß schlau sein›, sagte sich König Ludwig. ‹Schlau und listig muß ich mich verhalten. Man meint wohl, ich werde diese unwürdige Gefangenschaft hinnehmen, wie mein armer Bruder

Otto die seine? Man irrt sich. Hi hi›, kicherte der König – plötzlich voll guter Hoffnungen, euphorisch gestimmt und fast amüsiert im Gedanken an die Verwicklungen, die aus dem Kampf zwischen ihm und Herrn von Gudden resultieren mochten, ‹hi hi hi, man irrt sich gewaltig.›

‹Es gibt für mich nur zwei Möglichkeiten›, überlegte er. ‹Alle beide bedeuten eine Blamage für die Wissenschaft und eine Verlegenheit für meinen teuren Onkel, den Prinzen Luitpold. Entweder ich sterbe – was für mich ein großer Trost, eine schöne Wohltat, und für ganz Europa eine gewisse Sensation sein würde –: entweder also ich sterbe als das Opfer meiner Peiniger, des Prinzen Luitpold und der Wissenschaft – oder ich richte mein eigentliches Königtum auf, mein *Volkskönigtum*, in dem kein Minister, kein Landtag mehr etwas zu sagen hätten.

Das Volk liebt mich – ich weiß, daß mein Volk mich liebt. Die alte Wirtin, die mir auf der fürchterlichen Kutschenfahrt – auf diesem Passionsweg von Schloß Hohenschwangau nach Schloß Berg – ein Glas Wasser reichte –: die brave alte Wirtin in der Ortschaft Seeshaupt hat mir zugeflüstert, daß die oberbayrischen Bauern mit Flinten und mit Sensen sich bewaffnet haben, um mir, ihrem König, zu helfen – um mich zu befreien. Auf der anderen Seite des Starnberger Sees, in den Wäldern drüben, sollen viele bewaffnete Bauern sich gesammelt haben. Mit ihnen könnte ich in die Berge entfliehen, um dort mein echtes Königtum zu etablieren. Der See ist schmal, es ist gar nicht weit bis zum anderen Ufer, ich bin ein recht guter Schwimmer – bin ein starker Mann, immer noch, obwohl der überreichliche Genuß von Schlafmitteln und die vielen Aufregungen meine Kräfte etwas reduziert haben. Ich muß alles auf diese Karte setzen: Entweder Tod – oder echtes Königtum... Ich muß meinen Plan fassen... Ich habe schon meinen Plan...›

Der König ging vom Fenster zum Tisch, in der Mitte des Zimmers. Er bewegte die Glocke, die auf dem Tisch stand. Sofort öffnete der Wärter, der draußen gelauert hatte, die Tür. Er verneigte sich tief und erkundigte sich, was für Wünsche Seine Majestät hätten. In Ludwigs Augen war ein boshaftes, wildes und dabei fröhliches Funkeln, als er mit sehr sanfter Stimme sagte: «Ich würde gerne einen Rundgang durch die Säle des Schlosses machen. – So viele Erinnerungen», fügte er, wie um Entschuldigung bittend, beinahe demütig hinzu, «so viele Erinnerungen gibt es für mich in Schloß Berg.»

Der Wärter – ein gesunder, etwa vierzigjähriger Mann mit rotem Gesicht und stark vortretendem, runden Bauch; Familienvater, Kegelbruder und Biertrinker – zögerte eine Sekunde, ehe er erwiderte: «Wie es Ihrer Majestät beliebt.» Er trat beiseite, um Ludwig den Weg durch die Tür freizugeben. Der König, ehe er das Zimmer verließ, warf noch einen schiefen, vieldeutig-munteren Blick auf das vergitterte Fenster, als nähme er Abschied von einem Spießgesellen und Mitverschworenen.

Ziemlich rasch und elastischen Ganges bewegte sich Ludwig durch den Korridor, dessen gewölbte Decke das Geräusch seiner Schritte auf dem Steinboden widerhallen ließ. Der Wärter folgte in gemessenem Abstand.

In einem der Säle hing ein großes Gemälde, das den König zeigte, wie er ausgesehen hatte, als er jung und wunderschön gewesen war: so schön, daß von seinem Anblick das Volk erschüttert ward wie von einem Mirakel. Auf dem Bilde trug der junge Herrscher die Uniform eines bayrischen Generals und den breit geöffneten Krönungsmantel aus Hermelin.

Vor diesem Porträt seiner selbst – das kaum noch dem Menschen glich, der er heute war – verweilte Ludwig eine lange Zeit. Der Wärter, in einiger Entfernung, wartete geduldig, respektvoll und doch mißtrauisch.

Ludwig hatte seinen Taschenkamm gezogen, um ihn, mechanisch und unaufhörlich, durch die gelockte, etwas fettige Frisur zu führen. Angesichts der gemalten Schönheit, die früher einmal seine eigene gewesen war, überwältigten ihn wieder die Erinnerungen.

‹Ja, dies war Ich – Ich war der junge König›, dachte er ergriffen. ‹Ich hatte die adlige Anmut, vor welcher das Volk in die Kniee bricht; die Schönheit Lohengrins, den der Schwan über die Fluten trägt, zum Entzücken derer am Ufer; ich hatte die leuchtende Stirn, das sanft flammende Aug'. Wahrlich, dieser junge König, der ich gewesen bin, er hätte es verdient, in einer anderen, stärkeren und schöneren Zeit, als die unsere eine ist, zu leben und zu regieren. Was habe ich denn angefangen mit meinem Königtum?

Es hat zwei Kriege gegeben, während ich Herrscher war. Keiner von beiden war heroisch oder abenteuerlich; an keinem der beiden war ich innerlich stark beteiligt. Der erste, 1866, gegen die Preußen, ging für mein Bayernland schnell und ruhmlos zu Ende. Der andere, 1870, *mit* den Preußen, gegen das edle Volk der Franzosen geführt, ließ aus dem König in Berlin den sogenannten Kaiser von Deutschland werden – und ich, ich mußte mich noch zu der unwürdigen Komödie hergeben, dem Hohenzollern, dem Barbaren, dem Protestanten, dem Preußen, die Kaiserkrone feierlich anzubieten: das verlangte Bismarck von mir.

Was habe ich gemacht mit meinem Königtum? Vom Ministerpack habe ich mich ennuyieren und von den Zeitungsschreibern kritisieren lassen müssen. Ich habe zu den Großen dieser Zeit gehört, aber wer sind schon die Großen dieser Zeit, im glanzlosen, glaubenslosen, materialistischen Neunzehnten Jahrhundert?

Manchmal war es recht unterhaltend, Mitglied der erlauchten Zirkel zu sein: zum Beispiel, als ich noch sehr jung und schön gewesen bin, in Bad Kissingen. Damals war meine Schönheit und Jugend in aller Mund, die kleine Zarentochter, Maria Alexandrowna, schien ziemlich verliebt in mich; man gaffte uns nach, wenn wir miteinander spazieren fuhren; es war recht drollig, man hielt uns schon für verlobt...

Aber ich verlobte mich nicht mit dem Zarenkinde, sondern mit meiner Base Sophie – ach, warum habe ich das wohl getan? Zu jener Zeit, als ich mich mit Sophien verlobte, hätte man mich als Verrückten einsperren sollen; nicht heute, nicht jetzt, da ich alle Fehler und Irrtümer meines Lebens in ihrer Bitterkeit, ihrer Traurigkeit, ihrer Peinlichkeit, ihrer nie wieder gutzumachenden Schwere deutlich erkenne.

Ich liebte Elisabeth – von allen Frauen nur Dich, Elisabeth, nur Dich, meine schöne, untröstbar schwermütige, mir innig nahe verwandte Freundin! – Und ich meinte, diese Liebe auf Elisabeths Schwester, meine arme Base Sophie, übertragen zu können. Ich schickte der armen Base Rosensträuße nach Possenhofen am Starnberger See, wo sie bei ihrem Vater lebte; schrieb ihr auch hübsche Briefe, nannte sie «meine Elsa», – ja, ich dachte wohl wahrhaftig, ihr Lohengrin, ihr Schwanenritter könnte ich sein. Dann verlobten wir uns. Das ganze Bayernland war vergnügt, weil der junge König sich mit seiner Cousine, der Schwester der Kaiserin von Österreich, verlobt hatte. Sophie aber weinte meistens während unserer Verlobungszeit. Erst weinte sie nur, weil ich niemals ihren Mund küßte –: das schwöre ich Dir, Elisabeth, niemals habe ich Sophiens Mund geküßt, so wenig ich den Deinen je geküßt habe. Dann weinte sie, weil ich die Hochzeit immer wieder hinausschob – und schließlich, weil ich die Verlobung leider auflösen mußte. Die arme Base – nein, sie war nicht eigentlich häßlich, soweit ich mich erinnere, aber auch keineswegs wirklich hübsch –, die sitzengelassene Cousine heiratete ein Jahr später irgendeinen französischen Herzog. Damals haßte ich sie schon nicht mehr. Aber ich habe sie sehr gehaßt, während der langen Zeit, die wir verlobt gewesen sind. Kurz ehe ich mich dazu entschloß, unser Verlöbnis rückgängig zu machen, war ich so fürchterlich gereizt und aufgebracht gegen die arme Person, daß ich ihre Marmorbüste – ein ziemlich großes Ding, sehr schwer zu heben, und übrigens eine höchst mittelmäßige Arbeit – aus dem Fenster meines Arbeitszimmers in der Münchener Residenz auf das Straßenpflaster schleuderte: ich höre noch den Krach, den die steinerne Sophie vollführte, als sie zerbarst.

Ein paar Scherben aus Marmor: mehr bleibt mir nicht in der Erinnerung an meine sehr verfehlte Brautschaft mit der armen Base.

Ach, nur Verluste bleiben mir in der Erinnerung. Verluste, wohin ich schaue, wohin ich denke.

Weh mir: Verloren.

Auch Dich verloren, meine Elisabeth. Dich nie besessen, und

Dich doch eingebüßt. Wie lange ist es her, daß wir uns nicht gesehen haben, meine Freundin? Wann sehen wir uns wieder, meine süße Schwester?› –

Der König legte seine große, weiße Hand an die Stirn. Dann ging er weiter, um – gefolgt vom Irrenwärter – die erinnerungsvolle Inspektion des Schlosses zu beenden.

Am längsten blieb er stehen in dem Raume, wo er zum ersten Mal Richard Wagner empfangen hatte – das war zweiundzwanzig Jahre her. Oh, unvergeßliche, schön romantische und höchst rührende Situation: der Meister, schon alternd, aber noch kaum berührt, zum ersten Mal vor seinem jungen, strahlenden Fürsten. Welche Wonne war es für den jungen, strahlenden Fürsten gewesen, diesen «alten Zauberer» – wie Wagner sich in späterer Zeit der Vertraulichkeit wohl scherzhaft ihm gegenüber zu nennen pflegte –, diesen Magier, dem sein Herz zuflog, mit Gnaden zu überschütten. Der alte Hexenmeister konnte damals die Huld des schwärmerischen Jünglings-Fürsten wohl gebrauchen; denn zu jener Stunde war Wagner ein ruinierter Mann. Der Sekretär Seiner Bayrischen Majestät, Herr Pfistermeister, mußte den Komponisten des «Lohengrin», den kennen zu lernen sich sein Monarch nun einmal in den Kopf gesetzt hatte, an vielen Orten suchen, bis er ihn nicht weit von Stuttgart, im Hause eines Kapellmeisters fand. Herr Pfistermeister überreichte dem Tondichter, der sich auf der Flucht vor seinen Gläubigern befand und einen ziemlich heruntergekommenen Eindruck machte, das Porträt der Bayrischen Majestät und einen schönen, dicken Brillantring: dieses als erste Aufmerksamkeiten von Seiten des königlichen Jüngers; viele andere, und gewichtigere, sollten folgen. –

Ein Schluchzen bewegte dem König die Brust und stieg ihm bis in die Kehle, da er nun darüber nachsann, wie groß und wundersam ihre Freundschaft gewesen.

Ludwig empfand: ‹Vorhin, in dem Zimmer mit den vergitterten Fenstern, habe ich auf eine schlechte Art an meinen großen Geliebten gedacht. Sind mir nicht sogar gehässige Reminiszenzen gekommen an gewisse Ungelegenheiten, die er mir einst bereitete, oder die doch mit ihm im Zusammenhang standen, und daß man in München geschmacklos genug war, ihn «Lolus» zu nennen, mit frivoler Anspielung auf Fräulein Montez, die Mätresse meines Großvaters? Oh, pfui über mich und meine niedrige Art des Denkens! Alles, was in meinem Leben schön und lebenswert war, danke ich ihm, meinem angebeteten Meister. Er kannte mich, er erzog mich, ja, er liebte mich auch. Wie durch Offenbarung wußte er um alles alles, was vorging in meinem Herzen. Er verstand meine Schwächen und meine Möglichkeiten zur Größe. Er lehrte mich, wie man König zu sein hat. Ohne seinen bedeutenden Zuspruch hätte ich mein schweres Amt nicht ausgehalten. Wie oft wollte ich abdanken, auf die Krone verzichten! Wagners weise und strenge Mahnung hielt mich von sündiger Torheit zurück. «Erhabener, göttlicher Freund!» rief ich ihm zu. «*Sie und Gott!* Bis in den Tod, bis hinüber nach jenem Reich der Weltennacht bleibe ich der Ihre!» So ohne Vorbehalt, so glühend, so ganz und gar floß meine Seele ihm zu. «Dir geboren, Dir erkoren! Dies mein Beruf!» –: ich weiß noch, daß ich solche Zeilen an ihn schrieb, und daß sie das Wahrste, Echteste, Wichtigste sind, was ich in meinem Leben gedacht, gesagt oder geschrieben habe. – Wie herrlich waren alle die Gespräche, die wir miteinander führten, miteinander genossen! Oh, erste Zeit unseres großen Bundes, als ich hier, in Schloß Berg wohnte und mein Richard in der hübschen Villa unten am See, die ich selbst für ihn ausgesucht hatte! Ich schickte ihm jeden Vormittag meine Kutsche; er kam, wir sprachen... oh, Seligkeit! Oh, einzige Seligkeit meines armen Lebens!›

Ludwigs Herz war erschüttert wie damals, zu jener Stunde, als der Jüngling zum ersten Mal in Wagners herrschendes Antlitz geblickt und die verzaubernde Macht seines Blickes gespürt hatte. ‹Ja, ich habe ihn geliebt›, verstand der Ergriffene. ‹Wie ein Schüler den Meister liebt, liebte ich diesen.› Und weiter dachte er, schamlos: ‹Wie eine Frau den Mann liebt, so liebte ich Wagnern.›

Sein heißer Wunsch und sein Bedürfnis war, niederzuknien auf diesem Boden, an dieser Stelle, wo der Meister zum ersten Male vor ihm gestanden hatte. Er beherrschte sich aber. Zu dem Wärter gewendet, der in wartender Haltung an der Türe stehen geblieben war, sagte er mit einer Stimme, die sehr sanft und beinahe zärtlich tönte:

«Dieses Zimmer hier ist mir das liebste in Schloß Berg.»

Hätte der Wärter Augen gehabt zu sehen, er hätte bemerken müssen, daß das Gesicht seines Herrn sich verjüngt und verschönt hatte, überglänzt von den Erinnerungen. Wahrhaftig, Ludwigs Gesicht glich nun fast wieder jenem, das der Götterjüngling auf dem Bilde im anderen Saal zeigte: Le jeune Roy, der Geliebte des Volkes, mit dem Krönungsmantel um die starken Schultern.

Der Wärter aber war ein stumpfer, dicker Mann – Familienvater, Kegelbruder und Biertrinker. Er verneigte sich nur und sagte: «Wie es Ihrer Majestät beliebt.»

Den Rest des Tages verbrachte der König ruhig in seinem Zimmer. Er betrug sich freundlich gegen jedermann, sogar gegen den Medizinalrat von Gudden. Der drahtete denn auch entzückt nach München: «Hier geht alles wunderbar gut stop der König ist folgsam wie ein Kind.» Dem Arzt fielen die bösartigen, munter-grimmigen und verschlagenen Lichter nicht auf, die es immer wieder in Ludwigs Augen gab.

Der Regen rauschte. Das Wetter schien nie mehr besser werden zu wollen. Gegen Abend servierte man Seiner Majestät eine leichte Mahlzeit: gehacktes, weißes Fleisch und Salat. Feste Kost war der Zahnlose ohnedies nicht zu beißen imstande. Auf dem Tablett befanden sich nur Löffel und Gabel, kein Messer. Ludwig äußerte den Wunsch, Rotwein zu trinken; der Diener brachte eine Flasche Mineralwasser; woraufhin der König sehr höflich und ausführlich: «Ich danke Ihnen, mein Lieber» – sagte, gleichzeitig aber einen schiefen, tückischen Blick über den Lakaien hingleiten ließ.

Nach dem Imbiß bemerkte der König: «Es sind gar keine Blumen im Zimmer. Ich hätte gerne einen schönen Strauß roter und weißer Rosen.» Eine Viertelstunde später erschien der Obergärtner mit dem Bouquet. Ludwig erkundigte sich lächelnd, ob die

Blüten von seiner «Roseninsel» kämen: dem kleinen Eiland im Starnberger See, wo der König Rosen jeder Form und Farbe in großen Mengen züchten ließ, und wo er sich, in früheren Zeiten, zuweilen einsam oder mit einem lieben Gast ergangen hatte. Der Obergärtner versicherte, schnell und scheu: ja, die Rosen seien von der Insel eigens geholt worden. Ludwig wußte, daß es gelogen war; lächelte ziemlich schief, und sagte wieder: «Ich danke Ihnen, mein Lieber.»

Sowie der Gärtner den Raum verlassen hatte, neigte der König sich – mit einer jähen Bewegung, so wie der Durstige sich zur Quelle bückt – über die Blumen. Er legte sein Gesicht gegen die kühlen, stark und süß duftenden Blüten.

Eine Stunde später, es war gegen halb zehn Uhr abends, brachte Doktor von Gudden selber die Schlafmittel – zwei dicke, weiße Tabletten und ein paar bräunliche Tropfen, welche der Arzt aus schwarzem Fläschchen in ein Likörglas voll Wasser rinnen ließ. Während Gudden sich mit den Medikamenten beschäftigte, beobachtete Ludwig ihn mit dem glitzernden, mißtrauischen und boshaft amüsierten Blick. Dann schluckte er Tabletten und Tropfen ohne Widerspruch, und ohne übrigens seine Augen dabei vom Medizinalrat zu lassen.

Ludwig schlief fest, beinahe zehn Stunden lang. Dem Diener, der ihm morgens beim Ankleiden behilflich war, erzählte er gutgelaunt: «Ich habe von Rosen und von Schwänen geträumt – den lieblichsten Gebilden auf Erden.» Was er nicht erwähnte, war, daß er, gegen acht Uhr morgens, beim Aufwachen, von gewissen Farben- und Ton-Halluzinationen heimgesucht worden war. Das geschah ihm jetzt häufig. Übrigens hatte er dergleichen schon als Junge gekannt. Die Luft füllte sich mit silbrig klirrenden Klängen und kreisenden Lichtern – roten, grünen und violetten –; manchmal erschienen auch Gesichter oder winkende Hände: es war zugleich reizend und beängstigend.

Der Diener, den die lyrische Bemerkung über die Rosen und Schwäne verlegen machte, bemerkte: «Es regnet immer noch, Majestät.»

«Ja», sagte der König. «Es wird wohl noch eine Zeitlang regnen.» – Doktor von Gudden hatte allen Grund, mit seinem hohen Patienten weiter sehr zufrieden zu sein. Nach dem Frühstück unternahm der Arzt einen Spaziergang mit Ludwig, durch den Park, bis hinunter zum See. Es regnete, die Wege waren so aufgeweicht, daß es einige Mühe bereitete, vorwärts zu kommen.

Als Ludwig, in seinem langen, dunklen, theatralisch faltenreichen Loden-Cape und mit dem schwarzen Schlapphut, im Park erschien, drängten die Lakaien sich wieder an den Fenstern des ersten und zweiten Stockes. Man stieß sich in die Rippen und flüsterte: Es ist der König! – Seht, er ist geschlagen mit der Paranoia wie mit der Pest! Schaut doch, zwei Irrenwärter folgen unserem armen König und seinem Arzt!

Ludwig inzwischen plauderte, auf eine unheimlich animierte Art, mit dem Medizinalrat über tausend Gegenstände. Ausführlich verweilte er bei literarischen Themen und ließ sich darüber aus, wie groß seine Lust sei, einmal wieder einer guten Schiller-Aufführung beizuwohnen. Und warum – so fragte der König – war es ihm nie gelungen, einen Kreis interessanter Poeten um sich zu sammeln, wie sein Hochseliger Vater dies so vortrefflich verstanden hatte? «Mein Hochseliger Vater», sagte Ludwig, und es glitzerte besonders tückisch in seinen Augen, «präsidierte einem charmanten Stammtisch geistiger Größen: da gab es die bewährten Dichter Emmanuel Geibel und Paul Heyse; die Naturforscher Liebig und Jolly – Repräsentanten der Wissenschaft. Man diskutierte flott die aktuellen Themen und trank reichlich Bier. Mein Hochseliger Vater – ganz ohne Frage – hatte wirklich den Kontakt zur geistigen Elite der Epoche. – Freilich, Geibel ist ein unausstehlicher Kerl gewesen»: dies konstatierte Ludwig mit einer plötzlichen Gereiztheit. Dann wechselte er geschwind den Gesprächsstoff.

Er verbreitete sich über die Unzeitgemäßheit den Königtums. «Eigentlich paßt der monarchische Gedanke doch gar nicht mehr in unsere schöne, moderne Zeit!» rief er aufgeräumt. «Er enthält zu viel alte, verstaubte Mystik. Stellen Sie sich zum Beispiel vor, mein liebster Medizinalrat, ich würde heute noch sterben. Dann wäre mein armer, unglücklicher, hoffnungslos verrückter Bruder Otto, dem Namen und Titel nach, König der Bayern, und irgendein anderer, gar nicht legitimierter, müßte für ihn die Regierungsgeschäfte führen.»

Hier beeilte Doktor Gudden sich zu bemerken: «Gott sei Dank, erfreuen Ihre Majestät sich der denkbar besten Gesundheit.»

Ludwig aber erklärte, nun beinah ausgelassen: «Nein, nein, liebster Doktor, sagen Sie, was Sie wollen: die Republik ist die Staatsform, auf die unsere Zeit zudrängt – Frankreich ist, in diesem Punkte, wie immer, der Epoche nur ein wenig voraus. Wir Könige – verstehen Sie mich recht, bester Freund! –, wir Monarchen sind recht eigentlich wandelnde Anachronismen. Die moderne Zeit gehört der Wissenschaft, die wahrhaft herrschenden Gewalten der Epoche sind die Psychiatrie und das Finanzkapital…»

Doktor von Gudden wehrte respektvoll ab. Übrigens wurde er pudelnaß, da er sein Parapluie über das Haupt des Königs hielt, der seinerseits vergessen hatte, einen Regenschirm mitzunehmen.

Als sie unten, an der Seepromenade, angekommen waren, sagte Ludwig noch, mit einem langen Blick über die graue, unter dem Regen sich kräuselnde Fläche des Wassers: «Schade, daß es zu kühl ist, um ein Bad zu nehmen. Ich schwimme gerne, müssen Sie wissen, mein sehr geschätzter Herr Doktor. – Und ich liebe das Wasser», fügte er, plötzlich mit einer anderen Stimme, hinzu.

Der König, sein Arzt und die beiden Wärter gingen zum Schloß zurück. –

Mittags speiste Ludwig ein wenig gehacktes Fleisch und Gemüse. Nach Tisch empfing er seinen zweiten Arzt, den Nervenspezialisten Doktor Müller. Bei ihm erkundigte er sich nach dem Befinden des Prinzen Otto, als dessen Leibarzt Müller figurierte. «In den letzten Jahren ist keine bemerkenswerte Veränderung im Zustand Seiner Hoheit zu konstatieren», erwiderte der Nervenspezialist. Ludwig fragte nicht weiter. Er nickte nur noch: «In den letzten Jahren... Ja ja, man muß es wohl lernen, geduldig zu sein...»

Später bemerkte er: «Gudden sagt mir, Sie wollten meine Bibliothek ordnen. Können Sie französisch sprechen?»

«Soviel man auf dem Gymnasium lernt, Majestät.»

«Womit haben Sie sich auf dem Gymnasium am liebsten beschäftigt?... Sie bleiben immer hier?»

«Ich werde mit einem Kollegen monatlich abwechseln.»

«Wer ist das?»

«Es ist noch niemand bestimmt.»

«Ist ja auch gleichgültig», sagte der König.

Den Nachmittag verbrachte er, am vergitterten Fenster sitzend, manchmal Melodien vor sich hin summend, manchmal mit gedämpfter Stimme Verse von Schiller oder Racine deklamierend. Er hatte wieder seinen Taschenkamm gezogen und ließ ihn langsam durch die chevelure gleiten. Zuweilen stand er auf, reckte sich und lächelte dabei. Gegen sechs Uhr läutete er nach dem Wärter: Man solle bei Doktor von Gudden anfragen, ob dieser Lust habe, noch einen kleinen Spaziergang zu unternehmen.

Gudden erschien drei Minuten später. Er half Seiner Majestät in das Lodencape, reichte ihm den Schlapphut und auch den Regenschirm; denn keinesfalls wollte er den eigenen Kopf nochmals naß werden lassen.

«Also, gehen wir!» sagte Ludwig, wobei er lächelnd die gelben Zahnstummeln zeigte und wieder seinen schiefen, hämischen Blick aufs vergitterte Fenster warf.

Doktor von Gudden hielt es aus pädagogischen Gründen für richtig, diesmal keine Wärter mitzunehmen. Beim Morgenspaziergang hatte Seine Majestät sich vernünftig betragen und sogar recht animiert geplaudert. Der Kranke verdiente also eine kleine Aufmunterung und Belohnung. Gudden wollte beweisen, daß er Vertrauen zu ihm hatte, indem er mit ihm allein promenierte.

Ludwig, der vormittags so gesprächig gewesen war, zeigte sich diesmal schweigsam. Im großen Faltenwurf seines dunklen Lodencapes, den breitrandigen Hut tief in der Stirne, machte er lange Schritte und pfiff dabei Bruchstücke von Melodien vor sich hin. Doktor von Gudden, der zuweilen die Oper besuchte, erkannte, daß es Melodien von Wagner waren. Er vermutete, dem König würde es Vergnügen machen, eine Konversation über den großen Komponisten zu führen. Deshalb sagte er mit seiner höflichen, geölten Stimme: «Es ist doch bemerkenswert und ein schönes Ereignis, wie die Musik des Meisters, die zunächst überall mißverstanden und sogar als abstoßend empfunden wurde, sich nun ganz Europa, ja, man darf wohl sagen, die Welt erobert hat.»

Ludwig blieb stumm und pfiff ein Siegfried-Motiv. Nach einer ziemlich langen Pause ließ er seine dunkle Stimme vernehmen: «Ich bin neugierig, ob es jemals wieder aufhören wird zu regnen.»

Die schweren Regentropfen klopften auf die Parapluies der beiden Herren. Sie machten ihr schluchzendes Geräusch in den Bäumen und in den Gebüschen. Es war mühsam, auf den kotigen, nassen Wegen vorwärts zu kommen. Doktor von Gudden bereute, sein Einverständnis zu diesem feuchten Spaziergang gegeben zu haben. «Die ungünstige Witterung dürfte anhalten», versetzte er, nicht ohne eine gewisse Strenge.

Der König nickte und schwieg. Unter der breiten Krempe des Wotanshutes glimmten seine Augen wie feuchtes Holz in der Nacht.

Die Promenade führte am See entlang, von dem nur ein schmaler Streifen Rasen und ein paar Büsche sie trennten. Es war dunkel. Man sah das Wasser beinahe nicht; aber man hörte den leisen Aufschlag seiner kleinen Wellen am Ufer und das gleichmäßige Niederfallen des Regens auf seiner Fläche.

Der Medizinalrat sagte: «Majestät sollten morgen früh mit den gymnastischen Übungen beginnen –»: Da tat der König den überraschenden Sprung. Während er, von der Seite des Doktors weg, ins Dunkel hüpfte, stieß er einen rauhen, jauchzenden Schrei aus, beinah einem jener Jodler ähnlich, mit denen oberbayrische Bauern ihre wunderlichen Tänze begleiten. Noch im Springen warf Ludwig sein Parapluie von sich. Das Lodencape wehte wie riesige schwarze Flügel hinter ihm her. Von dem fürchterlich flatternden schwarzen Tuch befreite er sich erst, als er schon bis zu den Knien im Wasser stand.

Doktor von Gudden, der einige Sekunden lang völlig starr vor Entsetzen und jeder Bewegung unfähig war, hörte, wie der König gewaltig im Wasser planschte. Mit einer ganz kleinen, heiseren Stimme rief der Arzt: «Hallo, Majestät! – Was für Kindereien!» rief jammernd der Medizinalrat. «Kommen Majestät doch zurück! Bitte bitte!» Gudden hoffte noch immer, sein Patient wolle nur, in toller Laune, ein Bad nehmen und habe nichts weiter Schlimmes vor. Ihm antwortete aus dem Wasser jener rauhe, jodelnde Schrei – halb Schmerzenslaut und halb Lustgebrüll. Übrigens war es ein vibrierender Schrei, der bald höher, bald tiefer klang: Gudden hatte den ziemlich schauerlichen Verdacht, daß Seine Majestät sich beim Jodeln mit der flachen Hand rhythmisch vor den geöffneten Mund schlug, genau wie die Bauern der Gegend es bei ihren unzivilisierten Tänzen zu tun pflegten.

Nun mußte der Medizinalrat sich doch entschließen, dem König nach, in den See zu eilen. Hastig, aber dabei nicht ohne Pedanterie, entledigte auch er sich des Regenmantels, des Hutes und des Schirms. Dabei flüsterte er mehrfach: «Heilige Jungfrau, steh mir bei!» – obwohl er an die Heilige Jungfrau oder irgendwelche anderen himmlischen Gewalten gar nicht glaubte. Mit ein paar gewandten Sätzen galoppierte der Nervenarzt über das Stück sumpfiger Wiese, das sich zwischen Promenade und See befand. Gudden konnte beinahe gar nichts sehen; der Regen, welcher jetzt noch reichlicher floß, ließ ihm die Augen blind werden. Trotzdem wußte er genau, wo er den König zu suchen hatte: das rauhe Juchzen und das Planschen im Wasser wiesen ihm den Weg.

«Wohin wollen denn Majestät?» rief klagend der Medizinalrat, der mit Entsetzen spürte, daß er selber nun schon bis über die Kniee im Wasser stand. Aus den schwarzen Fluten schrie der furchtbare König zurück: «In mein Reich, Du Narr! Zu meinen Getreuen, Du Esel! Weg von Dir will ich, Du Teufel! Nach Hause will ich, Du stinkendes Tier!» Bei diesen Worten hatte

Ludwig sich vollends ins Wasser geworfen, dessen gekräuselte Wellen er mit seinen starken Armen zu teilen begann. Der König schwamm.

«Das darf ich keinesfalls dulden!» flüsterte Gudden mit Lippen, die von der Kälte und von Grauen zitterten – und nun war auch für ihn der Augenblick gekommen, ganz ins Wasser zu tauchen. Er tat es ängstlich, aber geschwind; mit Bewegungen, die eine gewisse Possierlichkeit hatten, leise prustend, so wie die meisten älteren Herren sich benehmen, wenn sie bei schönem Wetter ins kühle Element steigen. Doktor von Gudden trug einen langen schwarzen Bratenrock und eine breite schwarze Seidenkrawatte vor der gestärkten Hemdbrust. Seine guten Kleider taten ihm leid, ‹ich werde sie nie wieder anziehen können›, dachte er, ‹der Gehrock kommt ja ganz aus der Façon, ein Gehrock ist doch kein Schwimmkostüm – warum habe ich mir nur die Stiefel nicht ausgezogen – Heilige Mutter Gottes, steh mir bei!› Da hatte er schon, zur eigenen Überraschung, den König erreicht, der immer noch sehr in der Nähe des Ufers großartig breite Schwimmbewegungen machte, ohne aber viel von der Stelle zu kommen. Plötzlich erkannte Gudden, dicht vor sich, Ludwigs triefendes Haupt. Schrecklich anzusehen war das Gesicht des Königs. Seine sonst so soignierte Frisur war in Unordnung geraten; wie das Schlangenhaar der Meduse stand ihm das starre Gelock über der weiß leuchtenden Stirn, und aus dem verwilderten Bart rann das Wasser. Er rollte die Augen, und sein zahnloser Mund war klaffend geöffnet: zu einem Gelächter, zu einem Aufschrei, zu einer Klage.

«So nehmen Majestät doch Vernunft an!» flehte der heranschwimmende Medizinalrat, immer noch respektvoll, bei allem Grauen, und immer noch in der Hoffnung, mit gutem Zureden etwas auszurichten, in so abenteuerlicher, extremer Situation.

Das triefende Haupt aber heulte – und es glich dem Haupt eines Meerungeheuers –: «Heim will ich! In mein Reich!»

Gudden hatte den König mit festem Griff am Nacken gepackt. Daraufhin ließ Ludwig seine kaum noch menschliche Stimme hören: «Du willst mich töten, Du Satan? Als ob ich Dich nicht gleich erkannt hätte, Du Mörder!» Und der Medizinalrat – keuchend, atemlos, mit Wasser im Mund –: «Ich will Sie retten, Majestät – will Sie retten…» Die Antwort war ein dumpfes, brüllendes Lachen.

Man hörte vom Schloß her einen Hund bellen. Doktor von Gudden dachte: ‹So nahe ist das Haus, so nahe die Menschen…› Und plötzlich begann er, so laut er konnte, «Hilfe, Hilfe!» zu schreien. Aber seine Kräfte reichten nicht weit; die Stimme war ihm halb vom Wasser erstickt und gab keinen starken Ton her. Der König deckte ihm mit seiner großen, weißen, nassen Hand den Mund zu. «Umsonst!» zischte der Fürchterliche. «Es kommt keine Hilfe!»

Nun spürte Gudden zum ersten Mal Todesangst. Er klammerte sich heftiger an den König. Der raunte ihm zu: «Wenn ich hinunter soll, dann mußt Du mit mir, Du Wurm!» Dabei rollte er wieder die Augen und zeigte die Zahnstummel im klaffend geöffneten Mund. Das triefende Haupt mit dem Schlangenhaar hatte keine menschlichen Züge mehr. Trotzdem flüsterte Gudden noch: «Erbarmen!» Gleichzeitig aber begann er, mit einer letzten Anstrengung sich gegen Ludwig zu wehren, der wie zu einer mörderischen Liebkosung seine beiden starken Arme um den Leib des Unglücklichen schloß.

Der König und der Arzt kämpften. Das ewige Geräusch des fallenden Regens und das Plätschern der dunklen Wellen begleiteten ihr stummes, verzweifeltes Duell. Einmal wurde Gudden von Ludwig unter die Fluten gedrückt; das nächste Mal Ludwig vom Doktor. Einige Sekunden lang schien es, als würde der Medizinalrat den Sieg davontragen. Er fand sogar wieder die Kraft, zu sprechen, und rief diesmal nicht nach der Mutter Gottes, sondern nach der eigenen, die übrigens vor sechzehn Jahren verstorben war und im Waldfriedhof zu München bestattet lag. «Mama – oh, Mama!» rief der Psychiater, und die Tränen, die aus seinen Augen flossen, vermischten sich mit dem Wasser, das ihm das Gesicht überflutete, und mit dem Blut, das aus einer Wunde rann: der König hatte ihm, im Laufe des unerbittlich geführten Zweikampfes, nicht nur eine große Beule auf der hohen, schön gekuppelten Gelehrtenstirne beigebracht, sondern ihm auch die Zähne in die Wange geschlagen; die schlimme Bißwunde blutete. «Mama!» rief der Doktor noch einmal; dann würgten ihm die weißen, großen, gnadenlosen Hände seines furchtbaren Feindes die Worte ab.

«In mein Reich», lallte Ludwig, und es klang wie Triumphgeheul aus den Wellen. «Weltennacht... Richard... schwarzer Schwan... Wasser Wasser... Oh, hinab, hinab...» sang und gurgelte der Untergehende, Vergehende. «Elisabeth», brachte er noch hervor, «ew'ge Vernichtung... oh, hinab.»

Der König und der Gelehrte sanken ineinander verschlungen, ineinander verkrampft, wie ein sich liebendes Paar.

Depesche nach München: «Der König und Gudden abends spazierengegangen stop noch nicht zurückgekehrt stop der Park wird durchsucht.»

Lampen, Fackeln, schreiende Menschen im Park von Schloß Berg: um zehn Uhr abends, um elf Uhr nachts, um halb zwölf Uhr nachts.

Es ist ein junger Diener, der inmitten all des Lärms plötzlich einen kleinen Laut des Entsetzens und des Triumphes hören läßt. Er hat im Grase, am See, den großen schwarzen Hut Seiner Majestät, und, nicht weit davon, Guddens Parapluie, Hut und Überzieher gefunden.

Wenige Minuten später werden die beiden Leichen von den kleinen Wellen des Sees sanft ans Ufer gelegt.

Der Chorus der Lakaien, Wärter, Ärzte, Kammerfrauen, Polizisten schreit noch einmal. Man drängt sich um die zwei Toten, Fackelschein fällt auf ihre nassen, weißen Mienen.

Der Medizinalrat hat die Augen geschlossen. Sein Gesicht ist, abgesehen von der runden Beule auf der Stirne, und der Verletzung auf der rechten Wange, kaum entstellt. Es zeigt einen rechtschaffenen, fast befriedigten Ausdruck.

Die Augen des Königs aber stehen klagend offen. Da niemand es wagt, sich diesem Toten zu nähern, ist es wieder der junge Lakai – der Gleiche, der vorhin die Kleidungsstücke entdeckt hat –, der sich nun, mutig und barmherzig, über die Leiche neigt, um seinem armen Herrn die Augen zu schließen.

Der junge Lakai ist niemals in der Nähe des Königs beschäftigt gewesen. Niemals hat die Majestät geruht, ihn zu beachten. Der junge Lakai kommt aus einem fremden Lande und hat schon als Knabe für Ludwig II. von Bayern geschwärmt. Er ist neunzehn Jahre alt.

Am nächsten Morgen: Lärm und Erregung in der Hauptstadt, im ganzen Land, in Europa. Die ungeheure Nachricht, die schauerliche Neuigkeit ist durch den Kontinent unterwegs; löst heftige Diskussion aus, kalte Neugierde, da und dort wohl auch Tränen.

Auf Schloß Berg ist es still geworden. Ein paar alte Weiber sind gekommen, sie waschen die Leiche des Königs. Die Diener lehnen müde an den Wänden oder liegen in Sesseln, als hätten sie Großes geleistet, ein beschwerliches, erregendes, die Nerven grausam strapazierendes Abenteuer überstanden.

Das Drama ist zu Ende. Unter den Statisten herrscht Erschöpfung. Kaum, daß sie sich noch zuflüstern können, wie großartig und wie fürchterlich alles zugegangen.

Das Drama ist nicht zu Ende. Es fehlt die letzte Scene.

Dieses noch hat zu geschehen:

Eine schwarze Kutsche fährt durch den Park von Schloß Berg – wieder eine schwarze Kutsche mit verhangenen Fenstern –, und sie hält auf dem Kiesplatz vor dem Portal. Drei Diener aus dem Schlosse springen herbei. Eben räkelten sie sich noch mit erloschenen Mienen in einem Vorgemach; aber nun sind sie da, mit überraschender Geschwindigkeit zur Stelle: Sie haben wohl, als das knirschende Geräusch der Kutschenräder auf dem Kiese hörbar wurde, einen müden, etwas verdrossenen Blick aus dem Fenster geworfen, und dann haben sie den Wagen erkannt und den Kutscher. Der Wagen kommt von der anderen Seite des Sees, aus Possenhofen, wo die Kaiserin Elisabeth von Österreich den Sommer verbringt. Da wissen die Lakaien, wer im Wagen sitzt, und sie stürzen herbei, plötzlich ganz wach geworden, mit lebhaften, fast zappelnden Gesten im Laufschritt sich nähernd. Nun reißen sie den Wagenschlag auf und versinken in tiefer Verneigung, während die verschleierte Dame, ohne sich von den Dienern oder von ihrer Kammerfrau stützen zu lassen, aus der Kutsche steigt.

Langsam und unter leisem Stöhnen folgt ihr die Kammerfrau – keiner der Diener denkt daran, ihr beim Verlassen der Kutsche behilflich zu sein –; die Kaiserin aber steht einige Sekunden lang, unbeweglich wie eine Bildsäule, vor dem Wagen – und nun macht sie eine Gebärde, welche die Lakaien in diesem Augenblick am wenigsten von ihr erwartet hatten: Sie hebt langsam den Arm, und sie lüftet den Schleier. Den drei Männern, die erschauernd in der tief gebückten Stellung verharren, zeigt sie das wunderbare Oval ihres marmorbleichen Gesichtes; ja, sie schlägt das schwarze Tuch so weit zurück, daß sogar ein Teil ihres Haares – ihrer berühmten, dunklen, weichen und üppigen chevelure – sichtbar wird. Ihr Gesicht ist starr; die gebückten Diener, scheu von unten lugend, erschrecken vor seiner Starrheit. Alle drei Diener empfinden: Wir haben noch nie ein so schönes Gesicht gesehen. Und: Wir haben noch nie so viel Schmerz versammelt gesehen auf einem Gesicht.

Erst da die Kaiserin anfängt zu gehen, löst sich ein wenig die fürchterliche Spannung auf ihrer versteinerten Miene. Es beginnen ihre Lippen zu beben – und wie unendlich rührend wirkt dieser kindlich zitternde Mund in der Vollkommenheit ihres stolz erhobenen, enthüllten Gesichtes; gleichzeitig wird die schöne Dunkelheit ihrer Augen feucht. Noch kann sie nicht weinen, noch keine Tränen vergießen; aber schon dieses wenige Naß in den Augen bedeutet für sie etwas wie Trost und Wohltat, nach dem grauenvollen Erstarrungs-Krampf der letzten Stunden. Über das Stück Kies, das zwischen Wagen und Schloßportal liegt, geht die Kaiserin Elisabeth eiligen Schrittes. Sie trägt einen schwarzen, faltenreichen Umhang, der beim geschwinden Gehen flattert und größere Falten wirft. Auf den sehr hohen Absätzen ihrer schwarzen Seidenschuhe schreitet Elisabeth, hastig und etwas stelzend, über den weißen, öden Platz, wie eine Tragödin über die leere Bühne schreitet, dem unbarmherzig sich erfüllenden Schicksal entgegen.

Die Kammerfrau kann kaum folgen; denn der Gang ihrer Herrin ist wie beflügelt von Traurigkeit. Die Kammerfrau ist klein und sehr alt. Daß sie sehr alt ist, erkennt man an ihrer gebückten Haltung und an ihren verrunzelten, fahlen Händen; ihr Gesicht zeigt die Kammerfrau nicht. Sie findet nicht den Mut und nicht die Kraft zu der schön gerundeten Geste, mit der die Herrin sich den Schleier vom Antlitz gehoben hat. Die alte Begleiterin – vielleicht ist sie siebzig oder achtzig oder fünfundneunzig Jahre alt – hält ihre Gramesmiene hinter dem dichten schwarzen Schleier versteckt.

Da sie versucht, nicht zu weit hinter der Herrin zurückzubleiben, kommt sie ein wenig ins Keuchen. Sicherlich fällt es ihr gar nicht leicht, bei dieser, für ihre Kraftverhältnisse viel zu geschwinden Bewegung, die ihr das kleine Keuchen abnötigt, auch noch Worte hervorzubringen. Als sei sie aber dafür bezahlt oder doch dazu beauftragt, gewisse Formeln des Schmerzes zu deklamieren – so etwa wie Klageweiber bei Leichenbegängnissen beauftragt und bezahlt werden – plappert und jammert sie ohne Unterbrechung, während sie sich sputet und keucht. Die Lakaien hören, wie sie hinter der schwarzen Maske ihres dicken Schleiers murmelt: «Unser armer Herr! Oh, unser schöner König! Möge Gott seiner lieben Seele gnädig sein! Oh, unser feiner Herr!»

Die Kaiserin inzwischen ist vor den Stufen, die zum Portal hinaufführen, angelangt. Sie wendet den Kopf und wirft über die Schulter der kleinen alten Kammerfrau einen enervierten, fast drohenden Blick zu. Dieser Blick – er ist plötzlich gar nicht mehr naß, sondern klar und herrschend – fordert die Begleiterin auf, innezuhalten mit ihrem Jammergemurmel. Die Alte aber scheint den Blick der Kaiserin nicht zu bemerken oder doch nicht zu verstehen; sie plappert weiter: «Unser süßer König! Le pauvre! Ah, le malheureux!»

Übrigens hat sie nun ihre Herrin eingeholt und erreicht. Mit einer flehenden Gebärde streckt die Kammerfrau beide Arme nach Elisabeth aus. Diese aber, ohne auf die Gebrechlichkeit ihrer welken Zofe irgend Rücksicht zu nehmen, eilt weiter – und nun mag es nachträglich den Anschein haben, als sei ihr beflügelter Lauf über den Kiesplatz nichts als eine Flucht vor der klagenden Bediensteten gewesen –; sie nimmt behende die vier Stufen, wobei ihre hohen Absätze auf dem Steine klappern; die Kammerfrau ihre schweren Röcke raffend, tut das Menschenmögliche, um gleichzeitig mit der Herrin oben an der Türe anzulangen und doch ihr Klagegeplapper – «Oh, notre pauvre roi!» – keine Sekunde zu unterbrechen.

Kaiserin Elisabeth betritt Schloß Berg.

Über dem Schloß, über dem See – der fahl und unbewegt liegt –, über den Baumwipfeln steht ein grauer niedriger, feuchter Himmel. Es sieht immer noch nach Regen aus. Aber seit einigen Stunden regnet es nicht mehr.

Im Schlosse wissen schon alle, wer in der schwarzen Kutsche vorgefahren ist. In der Halle, die Elisabeth nun, gefolgt von der Zofe, durchqueren muß, drängen sich Offiziere, Polizeibeamte und Ärzte, Lakaien, Wärter und Mädchen. Ein Grauhaariger in bestickter Uniform will auf die Kaiserin zu, ihr die Hand zu küssen, sie im Schloß willkommen zu heißen. Sie scheint ihn gar nicht zu sehen, ihre weitgeöffneten Augen unter den schönen Bogen der Brauen sind blicklos, wie erblindet; sie macht nur eine kleine Bewegung mit beiden Händen, um den Hofbeamten wegzuscheuchen, so wie man ein aufdringliches Tier wegscheucht oder ein nur eingebildetes, in Wahrheit gar nicht existierendes Wesen, von dem man sich belästigt meint: einen flatternden Schatten, ein kraftloses Gespenst.

In dem mit Menschen überfüllten Raum ist nichts zu hören außer dem Geklapper, das die Stöckelabsätze der Kaiserin auf dem Marmorboden machen, und dem leisen Lamentieren der Kammerfrau: «Notre pauvre roi…»

Elisabeth folgt dem Herrn in der bestickten Uniform – den sie eben mit beiden Händen von sich gescheucht hat – die breite Treppe hinauf: Der Kavalier hat die Ehre, ihr den Weg weisen zu dürfen.

Die Kaiserin von Österreich braucht nicht mehr lange zu wandern, auf ihren hohen Absätzen, mit von Traurigkeit beflügelten Schritten. Sie ist beinah am Ziel: nur noch einige Stufen; ein kurzes Stück nur noch über den Korridor des ersten Stockwerkes, und der Uniformierte öffnet ihr mit tiefem Bückling die Türe zum Schlafzimmer des Königs.

Auch über diese Schwelle tritt Elisabeth aufrechten Hauptes; nur ihr Mund zittert stärker, und ihre Augen sind naß und blind.

Der Hofbeamte zieht sich zurück. Die Kammerfrau folgt der Kaiserin ins Totenzimmer. Und hier erst, angesichts der Leiche, hört die Alte mit dem Murmeln und dem Lamentieren auf. Endlich schweigt die Kammerfrau. Schweigend flieht sie in die Ecke des Raumes, die vom Lager des Toten am weitesten entfernt ist. Vor ihr verschleiertes Gesicht legt die Kammerfrau ihre beiden alten, verbrauchten Hände, auf denen dicke, bläuliche Adern wie kleine Schlangen hervortreten.

Elisabeth indessen – so, als treibe ein Wind in den Falten ihres Überwurfs sie dahin, und sie könne, obwohl nun am Ziel, noch nicht gleich innehalten im Laufen – eilt weiter, am Bett vorbei, durch das ganze Zimmer, bis zum Fenster – bis zum vergitterten Fenster.

Daß man dieses Fenster vergittert hat, ist das Erste, was Elisabeth bemerkt, – so wie es das Erste gewesen ist, was Ludwig bei seiner Ankunft hier, vor achtundvierzig Stunden, mit Zorn und Grauen bemerkt hat. Nun ist es Elisabeth, die sich an die Eisenstäbe klammert, und die Eisenstäbe fühlen sich kalt und feucht an, wie am Tage zuvor. Die Kaiserin erschauert bei der Berührung. Jetzt zittert nicht nur ihr Mund; ihr ganzer Leib wird geschüttelt. Gleichzeitig aber findet sie endlich die Kraft, ihre Lippen zu öffnen: Zum ersten Mal, seit sie unterwegs ist auf dieser Pilgerfahrt zum toten Körper ihres lieben Freundes – zum ersten Male spricht Elisabeth. Mit einer Stimme, die vom langen Schweigen heiser ist, sagt sie – mehr noch fassungslos erstaunt als klagend –: «Als sei er ein böser Narr gewesen – das Fenster vergittert…» Und diese paar Worte wiederholt sie immer wieder, fünf Mal oder sieben Mal oder zehn Mal – als ob die Fülle ihres ganzen Schmerzes in ihnen zusammengefaßt und ausgedrückt sei. Dabei sieht sie selber einer Wahnsinnigen gleich, wie sie ihr weißes Gesicht mit den blicklosen Augen und dem zitternden Mund hinter den Eisenstäben hin und her bewegt.

Vielleicht verweilt sie nur so lange am vergitterten Fenster, um die Sekunde hinauszuzögern, da sie in das Antlitz ihres toten Freundes wird schauen müssen. Dieser Sekunde aber ist nicht auszuweichen, sie fordert ihr Recht, sie will Gegenwart werden, will durchlitten sein – ach, schon ist sie da: arme Elisabeth, schon muß sie ihre Hände von der kalten Feuchtigkeit der Gitterstäbe lösen, schon muß sie das Haupt wenden, den jammervollen Blick zum Bett schicken, auf dem Ludwig ruht.

Sie hatte nicht erwartet, ihren lieben Freund so grauenvoll entstellt zu finden. War denn dies sein Gesicht? Es schien doch nur eine schwärzliche, fast ungeformte Masse. Diese dunkelblauen, gedunsenen, halb geöffneten Lippen: waren sie der Mund, den Elisabeth so sehr geliebt hatte? Seine schöne Stirne, sein königliches Haar: was war aus all dem geworden? Welch unbarmherzige Hand hatte dies alles angerührt und so häßlich gemacht?

Wie erbärmlich erscheint der armen Elisabeth nun dieser Moment, von dem sie doch erwartet hatte, daß er eine finstere Großartigkeit haben würde, bei allem Entsetzen! War dies die rührende und ungeheure Trauer-Scene, auf die Elisabeth in ihrem Herzen sich vorbereitet hatte? Die Wirklichkeit sieht einfacher und grausamer aus. Was begibt sich denn in diesem Zimmer mit den vergitterten Fenstern? Eine nicht mehr ganz junge Frau steht vor dem entstellten Leichnam des Mannes, den sie vielleicht mehr als irgendeinen anderen hätte lieben können…

Nun mag sie das Haupt mit dem schönen, schweren, berühmten Haar nicht mehr aufrecht tragen; nun sinkt ihr die Stirne nach vorn, sinkt ihr das tränenüberströmte Antlitz bis auf die Brust. Elisabeth schwankt, greift nach hinten, gleich wird sie stürzen. Die Kammerfrau ist herbeigeeilt; sie fängt die Taumelnde auf.

Gestützt von der verschleierten Zofe – die sich bei dieser Gelegenheit viel kräftiger und gewandter zeigt, als man es von ihr erwartet hätte – beginnt Elisabeth zu beten. Erst flüstert sie, dann ruft sie, und aus dem Ruf wird ein Aufschrei:

«Du bist sehr groß, Gott. Du bist der Gott der Rache. Du bist der Gott der Gnade. Du bist der Gott der Weisheit. Du bist unergründlich, Gotto – Mein Gott, Du bist unergründlich!» schreit Elisabeth über die entstellte Leiche hin – und da sie es ausgesprochen, da sie es ausgeschrien hat, geschieht ihr, was rätselvoll und trostreich wie das Wunder ist. Die tränennassen Augen der Elisabeth werden sehend. Vor ihren sehend gewordenen Augen verändert und verwandelt sich das Antlitz Dessen, der ihr brüderlicher Freund gewesen ist. Schon ist das ruhende Gesicht auf dem Kissen nicht mehr die schwärzliche, gedunsene, beinah formlose Masse. Das Gesicht des brüderlichen Freundes erkennt Elisabeth wieder, wie sie es gekannt und geliebt hat, seit eh und je. Da ist es noch einmal, das weiche Gelock über einer Stirne, von welcher Glanz kommt. Der strahlende und trauernde Blick, begnadet mit allen Reizen der Schwermut: da ist er wieder. Und die Lippen sind wieder jene schön geschwungenen, zugleich zärtlichen und etwas trotzigen, die ihre Küsse immer denen verweigerten, die ihrer begehrten, und sie stets an die verschwendeten, die sich vor ihnen entsetzten oder über sie lachten.

Was nützt es Elisabeth, diese Schönheit wiederzusehen? Umglänzt von dem Glorienschein seiner Legende, erscheint vor ihr noch einmal der junge König, der Neunzehnjährige mit dem Purpur über silberner Rüstung, der Geliebte des Volkes, Lohengrin, dessen schimmernden Nachen der Schwan führt. Solches Bild empfängt Elisabeth. Lindert es ihren Schmerz? Oder ist es schon nicht mehr der Schmerz, was Elisabeth nun empfindet?

Da sie Gott als den Unergründlichen angerufen und angeschrien hat, gefällt es Seiner unbegreiflichen Güte, die arme Frau am Lager des Ertrunkenen für die Dauer eines Augenblikkes *wissend* zu machen. Ach, dieser unbeschreibliche, enorme Augenblick kann nicht dauern! Wenn er vorüber ist – wie geschwinde wird er vorüber sein! – muß wieder Dumpfheit über Elisabeth kommen, und blinder Jammer, und zehntausend Mal noch wird sie vor sich hin flüstern die trostlose Frage: ‹Mein Gott, warum *mußte* das sein?›

Aber eben, daß es sein *mußte* – eben den Sinn des Unfaßbaren begreift während dieser einen unbeschreiblichen, enormen Sekunde ihr verwundetes, vom Wunder erhelltes Herz. Worte vermögen es nicht auszusagen und nicht anzudeuten, was Elisabeth, die schwesterliche Freundin des Toten, mit ahndungsvollem Schauer erfährt.

Ein ungeheures Licht fällt auf sein Schicksal, und auf das ihre. Sie versteht seinen Tod, und sie weiß den Tod voraus, der ihr selber bestimmt ist. Sie weiß auch, warum sie und der brüderliche Freund nicht zueinander finden durften, obwohl sie sich doch geliebt haben. Sie weiß alles. Ihr Herz füllt sich bis zum Rande mit Wissen, so wie Herzen sich zuweilen bis zum Rande mit Zärtlichkeit füllen. Aber weder das Wissen, noch die Zärtlichkeit zu halten, sind die Menschenherzen stark genug.

Das große Wissen, mit dem die arme Elisabeth für eine kurze, überwältigende Weile sich beschenkt findet, enthält viel mehr in sich, als nur den flüchtigen Einblick in die unentrinnbaren Gesetze, die über ihrem Leben und über dem des brüderlichen Freundes stehen. Wem es gestattet ist, über zwei Menschenschicksale – über das eigene und über das Schicksal Dessen, den man geliebt hat – für einen Augenblick den tiefen Bescheid zu wissen, der findet sich – aber ach, nur die *eine* erhellte Sekunde lang! – auch eingeweiht in andere Mirakel. Das riesenhafte Gemisch aus Qual und Wonne, aus Schluchzen und Entzücken, das ihm die Brust bewegt, läßt ihn erahnen, wie Manches und Vieles zusammenhängt und sich ordnet, was bis dahin rätselhaft verschlungen und selbst grauenhaft schien.

Benutze den enormen Augenblick, arme Elisabeth, um dich zusammen zu raffen, um die schöne Haltung wieder anzunehmen, die von dir, der trauernden Majestät, erwartet und sogar gefordert wird! Bedenke doch: der große Augenblick ist flüchtig wie eine Lidschlag! Eiliger als ein Lächeln, spurloser als ein Schluchzen geht er vorbei! Nutze ihn, arme Kaiserin! Hebe das Haupt!

Es gelingt ihr. Sie hebt den Kopf. Sie befreit sich von der welken und doch so rüstigen Kammerfrau. Sie breitet die Arme. Ihr Gesicht sinkt ein wenig nach hinten. Im Faltenwurf ihres Mantels, das leidvolle Antlitz verklärt, gleicht sie einer Statue des Schmerzes – einer Mater Dolorosa gleicht Elisabeth, wie sie sich nun, in die Kniee stürzend, den Oberkörper nach vorne werfend, mit wundervoller Gebärde über den Toten hinbreitet, seine Hände mit ihren Küssen bedeckt. Über das Kissen, auf dem sein Haupt ruht, fällt ihr dunkles, reiches, kostbares Haar wie ein schöner Regen. Es ist, als wolle sie die Kahlheit seines blumenlosen Lagers mit ihrem Haar und ihrem Mantel schmücken.

Einzige Zeugin des großen Bildes, das nun die Kaiserin am Bette ihres toten Freundes stellt, ist die Kammerfrau. Aber wer weiß denn, ob sie überhaupt etwas zu sehen vermag durch den dichten Schleier vor ihrem alten Gesicht? Ob sie nicht blind ist, mit leeren Augenhöhlen hinter dem schwarzen Tuch –: blind, wie die Göttin des Schicksals.

Triumph und Elend
der Miss Miracula

Wenn in unserer kleinen Stadt das große Jahrmarkts-Fest, der Lunapark, die Dult sich etabliert, dann sind Kinder und Erwachsene, jedes Jahr wieder, voll freudiger Spannung; selbst die Alten – sonst innerlich abgestumpft und schon ziemlich müde – können es in ihren Stuben kaum aushalten und lassen sich zum Rummelplatz geleiten, um all das Wunderbare nicht zu versäumen. Denn auf der Dult gibt es kolossal viel zu sehen: das riesige, zaubrisch schimmernde Russische Rad; das Hippodrom, wo man – wenn auch nur auf bescheidenem Raume – auf gehorsamen, etwas apathischen Pferden im Kreise herumreiten kann; die verlockend bunt zurecht geputzten Schießbuden; das große Schauhaus, wo man allerlei Abnormitäten, Monstrositäten und greuliche Entstellungen des menschlichen Körpers in Wachs naturalistisch-anschaulich nachgebildet sehen kann, so daß beinahe jedem, der sich hineinwagt, schrecklich übel wird –: wohin man blickt – eine Fülle des Interessanten, und alles dies erfreulich eingehüllt in einen fetten, süßen, schweren Geruch aus Türkischem Honig, heißen Würstchen und gebratenen Hühnern.

Die neueste Sensation aber auf der Dult ist das Theater des Signor Formici, das die verschiedenartigsten Attraktionen plakatiert: eine Marionetten-Revue, einen Clown, und die Schleiertänze der Miss Miracula.

Niemand wird die fünfzig Rappen Eintritt bereuen, die er zu erlegen hatte. Das Programm ist in der Tat reichhaltig und abwechslungsreich. Der Besuch von Signor Formicis Etablissement würde sich schon um der Marionetten-Revue willen vollauf lohnen: sie ist reizend. Man sieht etwa einen Geiger, vom Typus des berühmten unheimlichen Paganini, sehr anmutig und naturgetreu seine Fiedel bewegen, während hinter der Bühne auf dem Grammophon eine Kreisler-Platte läuft: wer ein wenig

Phantasie hat, kann sich einbilden, es sei wirklich die Marionette, die musiziere. Oder eine sehr holde kleine Tänzerin, kokett in Rosa und Silber gekleidet, zeigt ihre zierlichen Capriolen; ein Hanswurst schlägt sich mit einem Ungeheuer herum; eine ernste Dame in bräutlich weißem Kostüm singt eine Arie – das heißt: die Arie wird wieder von einer Grammophonplatte hinter der Scene gesungen, während die Dame – die einen recht wehleidigen, von ihrer eigenen Kunst ergriffenen Gesichtsausdruck hat (wie man ihn ja auch bei lebendigen Sängerinnen nicht selten antrifft) – aufs drolligste die Kiefer, zuweilen auch die Arme und, in besonders ekstatischen Momenten, sogar die Beine bewegt. Dem Pianisten – der seinerseits komisch charakterisiert ist: mit enormer Hornbrille, langer Künstlermähne und zappeligen Gesten – stößt am Schluß ein Unglücksfall zu: der Deckel des Flügels fällt ihm mit Krach auf den Kopf, die Koloratur-Sängerin macht eine entsetzte Gebärde, das Publikum lacht von Herzen.

Nach der Marionetten-Revue kommt der Clown, der mancherlei Späße vorzuführen weiß. Wenn diese Nummer – auch sie lebhaft applaudiert – vorüber ist, denken die Meisten im Raum, das ganze Programm sei zu Ende. Es ist ja auch beinah nicht faßlich, daß man für fünfzig Rappen noch mehr der Lustbarkeit geboten bekommen soll. Niemand rechnet mehr so recht im Ernste mit Miss Miracula, deren Name auf den Affichen draußen freilich mit den allergrößten Lettern angezeigt war. Die dankbaren Zuschauer – durch all das Ergötzliche, das ihnen schon zuteil geworden, bezaubert und sogar ein wenig verwirrt – haben diese Attraktion, die ihnen noch bevorsteht, ganz vergessen; vielleicht nehmen auch einige besonders Schlaue an, die kleine Marionetten-Tänzerin in Silber und Rosa sei von der Direktion als «Miss Miracula» angekündigt worden – was übrigens nicht einmal ein unpassender oder übertriebener Name für ein so liebreizendes Geschöpf aus Seide, zart geschnitztem Holz und artigem Flitter wäre. Mehrere Personen stehen schon auf, bereit und willens, die Schaubude, durchaus befriedigt, zu verlassen.

Ein fetter Mann von prononciert südlichem Typus – gekleidet in einen speckig glänzenden Frack – muß die Herren und Damen, die schon der Türe zustreben, mit pathetisch ausladenden, sehr dringlichen, ja, beschwörenden Gesten zurückhalten. «Die Hauptsache kommt noch!» ruft der Herr mit schöner und starker Stimme – ist es Signor Formici in Person? Und ist er am Ende früher ein recht berühmter Opernsänger gewesen? –: «Das Wichtigste, meine Herrschaften! Miss Miracula, unsre große Künstlerin!!»

Allein die Tatsache, daß Formici selber es angekündigt hat – denn im Grunde zweifelt niemand daran, daß der Fette im Frack der Unternehmer und Direktor selber ist –, gibt dem lange aufgesparten Erscheinen der Miss Miracula eine besondere Bedeutung, einen spannenden Reiz. Diejenigen, die schon zur Ausgangstür unterwegs waren, drängen sich, fast keuchend vor Aufregung, zu ihren Sitzen zurück. Wie konnten sie nur so unbedacht sein, schon aufzustehen und zu riskieren, daß der eigentliche Clou, das Letzte, Beste und Feinste – die Schleiertänzerin – ihnen entging! Rufe der Erwartung, ja, der Ungeduld werden plötzlich aus dem Publikum hörbar; ein Herr in der ersten Reihe ruft, nicht ohne Gereiztheit: «Endlich!» – als habe er die ganze Zeit hier gesessen und immer nur auf die Miracula gewartet, während er doch in Wahrheit sich so köstlich über Marionetten und Clown amüsiert hatte. Es wird dunkel. Und da der Vorhang sich teilt, sieht man zunächst gar nichts als bunte, wirbelnde Kreise und Ovale: es sind die durchsichtigen, raffiniert gewobenen und gefärbten, kunstvoll angeleuchteten Schleier der Tänzerin.

Das Licht verändert sich – niemand hat ja bis jetzt gewußt, daß der Beleuchtungsapparat im Theater des Signor Formici ausgestattet ist mit so viel komplizierten Tricks –, und endlich sieht man Miss Miraculas Körper und Angesicht. Ein Aufseufzen des Erstaunens und des Entzückens geht, hauchhaft leise, durchs Auditorium. Mein Gott: sie ist schön! Es ist ja verblüffend, wie schön und jung Miss Miracula ist! Ihr schönes, junges und ernstes Gesicht ist von einer silbernen Perücke streng gerahmt. Ihre dunkelrot gefärbten Lippen lächeln kaum. Sie bewegt die weißen Arme wie Schlangen. Mit dem wechselnden Licht verändert die üppige Schleier-Draperie ihres Kostümes ständig die Farbe: manchmal scheint es purpurn, manchmal silbergrau; aber immer errät man, hinter dem Farbenspiel, das vollkommene Ebenmaß von Miss Miraculas schwingenden Gliedern.

Bewunderungswürdige Miss Miracula: dieses ist die Stunde deines Triumphes! Ganz entschieden – du bist der Höhepunkt des Programms, welches vorher schon manches zu bieten hatte –: alle sitzen gebannt. Es ist die Stunde deines Sieges, Miss Miracula: genießen wir sie mit dir. Lieben wir dich, beneiden wir dich, du bist schön, jung und ernst, alle Herzen fliegen dir zu. Vielleicht stammst du aus irgendeinem Dorf, in einem entlegenen Teil des Kontinents – im hohen Norden oder im Osten: wer kann das wissen? –, Signor Formici hat dich entdeckt, als er mit seiner Truppe dort gastierte, er hat dich mitgenommen, vielleicht hat er dich glühend geliebt, vielleicht liebt er dich immer noch – warum sonst hätte er wohl persönlich dein Auftreten ankündigen sollen? –, aber du hast keinen Grund, ihm besonders dankbar zu sein, niemand erwartet von dir, daß du ihm jeden Morgen, auf den Knien rutschend, deine Dankbarkeit plappernd beteuerst. Wenn er dich erhöht hat, so wußte er, was er tat; er handelte vielleicht auch aus Liebe, aber andererseits nicht ohne schlaue Spekulation: seiner Erfahrenheit fiel es nicht schwer, voraus zu sehen, daß du die Zierde, die kostbarste Attraktion seines Revue-Programms ausmachen würdest. Kostbare Miss Miracula: nun schimmern deine Glieder und Gewänder ja plötzlich wie schieres Gold: das ist ein neuer Licht-Effekt, und es ist der überraschendste. Noch schöner kann es nicht werden. Der Vorhang schließt sich. Das Publikum demonstriert, fleißig die Hände regend, sein Entzücken.

Noch in den Beifall hinein klingen die Worte einer ältlichen Frauensperson, die man früher schon an der Kasse bemerkt hatte. Sie kündigt, mit recht weinerlicher Stimme, an, daß nun für Miss Miracula gesammelt werden solle. «Künstler haben es ja heute nicht leicht!» ruft die ältliche Frauensperson. «Jeder von Ihnen, meine Herren und Damen, wird gewiß gerne eine Kleinigkeit für unsere große Tänzerin spenden!»

«Künstler...

…haben es ja heute nicht leicht!» ruft die alte Dame und kündigt an, daß nun für Miss Miracula gesammelt werde.

Armer phantasiebegabter Zuschauer: Verflogen ist der Zauber, zerstört die Illusion – was eben noch so göttlich schien, entpuppt sich als armseliges Geschöpf, für das gebettelt wird.

So haben denn auch Träume ihren Preis. Und wer dafür bezahlen kann, statt betteln zu müssen, der steht zumindest besser da.

Die Ältliche findet nicht viel Aufmerksamkeit. Noch ehe sie mit ihrem Bettel-Teller im Parkett angelangt ist, hat der größte Teil des Publikums sich zerstreut. Am Ende darf man es den Leuten nicht einmal gar zu übel nehmen. Sie haben ja fünfzig Rappen für das Programm bezahlt, und Miss Miracula war inbegriffen...

Erbarmungswürdige Miss Miracula! Steht es so um dich, daß man um Groschen betteln muß, damit du nicht darbst? Bist du elend bis zu diesem Grade? Du schienst so schön und jung, im spielerisch und reizend flimmernden Licht. Bist du am Ende in Wirklichkeit schon mindestens vierunddreißig Jahre alt? Und stammst du vielleicht auch gar nicht aus einem entlegenen Dorf, wo Signor Formici dich entdeckte, sondern aus einer großen Stadt – aus Hamburg, oder aus Mailand, oder aus Barcelona –, wo du, ehrgeizig und bemüht, kostspielige Tanzstunden nahmest, in der Hoffnung, ein wirklicher Revue-Star zu werden? Und dann fandest du, nach jahrelangem Suchen, kein Engagement. Die Ältliche aber, die jetzt um eine milde Gabe für dich bittet, ist deine Mama: sehr wohl möglich, daß es sich so verhält. Sie hat ihre kleinen Ersparnisse aufgebraucht für die Kosten, die dein Studium verlangte, und als sie völlig am Ende war – sie sah sich und ihre drei jüngeren Kinder dem Hungertod gegenüber –, verlangte sie von dir: Du *mußt* Geld verdienen, Konstanze – denn wahrscheinlich heißt du in Wahrheit Konstanze –, du *mußt*, ich verlange es von dir – und wenn du auf dem Jahrmarkt auftreten solltest!

«Und wenn du auf dem Jahrmarkt auftreten solltest» –: grausames Wort für die ambitionöse Konstanze! Kein Wunder, daß sie heftig schluchzte und sogar ein wenig um sich schlug. «Nicht auf den Jahrmarkt, Mama!» fleht das Mädchen. «Bedenke doch: wenn ich erst so gräßlich tief gesunken bin, bleibt alles Höhere mir für immer verschlossen!» Die Mutter aber ist hart, im Gedanken an die hungernden Kleinen. Sie selber tätigt den Vertrag mit dem Etablissement des Signor Formici.

Übrigens hat der sich niemals viel aus Miss Miracula gemacht: sie ist ihm sogar eher unsympathisch. Signor Formici ist verheiratet – wie konnten wir je daran zweifeln –, Vater von sieben Kleinen, ein vortrefflicher Ehemann, fremde Damen schaut er nicht an, und am wenigsten diese sogenannte «Miracula» – was für ein alberner Name! –, die tagsüber so säuerlich und verdrossen aussieht: sie hat ja schon einen ganz bitteren Zug um den Mund.

Höchst bejammernswerte Miss Miracula! Nach so viel Aufwand an Ehrgeiz, Anstrengung, Hoffnung –: eine Schaubude ist es, wo du endigst. Oder steht dir noch anderes, steht dir Beßres bevor? Ach – wohl kaum. Ach, wohl sicher nicht. Arme Miracula, du bist fertig.

In der Kehle das Würgen des Mitleides, werfe ich der lamentierenden Alten einen ganzen Franken in den Bettel-Teller, woraufhin sie sich, beinah erschrocken, bedankt.

Speed

Es ist alles aus.

Ich bin vernichtet. Es gibt kein Entkommen, keine Hoffnung mehr. Ich bin erledigt.

Früher führte ich ein ordentliches Leben. Aber das ist lange her... Ich war ein geachteter Mann – österreichischer Staatsbürger. Warum habe ich mein Land verlassen? Warum bin ich über das Meer gefahren? Wie bin ich in diese schmutzige Affäre hineingeraten?... Wie ein Dieb verstecke ich mich in diesem Loch!... Stiere in die Dunkelheit, starr vor Furcht; höre überall diese gräßlichen kleinen Geräusche – dieses ständige Rascheln und Knistern... Es müssen Ratten sein – Tausende, die das Haus untergraben... Alles bebt und zittert...

Mr. Prokoff sagt, es sei alles halb so schlimm. Sie wollen mich nur erschrecken – meint Mr. Prokoff. Wahrscheinlich hat man die Vorladung gefälscht. Wenn es ein ordentlicher Haftbefehl wäre, hätte die Polizei wohl kaum diese Kerle geschickt, um mich zu holen. Es könnte eine private Vorladung sein, sicherlich... Aber Mr. Prokoff sagt, eine solche private Vorladung *erhielten* sie nur, wenn ich ihnen Geld schuldete oder sie mißhandelt hätte. Wie könnte *ich* Speed mißhandeln! Was für ein lächerlicher Gedanke!

Immerhin, sie kamen mit dem Dokument – oder sie schwenkten auf jeden Fall ein Stück Papier, das, so Mr. Prokoff, sehr wie eine Vorladung aussah. Deshalb riet er mir, mein Zimmer so lange nicht zu betreten, wie sie draußen auf der Lauer lägen. Es war sehr nett von Mr. Prokoff, mir diese unbenutzte Kammer als Versteck anzubieten. Es ist eigentlich eher eine Art Wandschrank – ein armseliger Kasten, dunkel und eng wie eine Gefängniszelle...

Das Sonderbare an diesen privaten Vorladungen ist, daß sie erst gesetzlich wirksam werden, wenn es der Person, die deiner habhaft werden will, gelingt, dir das Papier *persönlich* zu übergeben. Wenn es ihnen also jemals gelingt, mich am Ärmel oder am Nacken zu berühren und zu rufen *Hier ist eine Vorladung für Sie, Mr. Kroll!* – dann haben sie mich richtig erwischt, und ich muß ihnen folgen. Es ist wie eins dieser grausamen Spiele, die wir oft als Kinder spielten – mit jenen quälenden Minuten in einem düsteren Versteck – bis dich der Schwarze Mann gefunden hatte und deine Schultern berührte und mit dir tun konnte, was er wollte ...

Mr. Prokoff sorgt sich sehr um mich. Er ist der Ansicht, daß ich mich wie eine Narr benommen hätte – was nur zu wahr ist –, doch er ist sehr besorgt. Er schaut mich mit diesem «Ich-habe-es-Ihnen-gleich-gesagt»-Blick an und schüttelt sorgenvoll seinen Kopf. «Es wird schon alles gut werden», sagt er in einem so tragischen Tonfall, als wolle er mein Ende ankündigen. «Sie können auf mich zählen, was auch passiert. Ich vertraue Ihnen. Für mich sind Sie immer noch ein Gentleman.» Wie salbungsvoll er dieses Wort ausspricht! «Gentleman» – er genießt jede Silbe wie ein Stück Konfekt, das auf der Zunge zergeht.

Bin ich jemals ein Gentleman gewesen? Was für ein Mensch bin ich überhaupt? ... Hier ist ein Spiegel. Meine Augen gewöhnen sich allmählich an die Dunkelheit: ich erkenne den matten Widerschein meines Gesichtes. Ich sehe älter aus als ich bin – auf jeden Fall älter als dreiundvierzig. Was bist du doch für ein trübsinniger Bursche, Karl Kroll! ... Speed nannte mich aus unerfindlichen Gründen immer Clarence – obwohl ich meine, daß Karl ein recht schöner Name ist ... Welch ein elendes Gesicht! Das Gesicht eines Mannes, der sich für ziemlich kultiviert, wenn auch nicht besonders begabt hielt; hat sein Glück als Journalist versucht, versagte, und machte dann eine bescheidene Karriere als Bibliothekar an der Wiener Staatsbibliothek. Es war ein angenehmer Posten. Ich verzichtete darauf, weil ich wußte, daß in Österreich und überall in Europa Grauenhaftes bevorstand.

Ich interessiere mich überhaupt nicht für Politik. Ich wollte nur mein Privatleben und meinen Beruf, einige Freunde und natürlich Anna. Alles was ich begehrte, war Anna. Ich liebte sie. Sie war meine Frau. Ich hörte nicht auf, sie zu lieben, auch als sie es ablehnte, mit mir zu kommen über den Ozean. Sie sagte: «Nein, ich bleibe hier. Dies ist mein Land.»

Heute ist mir klar, daß sie es niemals ernst gemeint hat, als sie sagte, daß sie mich in Amerika wiedersehen würde. Sie wollte mich nur einstweilen beruhigen. Deshalb sagte sie: «Ich werde dir folgen, Karl! Liebling...» Und ich war dumm genug, das ernst zu nehmen.

Wenn ich ihr nicht geglaubt hätte, wie hätte ich dann diese schrecklichen ersten Monate in New York überleben können, die Einsamkeit, die Armut, die Langeweile? Ich wollte einen Job finden – irgendeinen Job, egal was; als Kellner in einem Restaurant, als Verkäufer in einem Buchladen oder als Lehrer –: ich wollte nur Geld verdienen – viel Geld, *für Anna*... Es war keine Zeit zu verlieren. Das Geld, das ich aus Österreich herausschmuggeln konnte, reichte höchstens für zehn Monate. Ich versuchte ganz ernsthaft, etwas zu unternehmen und zu erreichen – bis mich der tödliche Schlag traf, bis Annas schrecklicher Brief mich lähmte, mich völlig aus der Bahn warf, mich fast umbrachte.

Nicht nur, daß sie um die Scheidung bat. Es war die Art, *wie* sie es tat, die so widerwärtig und so gräßlich war. «Du bist kein Arier», schrieb sie. «Jetzt weiß ich, daß es mein gesunder Rasseinstinkt war, der mich davor bewahrte, mit dir ein Kind zu haben.»

Ihr gesunder Rasseinstinkt...

Sie hatte mir immer gesagt, daß der Arzt sie davor gewarnt hätte, schwanger zu werden...

Ach, ihre Stimme, ihre entzückende, lügenhafte Stimme! – einschläfernd und manchmal ein bißchen heiser – nur ein ganz klein wenig... Ich war verrückt nach ihrer Stimme – besonders wenn sie diese reizende kleine Heiserkeit hatte. Ich war verrückt nach ihr. Ich bin es noch heute, vielleicht... Es wird mir innerlich ganz heiß, wenn ich mir nur ihr Gesicht vorstelle oder mich an ihr verwirrendes Lächeln erinnere.

Jemand läutet an der Tür –: das Geräusch geht mir durch und durch! …Ich kann die Stimmen hören. Das ist Jim, und das muß der andere Kerl sein, den ich nicht kenne. Sie scheinen ziemlich hartnäckig zu sein: «Wir wollen Mr. Kroll sprechen. Er muß als Zeuge auftreten. Unser Vetter Speed sitzt im Gefängnis – unschuldig –: Mr. Kroll ist dafür verantwortlich. Wo ist Mr. Kroll?»

Mr. Prokoff hört sich ruhig, aber bestimmt an: «Ich habe Ihnen schon vorher gesagt, und zwar zum wiederholten Male, daß ich nichts über Mr. Krolls Aufenthaltsort weiß.» Er spricht mit äußerstem Nachdruck und hat offenbar Erfolg damit: ohne Widerrede zieht man sich zurück.

Draußen ist es ziemlich kalt – es schneit immer noch. Die Flocken fallen ohne Unterlaß und so verschwenderisch, daß die Stadtverwaltung anscheinend schon alle Hoffnung aufgegeben hat, die Schneemassen jemals beseitigen zu können. Die Straßen sind weiß verpackt. Das mag unangenehm sein, aber für mich ist es gut. Denn ich darf hoffen, daß sich Jim und sein dubioser Kumpel eine schöne Erkältung holen werden, wenn sie auf der Straße stehen. Vielleicht bekommen sie auf diese Weise auch die langweilige Bewachung gründlich satt.

Wenn ich in Jims Situation wäre – frei und unabhängig –, dann würde ich sicher jeden anderen Ort in New York dieser düsteren Umgebung vorziehen. Wie verlassen habe ich mich anfangs gefühlt, als ich in Mr. Prokoffs Haus einzog!

«Ich hoffe, Sie fühlen sich hier ganz zu Hause, Mr. Kroll…» Deutlich erinnere ich mich an Mrs. Prokoffs verbindliches, vielversprechendes Lächeln, als ich sie zum ersten Mal sah und wir uns über den Preis einigten. Sie sah beinahe hübsch aus, an diesem Abend, zurechtgemacht, als wolle sie ausgehen. – «Es ist ein sehr gemütliches Zimmer», pries sie es an…

Was es so deprimierend macht, ist die ständige Dunkelheit. Das schummrige Dämmerlicht auch an schönen Tagen… Und dann natürlich der Geruch – dieser schale, eklige Geruch, der einen schon am Eingang empfängt und mich bis in mein Zimmer verfolgt, sich in den Möbeln, in der Bettwäsche und sogar in den

Kleidern einnistet... Ich weiß nicht, woher er kommt: ob aus der Küche, aus den Teppichen oder von den abgestandenen Parfums in Mrs. Prokoffs Kleidung.

Mrs. Prokoffs Gesicht... Wie es sich nach und nach veränderte, als sie erkannte, daß ich kaum an ihren eindeutigen Angeboten interessiert war. Die grimmige Würde in ihren Bewegungen, wenn sie das Zimmer herrichtet... Ganz offensichtlich haßt sie ihre Arbeit und denkt, es sei eine Beleidigung, für andere Leute den Diener spielen zu müssen! Sie war nicht nur fortwährend mürrisch und querköpfig, sie hatte auch plötzliche Wutausbrüche, veritable Anfälle von Verbitterung, mit reichlich Tränen und sinnlosen Anklagen.

In solchen Fällen war es stets Mr. Prokoffs delikate Aufgabe, mein berechtigtes Mißfallen zu besänftigen. Wie beschämt und besorgt sah er dann aus, wenn er in mein Zimmer schlich, um sich für ihre hysterischen Ausbrüche zu entschuldigen. Die arme Anita sei über alle Maßen nervös – versicherte er mit beschwörender Stimme: «Ein nahezu pathologischer Fall – das ist sie in der Tat», flüsterte er hinter vorgehaltener Hand, und dann grinste er, als ob er mir gerade ein süßes, wiewohl leicht anzügliches Geheimnis anvertraut hätte.

Ich war peinlich berührt, als er sich anschickte, mir nun alles über sich und seine Frau zu erzählen – wie tief unglücklich sie beide jetzt seien und welch wunderbare Tage sie erlebt hätten, als er noch ein erfolgreicher Geschäftsmann an der Westküste war. «Sie verachtet mich, weil ich das ganze Geld verloren habe», erklärte er mit düsterer Befriedigung... «Sie kann es mir nicht verzeihen, daß wir arm sind, ob Sie's glauben oder nicht», sagte er emphatisch. «Anita hat mich nie geliebt – niemals *wirklich* geliebt, wenn Sie wissen, was ich meine... *Sie hält mich für ein Scheusal*», flüsterte er ernsthaft, so als habe er gerade die offensichtlichsten und alarmierendsten Symptome von Mrs. Prokoffs beklagenswertem geistigem Niedergang enthüllt.

Ich fühlte, daß er von mir irgendeine Reaktion erwartete, aber es war schwierig, die passenden Worte zu finden. Deshalb schüttelte ich bloß den Kopf, als sei ich völlig verwirrt von so viel weiblicher Torheit. Schließlich murmelte ich: «Warum hält man Sie …Mr. Prokoff… für ein *Scheusal*? Was heißt das schon? Ist doch alles eine Geschmacksfrage, oder nicht?» Er nickte leidenschaftlich, als ob ich soeben das ausgesprochen hätte, was er selbst während all der Jahre seines Ehe-Martyriums nur gedacht hatte: «Sie haben vollkommen recht!» betonte er triumphierend. «Es ist eine Frage des Geschmacks – und nichts anderes. Aber gerade ihr Geschmack ist höchst eigentümlich. Er war es immer – schon bevor ich sie kennenlernte. Sie hat eine krankhafte Schwäche für diese athletischen Typen – schlanke, stramme Kerle…» Er beschrieb mit einer ausladenden, expressiven Geste die Größe und kraftvolle Schönheit jener beneidenswerten Mannsbilder, die seine verwöhnte Frau anzogen.

Er ist ganz ungewöhnlich häßlich, einer der häßlichsten Männer, die ich je gesehen habe. Ich glaube nicht, daß er tatsächlich einen Buckel *hat*, aber er sieht so aus, als ob er einen hätte, die rudernden Bewegungen seiner viel zu langen Arme sind danach, und seine dünne, blecherne Stimme, selbst die Züge seines grauen, schiefen Gesichts – überhaupt seine ganze Erscheinung wirkt wie die eines Krüppels.

«Übrigens, kennen Sie den Marquis de la Silvaplotta?» fragte er mich dann, mit einem listigen Zwinkern in seinen gelblichen Augen. Ich sagte ihm, daß dies leider nicht der Fall sei – woraufhin er sich stillvergnügt lachend die Hände rieb: «Ein gutaussehender Bursche, zugegeben. Wollte beim Film arbeiten, aber sie gaben ihm keine Rolle. Kein Geld, aber stets wie ein Prinz gekleidet – ein richtiger Gentleman: leicht zu erkennen, daß er aus einem guten Stall kam… Anita liebte ihn abgöttisch. Hatte eine Affäre mit ihm, als wir drüben in Los Angeles lebten…»

Er schien von seinen Erinnerungen, die zugleich prickelnd und abstoßend waren, überwältigt; dann seufzte er, als ob er meine Gedanken gelesen hätte: «Nein – ich bin nicht eifersüchtig. Warum denn auch?» Ein seltsames Lächeln mit einem Anflug von Stolz huschte über sein Gesicht. «Ich bin kein Adonis», gab er resigniert, aber würdevoll zu. Nach einem kurzen Schweigen fuhr er fort, mit einer Stimme, die sich sehr weich, fast singend anhörte: «Sie war wundervoll, zu ihrer Zeit. Eine echte Sensation – wenn Sie wissen, was ich meine. Alle Jungs waren verrückt nach ihr. Aber *ich* war es, den sie nahm. Meinen Sie nicht auch, daß sie jetzt eine wirkliche Dame ist?» Ich murmelte, natürlich sei sie das, und er schien hocherfreut. «Sie war es keineswegs, als ich sie heiratete», sagte er. «Nein, Sir. Zu dieser Zeit war Anita noch nicht jene kultivierte Persönlichkeit, die Sie kennen. Ganz im Gegenteil: Sie war ziemlich – einfach… Aber ich habe sie *erzogen*: ja, mein Herr, das habe ich. Ich kannte viele nette Leute, als ich noch Geld hatte. Durch *mich* hat sie den Marquis de la Silvaplotta kennengelernt.» Dies verkündete er mit besonderem Stolz, dann fügte er finster hinzu: «Sie sollte mir dankbar sein. Aber *nein*. Anstatt zu würdigen, was ich für sie getan habe, haßt und verachtet sie mich, behandelt mich wie einen Hund. Und zwar ständig. Sie behandelt mich wie einen Hund.» –

Es war nicht zum Aushalten. Es wurde ein Alptraum: Mr. Prokoffs exhibitionistische Geschwätzigkeit; Mrs. Prokoffs verwelkender und aufdringlicher Charme; das ständige Dämmerlicht, der Gestank, die Einsamkeit – es war einfach zuviel, es machte mich fertig…

Wen wundert es, daß ich schließlich zu langen, ziellosen Spaziergängen überging – ich wurde geradezu süchtig danach wie nach einer Droge. Ich lief durch die Straßen – immer allein. Kreuz und quer durch die ganze Stadt; Times Square, Harlem, Brooklyn, Central Park… Getrieben von einer unsichtbaren Macht… Müde, erschöpft, wie betäubt. Und ganz allein.

Ich sehnte mich nach einem menschlichen Wesen als Begleiter. Aber es gab niemanden. Keiner kümmerte sich um mich. Ich war wie ausgestoßen – ein Paria. Als hätte ich eine ansteckende Krankheit…

Ich sehnte mich nach einer menschlichen Stimme.

Und so passierte es dann. Es war seine Stimme, die mir auffiel. Sie klang schläfrig, sehr schüchtern und ein wenig heiser.

«Haben Sie vielleicht eine Zigarette für mich, Mister?»

Er wirkte so unschuldig, so bescheiden – mit seinem schwachen, hilflosen Lächeln. Da stand er – nahe der Ecke 8. Avenue / 42. Straße –, knöcheltief im Schnee, zitternd vor Kälte. Es war ungefähr ein Uhr in einer jener eisigen Nächte, in denen dieser grausame, beißende Sturm um die Ecken fegt.

Er trug weder Mantel noch Hut. Sein Haar war zerzaust vom Wind, und er hatte eine nervöse Art, eine widerspenstige Locke mit der Handfläche zurückzustreifen. Und doch war sein Haar schön – dicht, blond und seidig.

Ich wunderte mich, wie sein Gesicht trotz der strengen Kälte so blaß aussehen konnte. Alle Farbe schien sich auf das leuchtende Rot seiner Lippen zu konzentrieren, die in ihrer flammenden Nacktheit irgendwie unanständig wirkten. Zwischen seinen Vorderzähnen hielt er zwei Streichhölzer, ohne sie zu kauen: er ließ sie einfach mit lässiger Eleganz herunterhängen, sehr kokett, wie die Chorsängerinnen in einer spanischen Oper, die Rosen zwischen den Zähnen tragen.

In gewisser Weise erinnerte er mich an ein hochgezüchtetes Rassepferd, das nie, und sei es nur für wenige Minuten, still stehen kann. Eine starke Unruhe ging von ihm aus, wenn er andauernd sein Gewicht von einem Fuß auf den anderen verlagerte. Seine Schultern zuckten nervös. Er war mager – offensichtlich schlecht ernährt –, aber geschmeidig und ziemlich gut gebaut; nicht sehr groß, eher ein wenig kleiner als ich. Ich schätzte ihn kaum älter als siebzehn. Später erzählte er mir, daß er einundzwanzig sei.

«Eine Zigarette…?» wiederholte er mit traurigen Augen; dann senkte er seinen Blick. Ich bot ihm eine Zigarette an und Feuer und fragte ihn dann, ob er nicht friere und ob er einen Drink haben wolle. Er erklärte mit einem gewissen Stolz, daß ihm die Kälte nichts ausmache – «Ich spüre sie nicht einmal», prahlte er –; trotzdem hatte er nichts gegen einen Drink einzuwenden – im Gegenteil.

Da wir schon vor einer Bar standen, schlug ich vor, dort hineinzugehen. In äußerst lässiger Haltung betrat er mit mir die Bar.

Ich bestellte zwei Scotch-Soda, aber der Barkeeper erklärte reichlich schroff: «Der Kerl da bekommt von mir gar nichts.» –

«Warum nicht?» fragte ich. «Was hat er getan?» Der Barkeeper antwortete, daß er nichts getan habe, er wolle ihm nur einfach keinen Drink servieren. Mein junger Begleiter verschränkte angriffslustig seine Arme vor der Brust. «Du fühlst dich wohl stark, was?» fragte er mit einer Art verhaltener und doch aggressiver Neugier – worauf der Barkeeper mit gefährlich tonloser Stimme sagte: «Du verschwindest hier besser.»

«Laß uns gehen!» schlug ich vor, ziemlich verwirrt. Der Junge sagte «Okay» und glitt von seinem Barhocker. Seltsam stolz und hochgestimmt, beehrte er den Barkeeper mit einem letzten Blick und folgte mir dann zur Türe. Auf der Schwelle blieb er für einen Augenblick stehen und spuckte mit einer großen Bewegung seines ganzen Oberkörpers aus. Diese Geste wirkte sonderbar furchterregend und großartig, so vulgär sie auch war – wie ein vernichtender Fluch, eine wilde barbarische Zeremonie.

«Du bist ganz schön betrunken», sagte ich, als wir draußen waren.

Er zuckte die Schultern mit einem spöttischen Grinsen. «Ich hatte nur ein paar Drinks. Das vertrag ich schon.» Seine Augen waren wäßrig und starr, verdunkelt von einer geheimnisvollen Wut. Er ging schnell: es war schwierig, mit ihm Schritt zu halten.

Er sah schlampig aus und eher heruntergekommen als wirklich arm. Sein grauer Anzug war so abgetragen, daß die Farbe schon leicht grünlich wirkte. Er hatte aber insgesamt noch eine ziemlich elegante Form bewahrt. Das Auffallendste an seiner Kleidung war jedoch ein großes rosafarbenes Taschentuch in seiner Brusttasche – ein besonders scheußliches Ding aus billiger, glänzender Seide, verziert mit einer monströsen Stickerei, die ein Mädchengesicht darstellte. Noch charakteristischer für seine ganze Erscheinung waren seine Schuhe –: kokette Schuhe, sehr spitz, aus einem weichen Material gemacht. Sie waren urspünglich gelb gewesen, nun aber ausgebleicht und fast farblos. Irgendwie wirkten sie wie griechische Sandalen – Flügelschuhe, die den elastischen Körper über Eis und Schnee trugen. – Diese merkwürdigen Schuhe waren die einzigen, die ich während der gesamten Zeit unserer Bekanntschaft an seinen Füßen sah.

«Du solltest etwas essen», schlug ich vor, ein wenig außer Atem. «Wie heißt du eigentlich?»

«Man nennt mich Speed», sagte er; und fügte hinzu – halb aus Stolz, halb entschuldigend: «Weil ich es meistens eilig habe…»

«Den Namen habe ich noch nie gehört», bemerkte ich leicht irritiert. Worauf er fröhlich grinste: «So einen wie mich hast du auch noch nie kennengelernt.»

In einer Cafeteria nahmen wir Hot Dogs und Kaffee zu uns. Als er fertig war, sagte er – sehr deutlich und mit einer gewissen Feierlichkeit, als wolle er ein Dankgebet für das Essen sprechen: «Du verdammter Hurensohn.»

«Wen meinst du?» – Ich war ziemlich erschrocken.

«Diesen blöden Kerl in der Bar», murmelte er. «Das wird er mir büßen – die dreckige Ratte… Ich sag es dem Freund meiner Schwester: das mach ich…» Seine großen Kinderaugen waren wieder erfüllt von dieser beunruhigenden Dunkelheit. Ich begann mich ziemlich ungemütlich zu fühlen.

«Es ist Zeit, schlafen zu gehen», bemerkte ich und versuchte dabei, ungezwungen und doch entschlossen zu klingen. Noch während ich sprach, fühlte ich, daß ich log, und wußte, daß er es wußte. Er hatte erkannt, daß ich nicht wirklich ins Bett gehen wollte, daß ich mich vor meinem Raum fürchtete und vor der Einsamkeit und dem Geruch.

Nach einigen Gläsern Whisky wurde er wieder gesprächig. Wir waren inzwischen in eine ruhige kleine Bar gegangen, und er fuhr fort, mir zu versichern, was ich für ein feiner Kerl sei, der ihm all das Zeug spendiert hatte: Hot Dogs, Kaffee und Drinks. Er genoß den Schnaps in vollen Zügen. Seine Augen funkelten vor Freude, als er erklärte: «Das tut mir so richtig gut!» Es war bei dieser Gelegenheit, daß er zum ersten Mal seinen Lieblingsausdruck benutzte, der mir später so vertraut werden sollte. «Mordsmäßig gut!» Darauf beharrte er mit einer gewissen Sturheit, als ob ich ihm widersprochen hätte.

Er erzählte mir, daß er keinen Platz zum Schlafen habe, weil sein Zimmergenosse wütend auf ihn sei. «Hab sein Radio ins Pfandhaus getragen», sagte er beiläufig. «Deshalb ist er verärgert.» – Ich fragte ihn, ob er ein Anrecht darauf gehabt hätte, das Eigentum seines Zimmergenossen zu versetzen – worauf er mich anstarrte, amüsiert und zugleich verdutzt. «Ob ich dazu ein *Recht* hatte...?» antwortete er, die Augen in spöttischer Überraschung weit aufgerissen. «Was für ein Recht sollte ich denn haben?... Du bist verrückt, Clarence.» (Ich hatte ihm gerade erzählt, daß mein Name Karl sei.) – «Im Ernst – irgend etwas stimmt mit dir nicht.» – Es klang nicht beleidigend, im Gegenteil: die Art, wie er es sagte, war eher höflich und einschmeichelnd, er lächelte mit einer eleganten kleinen Verbeugung.

Alle seine Geschichten waren sich ähnlich: schockierend, weil ihnen jedes Bewußtsein von Moral abging; bunt, frech, lustig und verblüffend. Er erzählte mir von der Farm irgendwo in North Carolina, wo er als Junge gelebt hatte; und von seiner Mutter, die einen alten Kerl von Fünfundsiebzig geheiratet hatte, nur wegen seines Geldes: «Er ist in Ordnung, denke ich», sagte er nachsichtig. «Aber ich fand es furchtbar, meine Mutter dabei zu beobachten, wie sie mit ihm herumschäkerte – sich zur Hure machte...» So lief er davon, trampte durch das ganze Land und erlebte überall seine Abenteuer – an der Westküste und in New Orleans, in den großen Städten des Mittleren Westens und des Ostens, in den Bergen, in Idaho, Utah, Nebraska. Ich war einfach beeindruckt von seinem Schwung und seiner Sorglosigkeit. Ich hatte immer angenommen, daß der Mensch im Leben ein gewisses Minimum an Sicherheit benötigt. Er brauchte das nicht. Er war unberechenbar, völlig besessen von einer unstillbaren Gier nach Abenteuern, nach Taten, nach ständiger schneller Bewegung. Gab es keinen, dem er sich wirklich verbunden fühlte? – Doch. Es gab seine Schwester.

Sein Gesichtsausdruck veränderte sich, als er sie erwähnte.

«Lucy...» Er verweilte zärtlich bei ihrem Namen, während nach und nach ein strahlendes Lächeln sein Gesicht aufhellte. «Niemand ist wie sie. Ehrlich. Kein anderes Mädchen.»

Ich erfuhr, daß sie eine Bardame war, vor allem jedoch «eine Persönlichkeit». – «Im Ernst!» beteuerte er. Lucy war großartig, toll, unvergleichlich. Sie stand in Kontakt mit berühmten

Boxern, Zeitungsleuten, Filmstars und sogar mit gewissen «großen Tieren» bei der Polizei. Einer ihrer zahlreichen Freunde hatte Speed das gewaltige rosa Taschentuch verehrt. Sie war eine tolle Person – und, Donnerwetter, was hatte sie für eine Figur! – «Willst du ihr Bild sehen?»

Natürlich wollte ich, und er zeigte mir eine recht große Photographie: es wirkte wie ein Taschenspielertrick, als er das Bild aus seiner engen, grünen Jacke hervorzauberte. «Hier ist sie», verkündete er stolz und fuhr zärtlich scherzend fort: «Ein häßliches altes Weib, nicht wahr?»

Sie war äußerst attraktiv – eine Person von eindrucksvollem Äußeren, trotz ihrer erschreckend vulgären Gesichtszüge.

Ich fragte Speed, ob sie älter als er sei, und er sagte: ja, drei Jahre älter; dann fragte er mich: «Macht sie mir Ehre?» Zuerst wußte ich nicht, was er damit meinte – woraufhin er lange und herzlich lachte. «Ihr Ausländer seid schon lustig», sagte er gönnerhaft. «Ihr versteht die einfachsten Wörter nicht. – Ob ich meiner Schwester ähnlich sehe – nur das wollte ich wissen.»

Daß es eine gewisse Ähnlichkeit gab, bestätigte ich, ziemlich geistesabwesend. Denn was mich wirklich verwirrte, war die Tatsache, daß Lucys zauberhaftes Porträt an jemand anderen erinnerte – an ein vertrautes Gesicht: an das vertrauteste überhaupt... Es konnte doch unmöglich *Anna* ähneln. Meine frühere Frau kam, trotz allem, aus einer angesehenen Familie; sie war gut erzogen, gebildet – eine Professorentochter.

Ich hörte Speeds heisere Stimme schläfrig flüstern: «Würdest du sie gern mal treffen, Clarence?»

Sie arbeitete jetzt in einer Bar in der 89. Straße, geöffnet bis vier Uhr morgens. Es war gerade halb drei. Speed schlug vor, die U-Bahn zu nehmen und mit Lucy einen zu heben. Dann sollte sie ihn mit in ihre Wohnung nehmen, wo er schlafen könne. Ich stimmte zu – teils weil ich begierig war, sie kennenzulernen; teils weil ich Speed ohne ein Dach über dem Kopf ungern auf der Straße zurücklassen wollte, wo der Schneesturm blies.

Als wir unser Ziel erreicht hatten, informierte uns der Barkeeper kurz angebunden, daß er Miss Lucy schon seit ein paar

Nächten nicht mehr gesehen habe – worauf Speed den Kopf hin und her wiegte, mit der Zunge schnalzte und sagte: «Mann, ist das nicht 'n Pech?» Vielleicht lag Lucy in einem Krankenhaus, oder hatte einen Unfall, oder hatte plötzlich geheiratet oder das Angebot einer Filmgesellschaft angenommen. «Bei so einer Wilden weiß man das nie», schloß er nachdenklich und begrüßte dann mit «Hallo» die neue Bardame. Er schien sie gut zu kennen, und er hörte nicht auf, mit ihr zu scherzen, als sie uns sehr süßen, grünlichen Likör in winzigen Gläsern servierte.

Allmählich fühlte ich mich verdammt müde, während Speed immer lebhafter und gesprächiger wurde. Das Barmädchen gab ihm etwas, das ich nicht sehen sollte. Zufällig erkannte ich, daß es eine kleine Packung Zigaretten war, und ich wunderte mich, warum ein so harmloses Geschäft von Kichern und alberner Geheimniskrämerei begleitet war. Speed ging zur Herrentoilette und blieb dort ungefähr zehn Minuten. Als er zurückkam, schien er fröhlicher und aufgedrehter als vorher. Seine Augen glänzten auf eine reichlich beunruhigende Weise, er sprang herum, kicherte und schnitt allerhand Grimassen. Ich war von diesem aufgeregten Treiben zugleich angezogen und abgestoßen. Er führte ein regelrechtes Pfeifkonzert auf, ahmte alle Arten von Vogelstimmen nach und flötete mit einer verblüffenden Technik alte, bezaubernde Melodien. Seine unaufhörlichen Späße ließen die wenigen Gäste bis vier Uhr morgens in der Bar ausharren. Dann mußten wir alle gehen.

«Wohin jetzt?» fragte ich ihn, als wir schließlich auf der Straße standen.

«Nun…» sagte er gedehnt; und darauf: «Also gut…» Dann warf er einen schnellen Seitenblick auf mich. Seine ganze wilde Ausgelassenheit war mit einem Mal verschwunden. Seine Stimme klang ernüchtert und niedergeschlagen, als er murmelte: «Soll ich nicht mit dir kommen? – Ich weiß sonst nicht wohin… weil Lucy im Krankenhaus liegt – vielleicht schon tot», fügte er mit einem Seufzer hinzu.

Er tat mir leid – so sehr leid, daß es mich traf wie ein plötzlicher Schmerz in Herz und Magen. Es war so lange her, daß ich echtes Mitleid für irgend jemand empfunden hatte – außer für mich selbst! Was war es im Elend doch für ein seltsamer Trost, einen Menschen zu treffen, dem es noch schlechter zu gehen schien als einem selbst…

Ich hatte einfach nicht die Stirn, ihn zu enttäuschen. – «Komm schon mit», sagte ich. «Da, wo ich wohne, ist Platz genug für uns beide…» –

Bevor er sich auf meinem Sofa zum Schlafen niederlegte, redete er noch eine Zeitlang weiter. Er rauchte wieder zwei dieser geheimnisvollen Zigaretten, die das Barmädchen ihm gegeben hatte, und ich fand, daß sie einen ganz ungewöhnlichen Geruch hatten. Als ich ihn aber fragte, was für ein Tabak das sei, wurde er von einem regelrechten Lachanfall geschüttelt – er krümmte sich vor Lachen. «Ganz gewöhnlicher Tabak!» kicherte er und machte mitten im Zimmer Luftsprünge wie ein Verrückter. «Ehrlich, Clarence! Ganz normale Zigaretten… An ihnen ist nichts faul… nichts verdächtig… wirklich nicht…» – Und dieses dumme, unangemessene Wort – «faul» – schien merkwürdigerweise seine nervöse Heiterkeit noch zu steigern: er wiederholte es dutzendfach unter Stürmen von schrillem, bebendem Gelächter.

Ein paar Minuten danach erklärte er, daß er hungrig sei: «Ich sterbe vor Hunger», verkündete er in wilder Gier – und dann durchstöberte er mein Zimmer nach irgend etwas Eßbarem. Er verschlang alles, was er fand: Käse, Brot und einige Früchte. «Nach diesen Zigaretten fühlst du dich irgendwie leer – ganz hohl…» meinte er. Dann wurde er sehr schläfrig. Aber sogar als er schließlich auf dem Sofa lag, hört er nicht auf zu reden.

Er wurde überraschend nachdenklich und philosophisch. – «Bist du mir böse, Clarence?» begann er mit hypnotisch singender, leiser Stimme. Ich sagte: «Nein – warum sollte ich?» Er aber drängte weiter, hartnäckig und zugleich wehmütig: «Oh, es gibt immer viele Gründe, auf einen Kerl böse zu sein. Wir sind doch alle elende Sünder», schloß er ernst mit einer theatralischen Geste.

Ich fragte ihn, was er denn über die Sünde wisse, worauf er vertraulich und zugleich unheilvoll zu grinsen begann. «Ich hab's in der Schule gelernt», erklärte er. «Alles über Gut und Böse, Himmel und Hölle und das Jüngste Gericht – ich kenne den ganzen Kram auswendig. *Jawohl*. Im Ernst. – Ich *weiß*, was passieren wird… Meine Mutter hat es uns auch erzählt. Sie konnte reden wie ein Prediger, zu ihrer Zeit – bevor sie sich verkaufte und diese stinkende alte Ratte heiratete… Oh, *Junge*! Sie konnte einem richtig angst machen! Auch Lucy war zu Tode erschrocken, als Mutter uns von all dem furchtbaren Zeug erzählte, über Gott, und wie wütend er werden kann, wenn wir etwas Falsches anstellen.» Er schwieg nachdenklich. Als er wieder zu sprechen begann, zitterte seine Stimme ein wenig. «Das Jüngste Gericht…» sagte er, sehr langsam, «muß ungefähr wie eine Riesenrazzia sein, denke ich: die Erzengel rasen wie die Bullen herum, und dabei machen ihre goldenen Trompeten einen Höllenkrach wie Alarmsirenen… Mensch, *Junge*! – Was für ein Zirkus! Die Erzengel jagen die Skelette – und die Skelette springen umher und klappern mit den Knochen – sündige Ratten, alle miteinander! Und dann werden sie natürlich schreien und betteln und bitterlich um Gnade winseln. Aber für die wird es keine Gnade geben – *Nichts da*! Kein *bißchen* Gnade für all die kleinen Gauner und großen Tiere! Die Reichen und die Armen, die Bullen und die Barkeeper, mein Stiefvater und die Juden und die Schwarzen, und die Japsen und die Prediger, und sämtliche Präsidenten, Könige und Filmstars – *alle*, die ganze elende Meute wird für die Sünden büßen müssen, und ich schaue zu, wie sie gepiesackt werden und geröstet, dort unten, in der Hölle – wird mir guttun… *Jawohl – mordsmäßig* gut…»

Er lag bewegungslos und schweigend, mit geschlossenen Augen und offenem Mund. Ich konnte sein Gesicht sehen, sehr blaß und entfernt im ersten Licht des frühen Morgens. Es war völlig entspannt und strahlte jene friedliche Unschuld aus, die das Gesicht schlafender Kinder so liebenswert und rührend macht. Und es war tatsächlich die zärtliche Stimme eines Kindes, die halb im Schlaf melodisch flüsterte:

«Gute Nacht, Clarence. Bist du wütend auf mich? – Du darfst mir niemals böse sein… Versprich es mir! – *Niemals*…»

Mr. Prokoff war leicht überrascht, als er einen schlafenden Jungen in meinem Zimmer fand, am folgenden Mittag. Er runzelte die Stirn und schüttelte mehrmals den Kopf. Ich erklärte, einigermaßen nervös, daß der junge Mann der Sohn eines alten Freundes sei, außerhalb der Stadt wohne und zufällig seinen Bus verpaßt habe, worauf sich Mr. Prokoff diskret zurückzog.

Ich stellte Speed nie förmlich Mrs. Prokoff vor, und ich erinnere mich auch nicht daran, bei welcher Gelegenheit sie ihn zum ersten Mal sah. Wie auch immer, als ich einmal in seiner Begleitung ausging oder heimkam, hatte sie gerade zufällig im Hausflur zu tun; dabei durchbohrte sie uns mit flinken, argwöhnischen Blicken. Zugleich glaubte ich ein schwaches Lächeln auf ihren verwelkten, aber immer noch sinnlichen Lippen zu entdecken. Das mag ein Irrtum meinerseits gewesen sein. Am selben Tag geschah es jedoch, daß Speed mich mit einer Art flüchtiger Neugier fragte, ob ich Mrs. Prokoff kenne und wie alt sie sei. «Sie ist eigentlich gar nicht so übel», stellte er fest und fügte mit einem frechen kleinen Lachen hinzu: «Jedenfalls viel zu hübsch für diesen scheußlichen alten Affen.» – Das war der Spitzname, den wir gewöhnlich meinem unglücklichen Vermieter gaben.

Wir hatten viel Spaß zusammen, Speed und ich.

Deshalb mochte ich mich nicht von ihm trennen. Es hat keinen Sinn, mich selbst zu betrügen mit heuchlerischem Gerede über Mitleid und Großzügigkeit oder so was. Die Wahrheit ist, daß ich ihn nicht fortschickte, weil ich ihn gern um mich hatte.

Er war völlig im Recht, als er sagte, daß ich noch keinen wie ihn getroffen hätte. Tatsächlich war er etwas vollkommen Neues – ein mir ganz unbekannter Menschenschlag, mit all seinen Launen, seiner glatten und wilden Eleganz, seiner ungestümen Lebenskraft, seiner ungezügelten Phantasie, seinem boshaften Witz, seiner Grausamkeit, seiner unberechenbaren und kaum zu fassenden Ignoranz.

Am Anfang versuchte ich noch, ihn zu erziehen und ihn zu «retten». Ich war schon immer an Pädagogik interessiert und hatte ursprünglich auch Lehrer werden wollen. Später, als ich heiratete, hoffte ich auf einen Sohn. Speed war natürlich nicht unbedingt so, wie ich mir meinen Sohn vorstellte. Trotzdem, hier war er – und da *alles* sich verrückt entwickelt hatte – in meinem Privatleben und in der Welt sowieso –: warum sollte ich nicht auch einen leicht Verrückten als Sohn akzeptieren, zumindestens für einige Zeit?

Sein absoluter Mangel an Bildung war etwas, das niemals aufhörte, mich zu erschrecken und auch zu kränken. Er wußte nicht, von welchem Land Paris die Hauptstadt war, und hätte ich ihm erzählt, William Shakespeare sei ein amerikanischer Industrieller, so hätte er mir sicher geglaubt. Er meinte, ich wolle scherzen, als ich in irgendeinem Zusammenhang erwähnte, daß gewisse Teile seines Landes einmal einer fremden Macht gehört hätten. – «Weißt du wirklich nicht, wer George Washington war?» fragte ich ihn völlig perplex. «Niemals vom Unabhängigkeitskrieg gehört?» – Er hatte ein listiges Funkeln in den Augen, als er mit einer seltsam tiefen, gedehnten Stimme sagte: «Sicher, ich weiß schon…: *Besteuerung ohne Mitbestimmung*… Das war's, worüber sich diese alten Knacker in Boston so aufregten…» Es war sehr merkwürdig, daß er sich gerade an diesen einen Satz erinnerte, der für sich genommen sinnlos war, wie an eine Zauberformel.

Ich mußte bald erfahren, daß es vollkommen hoffnungslos war, ihm etwas von fremden Ländern oder früheren Zeiten erzählen zu wollen. Es interessierte ihn einfach nicht. «Hör schon auf!» sagte er barsch. «Es juckt mich nicht, was vor Hunderten von Jahren passiert ist. Wir haben selbst Ärger genug, heutzutage.»

Er gähnte und schnitt Gesichter, wenn ich ihn aufforderte, in eine Zeitschrift zu schauen oder einen Zeitungsartikel zu lesen. Gedrucktes langweilte ihn nicht nur, sondern ekelte ihn geradezu. Das einzige, was er las, waren die Comic-Serien, die er eifrig in den Abend-Blättern studierte. Er kreischte vor Lachen und versuchte oft, mich an seiner überschwenglichen Freude teilhaben zu lassen: «Das ist wirklich gut – schau es dir an!»

Er wollte mir immerzu die Dinge erklären, von denen er begeistert war: es lag etwas Rührendes in seinem unermüdlichen Eifer. Ich fürchte, daß ich auf meine Art ein ebenso hoffnungsloser Schüler war wie Speed seinerseits. Ich hatte nicht das gleiche Vergnügen an den Gangster-Filmen oder Western; die Baseball-Spiele langweilten mich, und über Comics konnte ich kaum lachen. Trotzdem schätzte ich Speeds ständiges Drängen, an seinen Vergnügungen teilzunehmen. Ich glaube immer noch, daß er mich als Freund angesehen haben muß, in einem verborgenen Winkel seines Herzens.

Er trottete hinter mir her wie ein Hund: den Grund habe ich nie ganz verstanden. Denn er wußte mit Sicherheit, daß ich keine Reichtümer besaß – obgleich er sich wohl auch nicht vorstellen konnte, wie arm ich wirklich war... Er hielt es für selbstverständlich, daß ich Geld genug hätte, um ihm gelegentlich einen halben Dollar zu schenken, und niemals bat er um mehr.

Ich bezahlte für ihn Essen und Trinken und nahm ihn mit ins Kino. Das bedeutete ihm offensichtlich etwas. Auch daß er auf meinem Sofa schlafen konnte, wenn er für die Nacht keinen anderen Platz fand – was ziemlich oft vorkam, zwei oder drei Mal in der Woche. Denn sein früherer Zimmernachbar war noch immer wütend auf ihn, und die Wohnung seiner Schwester Lucy bot gerade Platz für einen einzigen Gast: «Deshalb will ihr Freund natürlich nicht, daß ich da herumhänge, wenn er selbst am Abend frei hat», erklärte Speed.

Manchmal verschwand er für ein oder zwei Tage – entweder, weil er etwas zu «erledigen» hatte mit seiner Schwester oder ihrem Freund oder weil irgendwelche lustigen und abenteuerlichen Ereignisse seine ganze Zeit beanspruchten. Außergewöhnliches erlebte er, seinen dramatischen Berichten zufolge, oft. Junge Frauen in prächtigen Pelzmänteln nahmen ihn in riesigen, eleganten Autos mit und bewirteten ihn in ihren teuren Wohnungen. Manchmal rief er mich um vier oder fünf Uhr morgens an und beharrte mit der törichten Hartnäckigkeit des Betrunkenen darauf, daß es Mittag sei und die Sonne scheine. Am nächsten Tag wirkte er amüsiert und geschmeichelt, wenn ich ihn über seinen Irrtum aufklärte: «Ich muß völlig blau gewesen sein!» Er grinste kindisch zufrieden.

Er kam immer zurück zu mir: Ich weiß nicht *warum* – aber er kam immer wieder. Vielleicht war es das gewisse Minimum an Sicherheit – etwas wie ein Heim, das ich ihm bot. Vielleicht war es dieses kleine bißchen Behaglichkeit und Frieden, was er schätzte oder sogar brauchte, trotz all seiner Freiheitsliebe. Er war unglaublich arm – so extrem und absolut, wie es unvereinbar schien mit jeder noch menschlich zu nennenden Lebensweise. Er war wirklich arm wie die Tiere des Waldes. Glücklicherweise machte er sich seine elende Lage niemals bewußt – obwohl er sie gespürt haben mag, manchmal, in einer kurzen und erschreckenden Ahnung.

Immer wieder faszinierte und verwirrte er mich, und er rührte mich oft durch seine natürliche Freundlichkeit, die sanfte Heiterkeit seines Lächelns. Ein andermal war er eine richtige Nervensäge, dann stieß er mich durch unmäßig grobes Verhalten ab. Ich geriet nicht selten in arge Verlegenheit, wenn er den «starken Mann» spielte, in einem Restaurant oder in einer Bar, oder wenn er sich produzierte, um ein Mädchen am Nebentisch zu beeindrucken. Aber dann versöhnte und bezauberte er mich aufs Neue mit einem Lächeln oder einem Wort – einem Wort vielleicht, das seine Schwester Lucy betraf…

Ich war immer noch begierig, sie kennenzulernen. Er nutzte meine Schwäche und Neugier ganz offenkundig aus und setzte seine unsichtbare Schwester als Lockvogel ein. Er präsentierte mir ihr Foto – dasselbe, das er mir schon früher gezeigt hatte –, und grinste reichlich sentimental, als er sagte: «Behalt es als Andenken, Clarence! Es ist alles, was ich habe… Ohne das Bild werde ich mich wohl ziemlich einsam fühlen…»

Manchmal konnte er so ganz beiläufig vorschlagen: «Komm, wir schauen bei Lucy vorbei. Sie arbeitet noch in derselben Kneipe.» – Aber dort war keine Lucy…

Was für ein Leben führte sie? Wie stand es um diese sagenhaften Freunde, die eine so beherrschende Rolle in Speeds Gesprächen spielten? Er sprach von ihnen wie von einer überaus mächtigen und gefürchteten Geheimorganisation. Einmal bat er mich, einen Brief aufzugeben, den er geschrieben hatte, während er auf mich wartete. «Aber vergiß es nicht!» ermahnte er mich. «Er ist an Lucys Freund, und er macht mir die Hölle heiß, wenn er ihn nicht bekommt. Er ist ein gefährlicher Gangster – mit dem legst du dich besser nicht an…» Zuerst hielt ich das für einen Scherz, aber mir verging das Lachen, als ich merkte, daß Speed es unheimlich ernst meinte.

Mochte Lucy wohl ebenso starke Parfums, wie Anna sie liebte? Hatte sie auch dieselbe kindische Schwäche für grelle Farben? War sie fähig, ihren Mann zu betrügen, auf diese gnadenlose Art wie Anna, die mich verlassen hatte, mich ganz allein gelassen hatte in diesem riesigen, fremden Land?… Ich war tatsächlich mehr und mehr geneigt, Lucy und Anna in meinem verwirrten Kopf gleichzusetzen. Beide verschmolzen allmählich zu einer einzigen erstaunlichen und verführerischen Person –: Anna, die ich verloren hatte, und Lucy, die ich überhaupt nicht kannte… Ich lebte in einem ständigen Dunstkreis von Lügen und Wahnphantasien, völlig berauscht von der billigen Romantik der Unterwelt. Meine Lage wurde natürlich noch alarmierender, als ich begann, dieses teuflische Zeug zu rauchen.

Zuerst weigerte ich mich standhaft, es zu probieren, und ich wurde sogar ziemlich ärgerlich, als mir Speed anvertraute, was für eine besondere Sorte «Tabak» es war, die seine Freundin, das Barmädchen, verkaufte. «*Marihuana*», sagte ich, «das ist doch ein Rauschgift, wenn ich mich nicht irre. Das ist gegen das Gesetz…» – aber Speed reagierte nur mit einem Achselzucken: «Ist mir doch egal. Ich hab's schon als Kind geraucht, unten im Süden – und alle anderen Kinder auch. Es macht einfach Spaß –: du fühlst dich ganz leicht dabei… Du solltest es mal versuchen, Clarence!»

Aber noch wollte ich es nicht.

Ich hatte Mr. Prokoff danach gefragt – «aus rein wissenschaftlichem Interesse». Er runzelte die Stirn und wiegte bedenklich den Kopf. «Marihuana?» sagte er und machte ein säuerliches Gesicht dabei, als ob er einen bitteren Geschmack im Mund hätte.

«Hände weg, Mr. Kroll! Es ‹stinkt›.» Ich war natürlich sehr besorgt. «Es ist also wirklich gegen das Gesetz?» fragte ich. – «Sicher ist es das», beteuerte er, düster nickend. «Lassen Sie sich nicht in solche dreckigen Drogengeschichten verwickeln, Mr. Kroll! Ein Gentleman wie Sie…» – «Natürlich nicht», beeilte ich mich, ihm zu versichern. «Ich wollte nur wissen, was es damit auf sich hat…»

Ich kann nicht sagen, daß er nach diesem Gespräch reservierter oder weniger freundlich geworden wäre. Aber manchmal hatte ich den Eindruck, als ob mich sein sorgenvoller Blick wie eine stumme und doch beredte Warnung durchbohrte.

Zur selben Zeit zeigte Mrs. Prokoff überraschende Zeichen von neuer Sympathie und Aufmerksamkeit. Sie klopfte plötzlich an meine Türe und fragte mit gurrender, leiser Stimme, ob ich irgendwelche Wünsche hätte: ein Sandwich – schlug sie vor, beinahe freundlich –, oder eine Tasse Tee… – «Eine Tasse Tee!» wiederholte Speed mit einem idiotischen Kichern. Meistens war Speed zufällig bei mir, wenn Mrs. Prokoff hereinschaute, um mit flötender Stimme ihre liebenswürdigen Angebote zu unterbreiten. «Immer munter», bemerkte sie, wenn sich Speed vor Lachen krümmte. «Glückliche Jugend! Immer ausgelassen…»

Er kreischte geradezu vor Freude, als Mrs. Prokoff schließlich verschwand – überschwenglich belustigt durch ihr komisches Verhalten und ihre Tee-Einladungen im Besonderen. Denn in Speeds Kreisen war aus irgendeinem geheimnisvollen Grund Tee die gebräuchliche Bezeichnung für Marihuana. – «Gib mir ein paar Kröten», sagte er zu mir, «ich will *Tee* besorgen.» – Und ich gab ihm das Geld, obwohl ich es mir eigentlich nicht leisten konnte.

Ich gab viel mehr aus, während all dieser Zeit, als ich mir erlauben konnte. Ich wurde ziemlich unbekümmert – nicht nur, was meine Finanzen betraf. Auch wirklich wichtige Dinge nahm ich auf die leichte Schulter. Etwas in mir war zerbrochen – empfindungslos geworden und abgetötet, als ich durch eine lapidare Benachrichtigung von Anna unterrichtet wurde, daß sie wieder geheiratet hatte und daß ihr zweiter Ehemann ein hoher Funktionär der Nazipartei sei.

Es war diese abstoßende Neuigkeit, die mir den entscheidenden Schlag gab. Ich erhielt ihn gerade ein paar Tage nach meiner Unterhaltung mit Mr. Prokoff über Marihuana. Und als Speed wieder drängte: «Du solltest es probieren, Clarence! Nur *einen* kleinen Zug…» gab ich schließlich seinen Überredungskünsten nach.

Am Anfang fand ich es ziemlich schwierig, die aromatischen Zigaretten mit der richtigen Technik zu rauchen. Ich schluckte den Rauch falsch: er kitzelte in meinem Hals, ich mußte husten, mir wurde schwindlig. Speed, der inzwischen bereits fünf oder sechs geraucht hatte, war außer sich vor Vergnügen, als er meine unbeholfenen Versuche beobachtete. «Du bist eine komische Nummer!» neckte er mich und erstickte dabei fast vor Lachen. Und dann wiederholte er immer wieder, völlig verzückt, diese sinnlosen und kindischen Worte: «Was für eine komische kleine Nummer bist du doch! Was für eine komische Nummer…»

Schließlich zeigte er mir, wie man es macht. Ich mußte den Rauch tief einatmen! Ungefähr so! – Und ich sollte dabei die Lippen spitzen –: so etwa; es war ausgesprochen einfach…

Er jedenfalls war ein Meister in der Kunst des Rauchens. Sein Gesichtsausdruck wurde ganz ernst, ja feierlich, wenn er an seiner Zigarette saugte wie ein Kind an seinem Schnuller. Er sah sehr verderbt aus, und doch auch so kindlich – ein pausbäckiges, verkommenes Kindergesicht.

Ich versuchte mein Bestes, es ihm nachzumachen, und nach einer gewissen Zeit wurde ich recht erfolgreich dabei. Nach der zweiten Zigarette fühlte ich mich leicht betrunken, und nach der dritten war ich ganz schön berauscht.

Was für eine merkwürdige Erfahrung! – beunruhigend und bezaubernd! Alle Dinge, mich eingeschlossen, verloren an Gewicht, wurden unwirklich; die Wände, die Stühle, meine Hände, meine Füße, das Bett, der Fußboden, die Zimmerdecke – alle Gegenstände und Gedanken, die Luft, die Probleme; die ganze Welt schien sich aufzulösen in einem Silbernebel – entrückt, verklärt, unbeschreiblich liebenswert, schön. Die Gesetze der Schwerkraft waren aufgehoben.

Ich war ein Vogel, ein Engel, ein Flugzeug, ein springendes Pferd, ein Tänzer. Ich war vollkommen glücklich. Andere Vögel, andere Engel sangen mit mir – ein hinreißender Chor. Sie kicherten, sie kitzelten mich und sie zwitscherten.

«Das tut dir endlich einmal gut», sangen die Engelsstimmen. Und der Chor wiederholte: «Was für eine komische kleine Nummer du bist...»

Ich weinte vor Freude. Es war der Himmel.

Es war die Hölle. Ich litt.

Das Wunder verkam zum Laster; das Laster begann zur Gewohnheit zu werden. Es gab übrigens gewisse Bemerkungen, die Speed auf eine beiläufige und doch unheilvolle Weise fallen ließ, eindeutig geeignet, meine Befürchtungen zu verstärken. Er informierte mich darüber, daß der «Tee» sich verteuert habe: «Das Mädchen ist verhaftet worden – Du weißt, wen ich meine: die uns immer das Zeug verkauft hat...» Mein Herz setzte aus. «Verhaftet?» fragte ich. «Warum?» – «Wie soll ich das wissen?» Er schien an der ganzen Sache kaum interessiert. «Ich nehme an, sie haben sie einfach verhaftet, weil sie herausgefunden haben, daß sie Geschäfte gemacht hat mit Tee und solchem Zeug. – Gut, jeder von uns muß schließlich sein Glück versuchen...» bemerkte er mit heroischer Gleichgültigkeit, und dann fuhr er fort, mir auf plötzlich sehr distanzierte und abschreckende Weise alles über die Foltern und erniedrigenden Strafen zu erzählen, die die New Yorker Polizei auf Lager hätte für die, die sich Drogen besorgten und in den Drogen-Handel verwickelt wären. Es gäbe gräßliche alte Verliese – nach Speeds Schilderung – auf einer verlassenen Insel, speziell für Rauschgiftsüchtige. Er kam auf grausige Einzelheiten zu sprechen und beschrieb das Ungeziefer und die hungrigen Ratten, von denen es in diesem schauderhaften Gebäude nur so wimmelte. «Dort werden sie uns festhalten, für drei Jahre oder so», schloß er mit bitterem Humor und verlangte dann erneut «ein paar Kröten», weil er nach Harlem gehen wolle. Er hätte dort einen neuen Geschäftsfreund: «Ist auch so ein dreckiger alter Ganove», erklärte er in einem vergnügten Ton, als sei diese Aussage vorzüglich geeignet, mich zu beruhigen und meine Sorgen zu zerstreuen.

Wie oft nahm ich mir vor, diesen teuflischen «Tee» nicht mehr anzurühren. Aber meine guten Vorsätze erwiesen sich als beklagenswert schwach. Ich war nicht stark genug zu widerstehen, wenn Speed vorschlug: «Nehmen wir eine Tasse Tee…»

Es war der exotische Duft, dieser aromatische Geruch – mild und doch durchdringend –, was ich an Marihuana am liebsten mochte. Es war der einzige Geruch, der sogar die übelriechenden Ausdünstungen von Mr. Prokoffs Haus übertönen konnte. Wenn Speed mit einer neuen Lieferung «Tee» erschien – wenn wir beisammen saßen und rauchten, kicherten, schwatzten –, dann verschwand die öde Behaglichkeit des kleinbürgerlichen Heims. An ihre Stelle trat, wie von Geisterhand herbeigezaubert, eine berückende Aussicht – eine Trauminsel, voller Geschrei und Gesang und würzigen Düften; bewohnt von drolligen Riesen und schelmischen Zwergen; es wimmelte von allen möglichen spaßigen, verführerischen Wesen.

«Ich bin ein Papagei», krähte Speed. «Schau! – mein wunderbar buntes Gefieder…»

Ich selbst verkündete, daß ich ein riesiger Fisch sei – genauer gesagt ein gigantischer Wal –, und ihn verschlingen würde wegen seiner vielen Sünden.

«Und diese große, glitzernde Schlange dort!» jauchzte Speed, «das ist Lucy!… Siehst du nicht ihre Augen und das kleine Goldkettchen um ihren Hals?»

«Ich hatte noch nicht die Ehre, dem königlichen Untier vorgestellt zu werden», kicherte ich.

Speed schüttelte sich vor Lachen… «Du solltest sie kennenlernen, Clarence… Im Ernst! Du solltest es wirklich.»

Das einzige Mitglied seiner Familie, das ich kennenlernte, war sein Cousin.

Wie deutlich erinnere ich den Augenblick, als er mein Zimmer betrat… Komischerweise habe ich ein wesentlich genaueres Bild von Jims Erscheinung als von Speeds – obwohl ich Speed mag und Jim unsympathisch finde. Und doch, wenn ich versuche, mir die Einzelheiten von Speeds Zügen vorzustellen, bleiben alle Formen unscharf und verschwommen – vage und zugleich übertrieben leuchtend – beinahe blendend; in andauernder Veränderung, sich auflösend, geheimnisvoll bewegt wie die Oberfläche eines trüben kleinen Sees, aufgewühlt von einer ständigen Brise…

Mit Jim ist es anders. Er ist breit, stiernackig und bullig – aus einem reizlosen und kompakten Material gemacht. Er ist groß, eindeutig größer als Speed –, aber ziemlich gebeugt, mit einem aufgedunsenen Gesicht. Er hat in meinen Augen ein häßliches Gesicht – und, noch schlimmer, es liegt etwas abstoßend Unehrliches in seinem stumpfsinnigen Ausdruck. Diese überbetonte Simplizität – diese Unschuld-vom-Lande-Attitüde – unbeholfen und selbstzufrieden –; diese linkisch tastenden Gesten – das ganze Auftreten machte mich irgendwie nervös, und gleichzeitig erschreckte es mich ein wenig.

«Das ist Jim», erklärte Speed, und sein Lächeln war halb entschuldigend, halb beschwichtigend – genau die Art von Lächeln, mit dem Damen der Gesellschaft einen Verwandten aus der Provinz einem ihrer reizenden Freunde vorstellen. – «Er ist mein Vetter – soeben aus Carolina gekommen. Ist zum ersten Mal in einer wirklich großen Stadt wie New York. Fühlt sich verloren hier, denke ich – oder nicht, Jim? – Besser wir kümmern uns um ihn, für'n Weilchen.» Mit einem aufmunternden kleinen Lachen schlug er Jim auf die mächtigen Schultern.

Wie zungenfertig und gewandt wirkte Speed im Vergleich zu diesem ungehobelten Cousin! – «Wir werden dich nicht allein lassen», versprach er Jim, dessen Antwort ein idiotisches Grinsen war. – «Clarence ist ein prima Kerl», fuhr Speed fort, und nun erhielt ich einen herzlichen Klaps auf die Schulter. «Er ist übrigens mein bester Freund: der beste, den ich jemals hatte. Er wird uns mit in eine Show nehmen, wenn du eine sehen willst.»

«Klar doch, immer», bellte der Cousin. Seine Stimme war

noch entsetzlicher als sein Gesicht –: eine dumpfe Stimme, rauh und dröhnend: völlig unmenschlich, wie die Stimmen dieser «Sprechenden Hunde», die man manchmal im Zirkus sehen kann.

Dann verkündete er, daß er sich am ganzen Körper dreckig fühle – «wie ein altes Schwein». Als er fort war, um sein Gesicht in meinem Bad unters Wasser zu halten, informierte mich Speed heimlich und schnell darüber, daß sein Cousin ein bißchen «beschränkt» sei, aber sonst wirklich kein übler Kerl. Er warnte mich nachdrücklich davor, in Jims Gegenwart etwas von unseren «Tee-Partys» zu erwähnen... Jim hatte natürlich niemals irgendeine Droge angefaßt: «Er weiß gar nicht, was das ist...»

Nach dem Abendessen nahm ich die beiden Jungs mit in eine Show, und Jim taute auf, als die Stripperinnen das Publikum mit ihren freizügigen Gesten und ihrem gefrorenen Lächeln animierten. «Toll – wirklich!» grinste er. Aber sogar sein Lachen klang unheilvoll, wie das Donnern eines herannahenden Gewitters.

Speed schien unterdessen sehr unruhig zu werden, und schließlich flüsterte er mir ins Ohr, daß er sich beeilen müsse – sonst würde er eine Verabredung mit seinem Freund in Harlem verpassen. «Gib mir schnell drei Kröten, oder fünf! Du weißt wofür...» Dann warf er einen raschen Blick auf Jim, der unsere Verschwörung nicht bemerken sollte. «Ich werd ihm sagen, daß ich etwas zu erledigen habe», flüsterte er, während sich sein Cousin diebisch über die glitzernde Parade der Nacktheit freute. «Ich treff dich bei dir zu Hause, um Mitternacht.» – Und er schlich sich aus dem dunklen, schwülen Raum.

Jim, vollständig gefesselt von der Show, hatte sein Gehen kaum bemerkt, und als ich ihm zehn oder fünfzehn Minuten später sagte, ich sei müde und müsse ins Bett, blickte er mich nur mit wäßrigen Augen an und lachte glucksend, wobei sein breiter Daumen auf die strahlende Darbietung weiblichen Fleisches wies. «Alle nackt», kicherte er schwachsinnig. «Ganz ohne Kleider... Magst du sie nicht, Clarence?» –

Es war gut, für eine Weile allein zu sein. Zum ersten Mal, seit ich in Mr. Prokoffs Haus gekommen war, machte mir die Einsamkeit meines Zimmers nichts aus. Erst als Mitternacht vorüber war, begann ich, leicht nervös zu werden. Was mochte mit Speed passiert sein? – Ein Uhr – zwei – halb drei – und kein Speed. – Nicht, daß ich wirklich beunruhigt gewesen wäre. Ich kannte immerhin sein seltsames Verhalten schon. Vielleicht hatte er sich mit einem Kumpel betrunken oder seine Schwester getroffen. An Lucy dachte ich auch, als ich schließlich zu Bett ging. Würde ich sie jemals sehen?...

Es war spät am folgenden Nachmittag, als Speed endlich auftauchte. Er sah bleich und ernst aus, und ausnehmend hübsch.

Seine Gesichtsfarbe hatte einen Perlmuttschimmer, um seine hellen, schmalen Augen lagen Farbringe. Er lächelte gequält und war ganz niedergeschlagen, als er mich um ein Glas Milch bat.

Seine Geschichte war rührend, obgleich ein wenig konfus. Es hatte eine Razzia in Harlem gegeben, dort, wo er normalerweise den «Tee» kaufte. Er hatte zu fliehen versucht, vergeblich. Sie faßten ihn, als er gerade den berüchtigten Stoff schlucken wollte. Die peinlich genaue Überprüfung auf der Polizeistation dauerte mehr als fünf Stunden. Es war höllisch, wie die ganzen Bullen und Kommissare auf ihn einschrieen, ihn unbarmherzig ohrfeigten und mit allen möglichen heimtückischen Fragen marterten. War er ein Drogensüchtiger? Wer hatte ihn geschickt, den Stoff zu kaufen? Hatte er gewohnheitsmäßigen Umgang mit Kokain und auch Morphium? War er Mitglied einer Geheimorganisation? Wer hatte ihm das Geld gegeben, das sie bei ihm gefunden hatten? – Sie versprachen ihm Zigaretten und Schnaps, sogar Marihuana, wenn er nur den Namen des Großen Unbekannten nannte – seinen geheimnisvollen Auftraggeber. – «Und das bist *du*, Clarence!» Er wies in einem plötzlichen Lachausbruch auf mich. «*Du* bist der Geheimnisvolle!»

Dann wurde er wieder ernst, fast feierlich. «Aber ich würde es ihnen nicht sagen», versicherte er mit treuherziger Entschlossenheit. «Ich würde dich da nie reinreißen, Clarence –, ehrlich, das würde ich niemals. Du bist mein Freund, und ich will nicht, daß du in diesem Dreck landest. Das wäre ziemlich schlimm für einen Ausländer – sagte mir Lucy. Es würde *sehr* schlimm ausgehen, sagt Lucy...»

Ich mochte diesen drohenden Ton überhaupt nicht, mit dem er seine letzte Bemerkung hervorhob. Es klang wohl reichlich irritiert, als ich zu ihm sagte, daß ich nicht ganz verstanden hätte, wovon er eigentlich spreche; denn ich hätte doch im Grunde nichts mit der ganzen Sache zu tun und niemals Stoff gekauft. – «Es ist schlimm genug, daß du ihn überhaupt *geraucht* hast», entgegnete er mit einem schiefen Grinsen, und dann fuhr er fort, mir zu erzählen, daß seine tüchtige Schwester ihn gegen eine Kaution frei gekauft habe – genauer gesagt, daß sie ihren Freund dazu gebracht habe, das zu erledigen. Speed war entlassen worden auf sein Ehrenwort hin, daß er sich am kommenden Morgen einem Sondergericht stellen würde.

Ich gab ihm mein schönstes Hemd, eine Krawatte und ein paar Socken, damit er bei dieser wichtigen Angelegenheit anständig aussähe. «Mach dir keine Sorgen», sagte ich hilflos. «Alles wird in Ordnung gehen.» – Er lächelte bloß, matt und traurig: «Klar doch, Clarence: Ich hoffe es...» – Er war voller Selbstmitleid und ehrenwerter Absichten. In dieser Nacht würde er früh ins Bett gehen, in der Wohnung seiner Schwester. Sie würde ihn zum Gericht begleiten, wo sein Fall für acht Uhr angesetzt war. Und am Mittag, wenn alles vorbei war, würden wir ein entzückendes Mittagessen einnehmen, alle zusammen – Lucy, Jim, er und ich.

Er wollte gerade gehen, als Jim erschien – finster und mürrisch. Wo Speed gewesen sei, die ganze Zeit? – fragte er verärgert. «Mich alleine zu lassen in dieser besch... Stadt!» – Seine dumpfe, jammernde Stimme klang unmenschlicher denn je. – «Er ist hilflos wie ein Baby – nicht wahr?» stellte Speed mit einer Art zärtlicher Befriedigung fest; dann stürzte er sich in eine absurde Geschichte über «irgendeinen widerlichen Kerl», der ihm einen Job versprochen hätte und ihn dann die ganze Nacht aus reiner Bosheit hätte warten lassen –: «Du weißt ja, wie sie sind, die Dreckskerle...»

Bevor sie gingen, Arm in Arm, fragte mich Speed, mit eigenartig boshaftem Grinsen: «Man sollte es kaum glauben, daß wir Vettern sind – he? Schauen uns nicht ähnlich, Jim und ich. Denkst du, er gereicht mir zur Ehre, Clarence?»

Er lachte lang und herzhaft, dann erklärte er seinem Cousin: «Vor ein paar Wochen hat er nicht verstanden, was ich meinte, als ich ihn dasselbe über Lucy fragte. Er ist eben ein Fremder, wie du siehst, und es gibt eine Menge Wörter, die er nicht versteht. Ich habe ihm einiges beigebracht, aber es gibt vieles, wovon er noch nie gehört hat. Was ist er doch für eine komische kleine Nummer! Er tut mir richtig gut…»

Ich erwartete nicht, ihn vor dem nächsten Mittag wiederzusehen, wenn er von der Gerichtsverhandlung zurück sein mußte. Aber es war halb drei am Morgen, und ich lag im Tiefschlaf, als mich der grelle Ton der Türklingel weckte. Ich fühlte etwas wie einen scharfen Schmerz im Magen, und mein Herz setzte für einen Schlag aus. Ich *wußte* natürlich, daß es Speed war, der klingelte, lauter und lauter – und ich fühlte, daß etwas Furchtbares geschehen würde. Doch ich rührte mich nicht – so, als könnte ich das herannahende Unglück bannen, indem ich mich nicht bewegte, mich versteckte, mich ruhig verhielt.

Schließlich hörte ich, wie die Haustüre aufflog – und das Heulen des Sturms von draußen… Was für eine Nacht! – eisig kalt, unheilvoll und stürmisch, mit starkem Schneefall. Ich hatte schon einige Stunden, bevor ich zu Bett gegangen war, bemerkt, daß ekelhaftes Wetter herrschte. Aber ich erkannte erst jetzt, wie miserabel es wirklich war, als ich in meinem Morgenmantel nach unten eilte, um herauszufinden, was los war.

Die Haustüre stand weit offen. Der tobende Sturm wehte haufenweise Schnee in den Hausflur. Die Straße schien in eine Eis-Wildnis verwandelt – eine Polarlandschaft, erstarrt und zugleich prunkvoll verschönert durch diese gewaltigen Massen von bleichem, flockigem Stoff. Gegen diesen verblüffenden Hintergrund aus wehendem Weiß hoben sich die beiden schwarzen Silhouetten von Speed und Jim ab, die sich in verzweifelter Zärtlichkeit aneinanderklammerten: beide torkelnd gegen die Wand gelehnt – beide kurz vor dem Umfallen. Einige Schritte von ihnen entfernt, mitten im Hausflur, stand Mr. Prokoff, in einem abgetragenen Pyjama aus Brokatstoff – dem merkwürdigsten Pyjama, den ich je gesehen habe –; die Arme zu einer theatralischen Geste überschwenglicher Verzweiflung ausgebreitet, schimpfte, fluchte, klagte er: «Ach, mein Teppich, meine Vorhänge, mein Haus! Alles kaputt, versaut! – Mein anständiges Haus - *verwüstet* von diesen dreckigen Schuften! Unerhört, hierherzukommen – mitten in der Nacht, in diesem skandalösen Zustand! Eine *Unverschämtheit*!... Ach, alles voller Schnee!... Meine Teppiche! Der gepflegte Parkettboden! – Was wird Anita sagen!...» Er sah höchst mitleiderregend aus, wie er so da stand, einem monströsen Vogel gleich, der wild den Kopf bewegte und mit seinen langen flügelhaften Armen flatterte.

Ich flehte ihn an, sich zu beruhigen und sein Zimmer aufzusuchen. Aber er klagte weiter und schüttelte seine kraftlosen Fäuste. Erst als ich die Türe schloß, begann er sich schließlich zurückzuziehen. Er sah schrecklich alt aus, wie er langsam davonwankte und panische kleine Gesten gegen die zwei Eindringlinge machte, als ob sie böse Geister wären, die er zu vertreiben suchte.

Beide waren entsetzlich betrunken. Speed – sein Gesicht, hager und unrasiert, dampfte vor Schweiß – sah verdorbener und wilder aus als je zuvor, und was Jim anbetraf, so schien sein Äußeres noch beunruhigender. Sein Gesicht war blutüberströmt und entstellt von einer schauderhaften Wunde, die seine Oberlippe spaltete. Unaufhörlich rann Blut aus einem klaffenden Riß an seinem Hinterkopf. Es färbte seine Schläfe mit schmutzigem Purpur und hinterließ auf seiner Wange breite Streifen. Sein Mantel war von großen Blutflecken verunreinigt, und an seinen schweren Schuhen klebten aufgeweichter Schnee, Blut und Matsch, vermengt zu einem ekelhaften Brei. Als ich ihn an den Schultern rüttelte, spuckte er eine Menge Blut, und ich konnte sehen, daß einer seiner Zähne fehlte.

Hatte er gerade einen Mord begangen? War er selbst gefährlich verletzt? Er könnte sterben – jetzt, in diesem Haus und in diesem

Flur – und ich würde verdächtigt werden, ihn getötet zu haben... Zweifellos suchte ihn die Polizei: sie könnte ihn hier finden... Was für ein Skandal! Welche Katastrophe!

Ich dachte an alles und an nichts. Ich frage mich, wie ich es fertiggebracht habe, die zwei taumelnden Trunkenbolde in den zweiten Stock hinaufzuschaffen. Ich wollte mein Zimmer erreichen – so verzweifelt, wie ein Schiffbrüchiger nach einem schwimmenden Holzstück greift. Alles würde besser werden – glaubte ich –, das Schlimmste könnte verhindert werden, wenn es mir gelänge, meine zwei grauenhaften Gäste nach oben zu bringen.

Ich erinnere mich nicht, wie mir der entsetzliche Transport gelang; alles, was ich weiß, ist, daß die Szene noch schlimmer wurde, als wir schließlich mein Zimmer erreichten. Speed warf sich auf mein Bett, während Jim stöhnend auf das Sofa niedersank, seine Beine ausstreckte und seinen Oberkörper wie eine leblose, schwere Masse umkippen ließ. Ich bat ihn, seine Wunden zu säubern und seine schmutzigen Schuhe auszuziehen. Aber er schlug nur den Kopf vor und zurück wie ein Verrückter. «Kann mich nicht bewegen... Kann nicht...» stammelte er. «Fühl mich elend... *Kaputt* – so fühle ich mich...» Während ich noch versuchte, seinen schwankenden Kopf auf ein Kissen zu betten – und überlegte, wo ich ein Stück Watte finden könnte, um das aussickernde Blut abzuwischen –, befleckte Speed für seinen Teil mein Bett auf ganz unbeschreibliche Weise. Ich wollte ihm zu Hilfe eilen; aber Jims Faust, feucht und massig, hielt mich zurück, gnadenlos wie eine eiserne Klaue. Er zwang mich niederzuknien, bis mein Ohr in der äußerst unangenehmen Nähe seines Mundes war – dieses stammelnden, mit Blut gefüllten Mundes. Mir wurde ganz übel beim Anblick seiner dicken, plumpen Zunge, die sich, wie ein hilfloses, gräßliches Tier, mühsam in einem klebrigen Fluß von Blut und Speichel bewegte. Ich schauderte bei dem Gedanken, daß dieser entstellte Mund meine Stirn oder Schläfe berühren könnte, während er mir inbrünstig ins Ohr brummte: «Ich bin Speeds Vetter... bin ich, ehrlich... Glaubst du mir nicht, Clarence?» fragte er in einem plötzlichen Ausbruch von Mißtrauen. Dann beharrte er erneut mit einer Art winselnder Emphase: «Speeds Vetter – das bin ich... Speeds Vetter, von zu Hause...» – Zur selben Zeit kam ein anderes Flüstern von meinem besudelten Bett: es war Speed, der kicherte und stammelte: «Hat mir das gutgetan!... Mordsmäßig gut... Einfach das Tollste, was ich je erlebt habe...»

Ich werde es nie vergessen – niemals. In meiner Erinnerung ist alles lebendig, und alles wird bleiben –; die Dialogfetzen der beiden Stimmen – diese wenigen, schwachsinnigen Wörter, endlos wiederholt mit wahnsinniger Monotonie –; der ekelhafte Geruch, das Stöhnen, die schmerzverzerrten Gesichter der beiden Sünder – und das Blut... Meine Hände, meine Kleider, die Möbel, der Teppich – alles von Blut befleckt; eine klebrige Blutpfütze bedeckte große Teile des Bodens – und wuchs ständig: nahe daran, den gesamten Raum zu überschwemmen.

Ich bin kein Held. Ich fürchtete mich zu Tode vor diesen wilden Burschen, die nun in ihrem eigenen Dreck schnarchten. Ich fand sie nicht lustig. Zweitausend von diesen Typen – stellte ich mir vor – waren in der Lage, eine Stadt zu zerstören: zwei Millionen – könnten einen Kontinent verheeren...

Die beiden, Speed und Jim, hatten eine teuflische Fähigkeit bewiesen, mein Zimmer in ein stinkendes Chaos zu verwandeln.

Ich war ihr Gefangener – gefesselt durch meine Furcht vor diesen zwei jungen Ungeheuern, die aufwachen und ihr Zerstörungswerk fortsetzen könnten. – Wie quälend lang war die Nacht! Sie schien endlos... Ich versuchte, mit einem Lappen und einem Fetzen Papier den Boden zu säubern, das Bett und das Sofa. Die beiden schliefen wie Säcke –: Jim lehnte noch in der Sofaecke – mit offenem Mund, die blutigen Hände über dem Bauch gefaltet, ein seltsam frommes Bild; Speed ruhte friedlich mitten im abscheulichsten Morast.

Nachdem ich die erniedrigende Arbeit beendet hatte, die darin bestand, die augenfälligsten Spuren der vandalischen Raserei zu beseitigen, sank ich – völlig erschöpft – in den Sessel, der in der Nähe des offenen Fensters stand. Es war eiskalt; aber als ich das

Fenster schloß, wurde der Gestank unerträglich. So saß ich da, frierend, und starrte in den engen Hinterhof. Schneefall und Sturm hatten aufgehört. Es herrschte vollkommene Stille. Mit traumverlorener Aufmerksamkeit beobachtete ich das geheimnisvolle Spiel der Schatten, das die Höhlen und kleinen Schluchten des zusammensinkenden Schnees mit seinen vielfältigen, wechselnden Färbungen ausfüllte. Allmählich trat der fahle Schimmer der Morgendämmerung an die Stelle der nächtlichen Symphonie aus tiefem Blau, purpurnem Schwarz und melancholischem Grau.

Ich mußte etwas eingenickt sein, trotz der beißenden Kälte und der unbequemen Lage. Das Flüstern, das mich weckte, war das von zwei gerissenen Verschwörern. Sie hockten beieinander, Speed und Jim, auf meinem zerwühlten Bett. Jim hatte sein Gesicht gewaschen. Seine Wunde sah weniger gefährlich aus als noch vor wenigen Stunden. Seine Lippen waren böse geschwollen, und auf seiner Wange zeigte sich eine häßliche Schramme. – Speeds weißes Gesicht schien gehärtet und gestrafft, so, als wäre er älter geworden und erfahrener durch die vielen bösen Taten während dieser schrecklichen Nacht. Seine Stimme klang seltsam dumpf und ausgedörrt – die Stimme eines Lügners, der von seinen eigenen Erfindungen gelangweilt oder sogar angeekelt ist –, als er mir, flüchtig und verschwommen, eine komplizierte und phantastische Geschichte von einer «Spelunke» erzählte, wo sie mit einigen Kerlen Karten gespielt hätten. Sie hätten wirklich Glück gehabt und eine Menge Geld gemacht, es sei ihnen aber prompt geraubt worden, und zwar von derselben Bande, die es zuvor an sie verloren hatte. Es hätte sehr böse ausgesehen –: vier mächtige Kerle hätten sie in einer dunklen Straßenecke angesprungen. Ein schrecklicher Kampf – das sei es wirklich gewesen. «Und die Bullen haben auch mitgemacht dabei», beendete Speed seinen Bericht geheimnisvoll.

«Und *warum* sind wir in diesen Schlamassel geraten?» fragte er mich nach einer theatralischen Pause. «Nur wegen *dir*, Clarence!» – «Bestimmt», beharrte er, als ich mit einer Geste des Erstaunens und des Protestes reagierte, – «Es ist *deine* Schuld, daß ich blau war und mit diesen Schweinehunden aneinandergeraten bin, und überhaupt das ganze Affentheater. Ich konnte nicht schlafen – ehrlich, ich konnte nicht –, weil ich immerzu an *dich* gedacht habe. Was wird mit dir passieren, wenn ich den Richtern erzähle, für wen ich den Tee gekauft habe? – Und wenn ich es ihnen nicht sage – was wird dann mit *mir* geschehen? Mann, ich *kenne* die Tricks, mit denen sie jeden zum Sprechen bringen. Sie schlagen mich zusammen, Tag und Nacht. Sie werden mich nicht schlafen lassen und mir Fragen stellen, Stunden um Stunden – bis ich den Verstand verliere und zusammenbreche und ihnen am Ende erzählen werde, was sie hören wollen.»

Das klang natürlich furchtbar. Ich wußte nicht, was ich sagen sollte. Aber da Speed gnadenlos schwieg, mußte irgend etwas gesagt werden. So murmelte ich schließlich: «Was wirst du jetzt tun?»

Speed zuckte die Schultern, spitzte seine Lippen, als ob er pfeifen wolle, und erklärte dann, beiläufig und doch bestimmt: «Es gibt nur *eins* zu tun. Ich muß die Stadt verlassen. Das ist alles.»

Die Stadt verlassen? – Ich war ziemlich verblüfft. Würden sie ihn nicht genausogut in einem anderen Staat fangen? Und was war mit der Kaution, die seine Schwester bezahlt hatte?

Er erläuterte – immer auf diese merkwürdig distanzierte, geschäftsmäßige Art –, daß alles berücksichtigt und bestens arrangiert sei. Er hätte beschlossen, nach North Carolina zurückzukehren, mit seinem Vetter Jim. Lucy hätte dieser einzig vernünftigen Lösung zugestimmt. Sie würde kein Geld verlieren – nicht *Lucy*! Ihre ausgezeichneten Verbindungen zu gewissen großen Tieren im Polizeihauptquartier schützten sie gegen jede Gefahr und jeden Verlust. «Wir brauchen nur zu verschwinden, Jim und ich – und alles ist in Ordnung», schloß er und sah dabei gefaßt und bitter aus.

Alles, was er brauchte, waren fünfzig Dollar – für die Busfahrt und verschiedene andere Auslagen. Glücklicherweise hatte ich gerade Geld, weil es Monatsende und die Miete fällig war. Ich sehe noch Speeds Gesicht – blaß und konzentriert –, wie er das

Geld zählte. Er hielt zwei Streichhölzer zwischen den Zähnen, die er nervös von einem Mundwinkel zum anderen schob – duftlose, winzige Blüten, verdorrt von der Hitze seiner gierigen Lippen.

Er rief die Busgesellschaft an – der Bus fuhr in ungefähr einer Stunde – und dann seine Schwester Lucy. Der Abschied war erstaunlich kurz und schmerzlos. «Auf Wiedersehn, meine Liebe. Bleib gesund. Ich werd dir schreiben.»

Als er die merkwürdige Unterhaltung beendet hatte, fragte ich ihn unvermittelt – und ich wunderte mich sofort, warum ich es tat –: «Hast du keine Angst vor dem Jüngsten Gericht, Speed?»

Sein Gesicht wurde kalkweiß – wie erleuchtet, für einige atemberaubende Augenblicke, durch den Widerschein einer mächtigen, weißen Flamme. Zugleich lächelte er – ein schmerzliches, verzerrtes Lächeln. Dann sagte er, sehr kurz und ohne mich anzuschauen: «Du weißt nicht, wovon du redest.»

Für eine Weile schwiegen wir alle drei. Schließlich machte Speed eine ungeduldige Bewegung, als wolle er etwas beiseite wischen – einen Schatten oder eine Eingebung, die er störend fand. – «Ich denke, ich sollte meine Sachen packen», sagte er, während er ziellos durch den Raum wanderte.

Aber es gab nichts zu packen.

Inzwischen bürstete Jim geschäftig seine Kleidung. Als er entdeckte, wie schmutzig sein Mantel war, brach er in ein Klagegeschrei aus: «Wie kannst du mich nur in so einem dreckigen Zeug reisen lassen?» – Seine lauten Vorhaltungen schienen Speed auf die Nerven zu gehen. – «Sei still!» schrie Speed und wirkte dabei plötzlich außerordentlich nervös; dann erklärte er, wieder ruhig, mit verletzender Gleichgültigkeit: «Er wird dir *seinen* Mantel geben, nicht wahr, Clarence?» Als ich zögerte, fuhr er mit erschreckender Liebenswürdigkeit fort: «*Natürlich* wirst du, du kannst dir einen neuen leisten, oder nicht? Du willst doch nicht, daß sich mein Cousin erkältet...»

Ich nahm meinen Mantel aus dem Schrank. Es war ein schönes, gediegenes Stück, mit Seide gefüttert, sehr bequem und warm. Anna hatte ihn für mich gekauft, in Wien, vor vielen Jahren. – «Hier ist er», sagte ich. Jim betastete das gute Material mit einem zufriedenen Grinsen: «Modisches Zeug – nicht wahr?»

«Ist schon gut», sagte Speed voller Ungeduld.

Schließlich gingen sie. «Adieu», murmelte Speed, hastig und irgendwie verschämt. «Halt die Ohren steif.»

An der Tür blieb er stehen und zögerte einen Moment. Dann drehte er mit einer scheuen und anmutigen Bewegung den Kopf und sagte schnell:

«Sei mir nicht böse, Karl.»

Es war das erste Mal, daß er mich mit meinem richtigen Namen ansprach. Es klang merkwürdig und rührend, wie er ihn aussprach – langsam und vorsichtig, als wäre er etwas Kostbares, das er nicht verletzen wollte.

Draußen schneite es wieder. Ich dachte an Speed, der keinen Mantel hatte. Ich hätte *ihm* den Mantel geben sollen, wenn ich ihn schon verschenken mußte… Aber Speed braucht wohl keinen Mantel.

Allein. So war ich wieder allein. Allein mit dem Gestank, dem dunklen Zimmer, den vertrauten Erinnerungen… Ein abgetragener Mantel, blutverschmiert, und der vulgäre Glanz von Miss Lucys Bild – das sind die armseligen Trophäen meines Abenteuers.

Innerlich fühlte ich eine Leere – die mich traurig machte und zugleich erleichterte. Das seltsame Zwischenspiel war vorbei…

So dachte ich. Aber ich bemerkte meinen Irrtum, als zwei Tage später das Telefon klingelte und ich Jims bellende Stimme vernahm. «Ich spreche von Washington, D. C.», erklärte er feierlich, als ob er eine geheime Botschaft vom Weißen Haus auszurichten habe. Es hätte keinen Bus gegeben an dem Tag, als sie New York verließen, erklärte er in seiner unangenehm pedantischen Art –: die Busse fuhren nicht wegen des heftigen Schneefalls. So reisten sie mit dem Zug – was viel teurer war. Das Geld, das ich ihnen überlassen hatte, reichte nur für die Fahrt nach Washington – so Jims ausführlicher Bericht. Wie auch immer, eine entzückende Überraschung hatte auf die beiden nach ihrer Ankunft in der Hauptstadt noch gewartet. Miss Lucy in all ihrer Pracht –: sie war per Flugzeug nach Washington geeilt, wild entschlossen, ihren ungezogenen Bruder nach New York zurückzuholen. Denn ihre schlaue Intrige mit dem hohen Tier bei der Polizei war ein völliger Fehlschlag; die Kaution, die ihr Freund bezahlt hatte, wäre verloren, wenn sich Speed nicht ohne Verzögerung der Justiz stellen würde. Speed folgte seiner Schwester und saß nun in einem New Yorker Gefängnis – während Jim in Washington nicht wußte, was er tun sollte, ohne einen Penny und unerfahren, wie er war. Fünfundzwanzig Eier, meinte er, würden ausreichen, um den Rest seiner Reise zu bezahlen.

Ich fragte ihn, wohin ich das Geld schicken sollte – woraufhin er ziemlich ausweichend antwortete. Ich sollte es Lucy geben, sagte er; dann änderte er plötzlich seine Ansicht und erklärte, er würde per Anhalter nach New York zurückfahren. – «Du wirst morgen von mir hören», versprach er, bevor er das Gespräch beendete.

Es dauerte gerade zwei Stunden, bis er wieder anrief. «Hier bin ich», sagte er vergnügt. «Wohlbehalten wieder in New York.» Erst in diesem Moment durchschaute ich den offensichtlichen Betrug. Das Telefongespräch war aus Brooklyn oder der Bronx gekommen – nicht aus Washington. Weder er noch Speed hatten New York jemals verlassen. Die ganze Geschichte vom Schnee, den Bussen, Lucys Überraschungsaktion, Speeds Verhaftung war von vorne bis hinten die unverschämteste Lüge. – Dies ging endgültig zu weit. Zum ersten Mal verlor ich die Beherrschung; ich schrie Jim durchs Telefon an und sagte ihm, er solle sich zum Teufel scheren. Er blieb sehr ruhig, seltsam kalt und überlegen. – «Worüber regst du dich auf? Natürlich – ich war nicht in Washington. Hab ich das jemals behauptet? Ich muß blau gewesen sein, das ist alles. Aber Speed ist *wirklich* verhaftet – ob du's glaubst oder nicht. Und ich denke, du solltest dich um ihn kümmern. Ich meine es ernst, du solltest es tun – *in Ihrem eigenen Interesse, Mr. Kroll*», schloß er mit unheilvollem Nachdruck.

Er sprach wesentlich flüssiger als früher: seine Stimme klang intelligenter und überzeugender. Ich war völlig verunsichert. Stimmte es etwa doch, daß sie Speed verhaftet hatten – hier oder in Washington, oder wo auch immer? Er wurde verfolgt, vielleicht nicht nur wegen der Marihuana-Geschichte, sondern auch und hauptsächlich in Verbindung mit dem blutigen Zwischenfall, der passierte, bevor sie in mein Haus gekommen waren. Es war nicht unmöglich – sogar sehr wahrscheinlich, daß ich gefährlicher in die elende Angelegenheit verwickelt war, als ich zuerst angenommen hatte... Ich überlegte, einen Anwalt anzurufen; aber bevor ich eine Entscheidung gefällt hatte, klingelt es an der Tür: es war Jim.

Ich erkannte ihn zuerst kaum. Er hatte eine erstaunliche Veränderung durchgemacht, nicht nur, weil er einen neuen grauen Hut und einen guten, hellbraunen Mantel trug, sondern durch etwas viel Persönlicheres und Geheimnisvolleres. Sein neues Auftreten zeigte eine gewisse lässige Eleganz, weltmännisch und aggressiv zugleich. Es war beunruhigend – so als habe er endlich eine lästige Verkleidung abgeworfen.

«Hallo, Mr. Kroll», grinste er und winkte aufgeräumt mit der großen, behandschuhten Pranke. «Schön, Sie wiederzusehen.»

Ich sagte: «Was wollen Sie?»

«Speed sitzt im Gefängnis», bemerkte er mit diskret gesenkter Stimme.

«Das sagten Sie bereits. Ich fürchte, daß ich daran nichts ändern kann.»

«Meinen Sie wirklich?» – Er tat ernsthaft überrascht; dann beobachtete er mich eine Weile und schaute dabei unter schweren Lidern hervor. Mir wurde recht unbehaglich zumute.

«Zu dumm.» Er zündete sich eine Zigarette an und schüttelte mit aufrichtigem Bedauern den Kopf. «Zu dumm für *Sie*, Mr. Kroll. Ich nehme an, Sie wissen, daß Sie da in eine unangenehme Geschichte verwickelt sind. Immerhin mußte der arme kleine Speed das Rauschgift für *Sie* kaufen...»

«Was wollen Sie, daß ich tue?» fragte ich, heiser vor Furcht und Entsetzen.

«Es ist sehr einfach», sagte er, so verbindlich wie möglich. «Dreihundert Dollar – das ist alles.»

«Ich verstehe wohl nicht recht…»

«Sie sind ein bißchen langsam, Mr. Kroll.» Er lächelte mich mit einer höchst anstößigen Höflichkeit an. «Ich brauche das Geld, um einige meiner Freunde unter den Polizisten zu schmieren. Was übrig bleibt, reicht gerade für unsere Fahrt nach Kuba.»

«Ich hab das Geld nicht.»

Er zuckte die Achseln. «Das bedeutet Zuchthaus für Sie, Mr. Kroll. Tut mir schrecklich leid.»

«Erpressung», ich schnappte nach Luft. «Nun *weiß* ich endlich, was Sie für einer sind. Das ist ein eindeutiger Erpressungsversuch. Ganz offenkundig…»

«Sie beruhigen sich besser, Mr. Kroll», schlug er vor. «Sie reden Blödsinn, und Sie *wissen* es. *Erpressung!* Was für ein dummes Wort!» Er lachte kurz und näselnd, dann wurde er sehr eindringlich, wie ein wohlmeinender Mann, der den letzten Versuch unternimmt, seinen Freund von einem verhängnisvollen Fehler abzuhalten. «Dreihundert Eier! Das ist doch *gar nichts*, Mr. Kroll – wenn man an den Ernst Ihrer Lage denkt. Sie haben wohl noch immer nicht begriffen, wie streng sie in diesem Land sind, wenn es um illegalen Drogenhandel geht. Und erst, wenn die betreffende Person *Ausländer* ist! – Meine Güte – das macht es noch schlimmer! Was aber allem die Krone aufsetzt», fügte er mit schrecklicher Sanftheit hinzu, als wolle er mir das Schlimmste auf zarte, rücksichtsvolle Weise beibringen, «Speed ist noch ein Kind: gerade neunzehn – nach unseren Gesetzen ist er ein Minderjähriger. Ich hörte es mit eigenen Ohren, wie Sie ihn überredeten, nach Harlem zu gehen, um Stoff für Sie zu besorgen. Denken Sie, ich hätte es nicht gehört, als Sie es ihm zuflüsterten während der Show an jenem Abend? ‹Geh nach Harlem!› sagten Sie, und ich konnte sehen, wie gierig Sie waren, Ihr Rauschgift so schnell wie möglich zu bekommen. ‹Geh nach Harlem, Speed!› Aber er wollte zuerst nicht. Der arme Junge! – Ihm gefiel die Show. So drängten Sie ihn, *Geh, Geh!* – bis er schließlich ging. Das ist ein klarer Fall von Verführung…»

Seine phantastische Unverschämtheit ließ mich zuerst erstarren, dann brüllte ich vor Wut. Ich bin sicher, daß meine Stimme zum Fürchten klang, als ich ihn anschrie, «*Dreckiger Lügner!*» – und «*Verschwinde!*» – Er zeigte keinen Widerstand – nur ein heimtückisches Grinsen, ein gemurmeltes «Okay, Chef» – und dann war er draußen und ließ eine Luft zurück, die verpestet war von abscheulichen Lügen und dem billigen Parfüm, das er für seine neue Zuhälter-Rolle verwendete.

Ich rief einen Anwalt an, den ich auf dem Schiff kennengelernt hatte, als ich aus Europa kam. Er war nicht da. Sie sind immer gerade dann nicht in der Stadt, wenn du sie brauchst. Als Mr. Prokoff den Raum betrat – leise, widerstrebend, mit einem entschuldigenden Grinsen – fand er mich in einem Zustand völliger Verzweiflung, auf dem Bett liegend, weinend wie ein verlassenes Kind.

Ich brauchte ihm nicht viel zu erklären. Er wußte, daß ich in Schwierigkeiten war –: hatte es schon die ganze Zeit gewußt. Er sprach mit Nachsicht und Verständnis. «Wir machen alle Fehler», räumte er ein. «Ich *weiß* ja, was es bedeutet, in der Klemme zu sitzen! Als der Marquis de la Silvaplotta meine Unterschrift auf den Schecks gefälscht hatte und Anita einen hysterischen Anfall bekam, weil ich zur Polizei gehen wollte...» Er lachte vergnügt in sich hinein, angeregt durch seine Erinnerungen; dann wurde er wieder ernst und versprach mir, daß er sich schon um diese verfluchten Kerle «kümmern» werde, wenn sie es wagten, sich wieder blicken zu lassen.

Wir brauchten nicht lange zu warten. Diesmal erschien Jim in Begleitung eines Fremden – «eine Art schmieriger Zuhälter», nach Mr. Prokoffs Beschreibung –, und bei dieser Gelegenheit präsentierten sie, wenn auch nur für einen kurzen Augenblick, dieses geheimnisvolle Dokument. Ich sollte vor Gericht auftreten, als Entlastungszeuge für Speed. Er habe, berichteten sie, versucht, in seiner Zelle Selbstmord zu begehen. Ich sei die einzige Person, die fähig und verpflichtet sei, ihn zu retten. Aber Mr. Prokoff blieb von ihrem dramatischen Bericht unberührt. Er bestand darauf, daß ich vor einer Stunde das Haus verlassen hätte – und daß er keine Ahnung habe, wohin ich gegangen und wann ich zurück sei.

Das passierte gegen neun Uhr. Seit dieser Zeit halte ich mich hier in diesem Loch versteckt. Ich glaube kaum, daß Speeds Zelle schlimmer sein kann… Hat er wirklich versucht, sich zu töten?… Ich frage mich… Wenn es wahr ist – und warum sollte es am Ende *nicht* wahr sein? – dann bin *ich* verantwortlich – dann bin *ich* der Schuldige; dann bin *ich* der Mörder…

Das ist Wahnsinn… Ich werde wahnsinnig…

Speed ist nicht im Gefängnis – *natürlich* nicht. Jim ist ein hartgesottener Gauner: mein Freund Prokoff hatte recht, ihn so zu behandeln. Es ist alles ein Haufen faustdicker Lügen – nichts anderes. Die sogenannte Vollmacht ist eine Fälschung. Sie wollten mich nur erschrecken – oder mich entführen. Vielleicht denken sie, ich hätte reiche Freunde, wohlhabende Verwandte, die, um mein Leben zu retten, ein Vermögen zahlen würden.

Jim ist gar nicht Speeds Cousin: deshalb macht er ihm keine Ehre… Was für ein Narr war ich, dies nicht sofort bemerkt zu haben! Und Lucy? Vielleicht ist sie Jims Geliebte… Jim – der berüchtigte Freund von Speeds Schwester…: noch so ein Witz – und ein guter obendrein! Die Frage bleibt, ob Lucy wirklich Speeds Schwester ist. Hat er auch gelogen, als er mir erzählte, wie sehr er sie liebe und daß sie sein alles sei… Es ist unmöglich. Nein, nein – da log er nicht. Er hat nicht *immer* gelogen. Manchmal sprach er die Wahrheit. Manchmal war seine Stimme so, daß sie die Aufrichtigkeit seiner Worte *bewies*.

Er ist nicht völlig schlecht. Jim – vielleicht; aber Speed nicht. Wild und kindisch – ja; aber nicht von Grund auf schlecht… Erst als Jim auftauchte, hat er sich zu seinem Nachteil verwandelt. Es muß eine ganze Bande ihn beeinflußt, ihn als Werkzeug benutzt haben. Natürlich, da sind Jim und Lucy… Vielleicht ist sie so etwas wie die geheime Drahtzieherin der Bande, die den Jungs die Befehle erteilt, die dann alles machen, was sie will: denn sie sind natürlich alle in sie verliebt – *alle*: sogar Speed…

Ich gerate hoffnungslos auf Abwege in diesem Irrgarten

schmutziger Geheimnisse. Die Erde bebt…: alles schwankt, zittert, fällt zusammen. Und ich stürze mit, torkle auf unsicherem Boden…

Speed und Lucy – Arm in Arm, ein blutschänderisches Paar – in einem atemberaubenden Tempo über eine schimmernde Eisfläche dahingleitend – entzückt von ihrer eigenen, triumphierenden Geschicklichkeit, begeistert Kunststücke vorführend und Kapriolen schlagend… Welch unfaßbarer Anblick! Wie empörend! Wie bezaubernd!… Das verdorbene Kind und die verkommene Prinzessin – vereint in einer zitternden Pose theatralischer Verzauberung, wie zwei Trapezkünstler, die in unglaublichen Höhen arbeiten; abwechselnd liebkost und gnadenlos angestrahlt von den langen, leuchtenden Fingern gewaltiger Scheinwerfer; behende und wachsam, drollig und erhaben; kichernd, sich kabbelnd, flüsternd und einander belügend; angeregt von geheimnisvollen Drogen und dem bösartigen Überschwang ihres unhörbaren Gesprächs. Wie verheerend sind die Kabalen und die verbrecherischen Kindereien, die sie andauernd aushecken, dort oben, auf ihrem luftigen Spaziergang? Und wo liegen die Jagdgründe, in die sie sich jetzt zurückziehen? – sie schweben und steigen in einen reinen Himmel hinauf… Könnte ich ihnen nur auf ihrer frevelhaften Kreuzfahrt über die Straßen der großen Stadt folgen, die wie Schneeschluchten aussehen – über die in Eispaläste verwandelten Wolkenkratzer!… Wäre ich nur ebenso schwerelos, selig beflügelt wie sie!

Ich war ja genau so – so vogelgleich, losgelöst, als ich noch in der Gunst der kapriziösen Zauberin stand, Marihuana… Das liegt weit zurück. Ich wurde wieder schwer – schwer wie ein Stein – wie ein menschlicher Körper… Keine Chance mehr, Schritt zu halten mit dem verzauberten Paar. Ihre zerbrechlichen Gestalten beginnen schon undeutlich zu werden. Eine Minute noch – und sie werden verschwunden sein – aufgelöst in diesem bleichen Dunst… Diese leeren und freien Punkte – schon weit entfernt, gestaltlos und nur schwach glänzend – das ist alles, was von ihren Gesichtern bleibt.

Oh, Annas Gesicht! Lucys Gesicht! Speeds Gesicht! Welches

davon habe ich verloren? Welches hat mich allein gelassen? Ist es meine Frau? Mein Sohn? Die Schwester meines Sohnes? Ist es eine Frau, die ich liebte, ohne sie zu kennen? Das Mädchen, das mein Sohn «Liebling» nannte? Ein Fremder, der mich ausrauben wollte? – Oh, meine verunstaltete, meine gestaltlose Frau! Meine nie gesehene Geliebte, mein ungeratener Sohn – verschmolzen, alle drei, zu einer nicht aufzulösenden Einheit...

Aber *das hier* ist die Wirklichkeit. Die Haustür!

Ist es wieder Jim?

Stille – wie lange sie dauert! – Und jetzt Schritte...

Aber nicht die von Mr. Prokoff... Und dies ist nicht die Stimme von Speeds Cousin Jim.

Es ist Speed selbst. Und wer die Türe geöffnet hat, ist Anita Prokoff.

«Oh, *Sie* sind's, Mrs. Prokoff! Schön, Sie zu sehen...»

Speeds Stimme – sanft und ein bißchen heiser; gurrend in verantwortungsloser, zielloser Sinnlichkeit.

«Ich wollte eigentlich nach Clarence sehen –: er bat mich vorbeizuschauen...»

Er ist also nicht im Gefängnis, hat niemals daran gedacht, sich umzubringen...

«Aber es ist *viel* schöner, mit *Ihnen* zu plaudern, Mrs. Prokoff...»

Und sie – widerstrebend, und doch fiebernd vor Eifer, das Gespräch fortzusetzen –: «Nun, Mr. Speed – mir scheint, es dürfte reichlich spät sein...»

Speed – ganz leichtsinnige Galanterie –: «Was macht das schon, Mrs. Prokoff!»

Stille. Sie scheinen zu zögern – einander anzustarren; sich zu fragen, wie es weitergehen soll. Es ist Speed, der wieder zu reden beginnt.

«Ziemlich kalt hier draußen, nicht wahr.»

Sie stimmt zu und fragt voller Zärtlichkeit und Rücksicht: «Frieren Sie denn nicht, Mr. Speed? – ohne Hut und Mantel...

Nein, die Kälte macht ihm nichts aus – er spürt sie gar nicht.

Dennoch hat er nichts gegen eine Tasse Tee einzuwenden – im Gegenteil:

«Danke, Mrs. Prokoff – das ist richtig nett von Ihnen! Ich hatte schon Angst, Sie könnten mir böse sein – weil ich bei Ihnen hereinschneie, um diese Zeit... Sie sind so gut zu mir, Mrs. Prokoff...»

Und beide kichern wieder.

Es ist, als ob ich sie sehen, sie durch die Wand beobachten könnte –: wie sie feixen und schnurren gleich zwei ungeheuren Katzen. Was für ein ausgefallenes Paar sie sind! – Die verwelkte Schöne und das verdorbene Kind... Welch seltsame Pantomime führen sie auf! *Sie* – kokett trippelnd, trotz ihrer beträchtlichen Beleibtheit – lockt ihn unter ausgiebigem Zwinkern und Grinsen in die Küche; *er* – sehr geschmeidig in seinem abgetragenen Anzug, mit dem riesigen rosaroten Tuch in der Brusttasche – folgt ihr beschwingt und elastisch wie immer in seinen ausgebleichten spitzen Schuhen – jenen griechischen Sandalen im Zustand des bezaubernden Verfalls. Die Streichhölzer, diese verwelkten Blumen, scheinen zwischen seinen gierigen Lippen erneut zu erblühen.

«Sie sollten etwas essen, Mr. Speed...» Das ist ihre flüsternde Stimme; dann kichert sie: «Ist ein verrückter Name, wenn man es bedenkt! *Speed*... Ich kannte noch nie einen, der so heißt.»

Und er – mit heiserer, schmeichelnder Stimme, als wäre es eine Liebeserklärung –: «So einen wie mich hast du ohnehin noch nie kennengelernt...»

Wie grotesk das Ganze! Wie schäbig! Wie absurd!

Wie ungeheuer komisch!

Es amüsiert mich: Ich muß lachen – ein großes, ausgelassenes Lachen strömt aus meinem Innersten.

Ich komme wieder zu Atem. Welche Erleichterung! – unbeschreiblich... Ich bin *gerettet* – in diesem Moment gerettet vor Schande und Untergang. Und es ist Mrs. Prokoff – unersättliche alte Haut! –, der ich meine endgültige Befreiung verdanke!

Mrs. Prokoff – meine Retterin! – Zum Schreien!

Die frühere Geliebte des Marquis de la Silvaplotta – Prokoffs arme, launische Ehefrau –, gefesselt, hereingelegt, hingerissen von Miss Lucys verdorbenem kleinen Bruder – meinem verlorenen Sohn!

Er wird mich völlig vergessen, seine gefährlich scherzhaften Intrigen – die Vorladungen, den «Tee», das Gefängnis, den Selbstmord und die Freunde seiner Schwester. Es gibt viele andere Dinge, die nun zu tun und zu bedenken sind.

Ihre Stimmen – dieser außerordentliche Dialog zwischen meiner Vermieterin und dem erpresserischen Burschen – entfernen sich. Sie müssen die Küche erreicht haben. Nun gießt sie heißen Tee in seine Tasse; bietet ihm ein Stück Kuchen an, «Ist selbstgemacht», bemerkt sie stolz. Und er ißt – gierig kauend und schluckend und dabei lächelnd.

Das tut mir gut – mordsmäßig gut!

Eine Woge wilder Heiterkeit schwemmt alle meine Befürchtungen hinweg, die Schatten einer fixen Idee, einer großen Sorge, dunkler Melancholie, die vertraute Versammlung gespenstischer Erinnerungen. Ich fühle mich, als sei ich von einer bösen Krankheit genesen: endlich entlassen aus stumpfer Knechtschaft; – gezeichnet, aber zugleich erfrischt und auf geheimnisvolle Weise gestärkt.

Was macht mich so überaus glücklich? Ist es, weil ich Speed gekannt habe? Oder weil ich ihn los bin?

Wie unberechenbar wir sind! Wie unergründlich! – Die Menschen untereinander, und jeder von uns sich selbst gegenüber. Man kann niemals sagen, was die Ursache für die große Mühsal in einem Menschenleben ist, noch kann man den Grund für eine überwältigende Freude erkennen. Es geschieht nun einmal. Und es ist großartig.

Es ist großartig, daß ich dieses Haus verlassen werde, mit all seinen trübseligen Gerüchen und den bedrückenden Geräuschen. Ich werde meinem guten Freund Prokoff auf Wiedersehen sagen. Ich könnte ihn bitten, Mrs. Prokoff herzlichst zu grüßen – und ihr zu danken.

Ich fange ein neues Leben an. Ich werde umherziehen und arbeiten und endlich vergessen, was ich zurückgelassen habe. Ich werde nicht mehr an Anna denken. Ich werde eine Frau finden und sie lieben. Vielleicht werde ich auch einen Sohn haben. Er wird nicht wie Speed sein, um Gottes willen, nein! Aber wenn er ihm ein ganz klein wenig «Ehre macht» – dann würde es mich nicht gerade stören...

Du wirst überrascht sein, Speed, wenn du mich jemals wiedersiehst. Wo wird das sein? Und *wann*? Unter welchen Umständen?

Ich hoffe, daß auch du dann Fortschritte gemacht hast – und daß der kleine, boshafte Taugenichts schließlich doch zu einem *Mann* herangereift sein wird. Es wird nicht leicht sein, Speed – weder für dich noch für mich. Uns beiden wird noch eine Menge Ärger bevorstehen – manches Leid, manche Freude, Enttäuschungen und ewige Ungewißheit.

Wir werden einen Mordsspaß daran haben, nicht wahr.

Es fängt alles erst an.

Le Dernier Cri

Was für eine seltsame Idylle das war! – dieser provinzielle österreichische Kurort und sein repräsentatives Hotel – das Bellevue. Ich erinnere mich weder, wer mir den tristen Ort empfohlen hatte, noch warum ich dort vierzehn Tage oder sogar länger blieb – anstatt sofort zum nächsten Zug zu eilen, kaum daß ich die langweilige Promenade erblickt hatte, das verschlafene Kurhaus, die staubigen Palmen, mit denen die verlassene Halle des Bellevue geschmückt war.

Auf diesem Hotel und all seinem verblichenen Glanz lastete etwas unglaublich Deprimierendes. Das gesamte Etablissement – gräßlich aufwendig mit seinen Marmortreppen, riesigen Ballsälen, schwülen Separeés und geheimen Korridoren – strömte eine höchst aufdringliche Erinnerung an jene legendären Tage des scheußlichen Geschmacks und des großen Amusements aus – als russische Großherzöge mit wildem, dröhnendem Gelächter drallen Zimmermädchen nachstellten, österreichische Offiziere Champagner aus Damenpantöffelchen schlürften, während gutaussehende Prinzen des Hauses Habsburg hartnäckig ihr «Inkognito» wahrten, obwohl ihre wahre Identität jedermann nur zu bekannt war –: der imposante Empfangschef – sehr Franz-Joseph-ähnlich mit seinem wunderbaren Backenbart – lächelte hämisch, wenn er seine Kaiserliche Hoheit einfach als Herr Baron titulierte... Wie weit weg das scheint! Wie unwirklich! – dieser verwelkte Glanz vergessener Feste – die schwerelose Fröhlichkeit des Lachens und der Walzer längst vergangener Zeiten... Ich erkannte den Reiz und das Absurde dieser versunkenen Welt, als ich in einen der trüben Spiegel schaute, die die Wände der Bar des Bellevue zierten.

In jenem goldgerahmten Spiegel erblickte ich zum ersten Mal die Baronesse. Ihre zerbrechliche Figur stieg nach und nach aus den schattigen Tiefen des Glases hervor, wie eine Seejungfrau langsam aus ihrem kühlen Versteck auftaucht. Lachend betrat sie am Arm eines plumpen Kavaliers die Bar. Sie war äußerst attraktiv.

Zuallererst nahm ich ihre Augen wahr – überproportional groß, untröstlich traurig unter einem kessen Hut. Es gab mir einen Stich ins Herz, als ich sie beobachtete, wie sie die leere Bar durchschritt – königlich aufrecht, eingehüllt in die aufreizende Süße ihres Parfums und die triumphierenden Kaskaden ihres perlenden Gelächters. Ich war gebannt, hingerissen, verwirrt – von der schimmernden Blässe ihres alterslosen Gesichtes, der seltsamen Eleganz ihrer Kleider, und vor allem von dem beunruhigenden Kontrast zwischen der heiteren Melodie ihres Lachens und der unergründlichen Melancholie ihrer Augen.

Niemals werde ich die erste Darbietung ihres Repertoires, der ich beiwohnte, vergessen. Ihr Begleiter war mittleren Alters – hakennasig, dunkel und schmierig –: wahrscheinlich ein unbedeutender Geschäftsmann vom Balkan. Sie tranken Champagner – was sollten sie sonst trinken? Champagner ist ein unersetzliches Requisit des traditionellen Bühnenbildes: er gehört genauso zur Vorstellung, wie Ophelias Blumen oder der Totenkopf Grundbestand für jede Hamlet-Inszenierung sind.

Alles war comme il faut – entsprechend den Regeln des klassischen Musters arrangiert und ausgeführt. Seine banalen Scherze und ihr silbriges Kichern; die schlüpfrigen Refrains altmodischer französischer Chansons, die sie mit aufreizender Nonchalance rezitierte; sein Entzücken und seine ungeschickten Versuche, ebenfalls spritzig zu sein: alles zusammen schien wie die Szene aus einer musikalischen Komödie – lang geprobt, oft aufgeführt.

Während sie mit ihm flirtete und ihn «mon choux» und «mon petit coco» nannte, wollte sie mich wissen lassen, wie angeekelt sie in Wirklichkeit von seinen schlechten Manieren und seiner Häßlichkeit war. Sie zog Gesichter hinter seinem Rücken und warf mir verächtliche Blicke zu – nur um mich zu informieren, daß sie ihn für einen Langweiler halte und er sie bis zum Wahnsinn anöde. Ihr Abscheu war ehrlicher und echter als ihre künstliche Fröhlichkeit. Und doch, seltsamerweise, war sogar diese ihre tragische Haltung nicht ganz aufrichtig. Das Leiden, das sie scheinbar zu verbergen suchte, war in Wirklichkeit nur eine weitere Facette des traditionellen Musters: hier bin ich, vollkommen entwürdigt und verderbt! – mein armes Herz blutet, von Scham und Schmerz zerfressen – während ich den Anschein erwecke, mich mit diesem widerlichen Idioten zu amüsieren…

Als sie gegangen war – nicht ohne mir ein trauriges, aber vielversprechendes Lächeln geschenkt zu haben –, fragte ich den Barkeeper, ob er denn wisse, wer sie sei. – «Jene Dame?» – Er zuckte die Schultern und schien etwas schockiert – entweder über meine Unkenntnis oder über meine frivole Neugier. – «Ach so, natürlich – das ist die Baronesse», sagte er nicht sehr begeistert; dann fügte er hinzu, während er gelangweilt und mechanisch seinen Cocktailshaker weiterschüttelte: «Sie lebt hier seit vielen Jahren.» Ich war nicht ganz sicher, ob das in seinen Augen für die Baronesse sprach oder ob er ihren langen Aufenthalt im Bellevue eher mißbilligte. Während ich noch mit dieser schwierigen Frage beschäftigt war, informierte er mich – nebenbei, aber mit der diskret gesenkten Stimme des erfahrenen Kupplers: «Appartement 36 – falls Sie interessiert sind… Aber rufen Sie lieber vorher an, ehe Sie sie besuchen gehen. Sie ist ganz schön beschäftigt – manchmal…»

Ich versicherte, ziemlich indigniert, daß ich sicher keine solchen Absichten hätte, worauf er wieder die Schultern zuckte und sich zurückzog.

Ein Rendezvous mit ihr? Was für eine drollige Idee! – Ja, mir gefiel das zarte Oval ihres blassen Gesichtes, und etwas an ihrer Stimme und an ihrem Lächeln berührte mich. Es war in der Tat recht aufregend gewesen, als sie mir hinter dem Rücken ihres Liebhabers diese verschwörerischen Blicke zugeworfen hatte… Aber ein Rendezvous? Das würde wahrscheinlich teuer werden – und kaum das Geld wert sein…

Und dennoch, als ich die Halle durchschritt, blieb ich an der

Rezeption stehen, von wo aus der Empfangschef, Herr Tulpitz, majestätisch alle Vorkommnisse des Bellevue überwachte. Er war ein eindrucksvoller alter Bursche, dieser Herr Tulpitz –; wirklich ein idealer Portier – würdevoll, aufmerksam und gütig. Er würde mir geradeheraus und doch taktvoll sagen, ob es angeraten war, sich mit der sogenannten Baronesse anzufreunden.

Seine Reaktion auf meine unauffällige Frage erregte mein Erstaunen, ja bestürzte mich geradezu. Er schien unangemessen erfreut und gleichzeitig erschreckt, geschmeichelt wie auch verwirrt und insgesamt verstört, von Aufregung überwältigt. – «Die Baronesse de La Motte-Tribolière?» fragte er – und sprach den grandiosen Namen mit einer gewissen feierlichen Zärtlichkeit aus. Es entstand eine lange, frostige Pause, bis er hinzufügte – ganz Strenge und ernsthafte Mißbilligung –: «Ich bin überrascht, mein Herr. Sehr, sehr überrascht, in der Tat.»

Ich lächelte verlegen und fühlte mich ziemlich albern und schuldbewußt. Schließlich wagte ich, reichlich zögernd, zu sagen: «Ich nehme an, sie ist irgendwie berühmt?»

Irgendwie berühmt?» – Jetzt schien er eher betrübt als verärgert. Seine Augen, feucht vor Trauer und Liebe, sahen durch mich hindurch. – «Sie ist der Stolz des Bellevue», befand er schließlich und nickte ernst. «Seine Kaiserliche Hoheit pflegte sie ‹mein Herzens-Schmetterling› zu nennen…» – Wie sanft seine Stimme jetzt klang! Er schüttelte den Kopf – in Erinnerungen versunken. «Der Stolz des Bellevue – seit siebenundzwanzig Jahren…»

«Siebenundzwanzig Jahre?»

Er fuhr auf, als ob er aus einem grauenvollen Traum erwache. – «Sie müssen mich entschuldigen, mein Herr», sagte er kurz angebunden, in einem seltsam endgültigen Ton –: er war fast grob – ich hatte ihn noch nie in einem solchen Zustand gesehen. «Ich habe sehr viel zu tun.»

Er beendete die Unterhaltung wie ein Monarch eine Audienz.

Als ich jedoch am nächsten Morgen vorbeiging, verbeugte er sich huldvoll, und als ich vor seinem thronähnlichen Pult stehenblieb, flüsterte er mir mit unterdrückter Leidenschaft zu: «Wie geht es Ihnen heute morgen, Herr Baron?» (Er wußte natürlich, daß ich kein Baron war, und er hatte mich vorher nie so genannt.) «Ich hoffe, Sie hatten eine gute Nacht und haben all den Unsinn vergessen, den ich Ihnen gestern erzählt habe.»

Ich tat so, als verstünde ich ihn nicht. – «Die Baronesse de La Motte-Tribolière», murmelte er – diesmal genoß er das Vergnügen, ihren Namen auszusprechen, mit einer gewissen angstvollen Hast, wie von einem Schuldgefühl beunruhigt. «Wie dumm von mir zu sagen, daß sie seit fünfundzwanzig Jahren hier lebt!» – «Siebenundzwanzig Jahre», verbesserte ich ihn sanft, aber bestimmt. – «Wo ist da der Unterschied?» Er ließ ein gequältes Lachen hören. «Jedenfalls ist es eine alberne Lüge. Ich wollte witzig sein, das ist alles. In Wirklichkeit habe ich keine Ahnung, wie lange die Baronesse hier im Bellevue lebt. Es können fünf Jahre sein, oder neun oder dreißig… Auf jeden Fall sollte ich mit dem, was ich sage, vorsichtiger sein. Mein dummes Geschwätz könnte ihrem Ruf schaden.»

Ihrem Ruf? – Ich hatte wohl etwas höhnisch gelächelt. Herr Tulpitz, der meine Gedanken erriet, nickte düster. «Ich weiß, ich weiß – die Leute sind bösartig heutzutage, garstig und engstirnig – das sind sie. Dieser ganze schmutzige Klatsch – ich kenne ihn nur zu gut…» Es entstand ein Schweigen, während er über einem bedrückenden Geheimnis brütete – dabei strich er durch das seidige Silber seines herrlichen Backenbartes. Endlich besann er sich, als ob er zu einer harten, aber zwingenden Schlußfolgerung gelangt wäre. «Ich kann es Ihnen genau so gut geradeheraus sagen», begann er, und seine Stimme bebte vor Erschütterung. Er hielt inne und fuhr dann mit verzweifelter Offenheit fort: «Sie ist gar keine Baronesse. Sie kann natürlich die Gattin eines Baron de La Motte-Tribolière gewesen sein – vor vielen Jahren, in Monte Carlo oder Kairo… Aber jetzt – unter den gegenwärtigen Umständen – ist sie nur eine Frau, die…» Er fand nicht das richtige Wort, und verkündete schließlich: «Eine *Kurtisane* – das ist sie in Wirklichkeit.»

«Eine Kurtisane»… Was für eine seltsame prätentiöse Bezeichnung! Es klang altmodisch und irgendwie phantastisch…

«Also ist sie einfach eine Hu…?» – Er unterbrach mich mit einem verachtenden Blick und einer gebieterischen Geste. «Jetzt hören Sie mal zu, junger Mann!» sagte er langsam und mit unheilvoll gesenkter Stimme. «Wenn ich sage Kurtisane, meine ich eine Kurtisane – nichts anderes. Bedauerlicherweise sehe ich, daß Sie – wie die meisten jungen Männer heutzutage – nicht den Unterschied zwischen einer billigen Prostituierten und einer großen Kokotte kennen. Die Baronesse de La Motte-Tribolière ist eine Meisterin ihres Faches – so wie es Signor Caruso oder Madame Sarah Bernhardt in ihrem Fach waren. Herren von größtem Vermögen und bester Reputation scharen sich um ihre hinreißende Persönlichkeit. Ich könnte Ihnen Geschichten erzählen über Männer aus den höchsten Kreisen, die von ihr verzaubert und beherrscht wurden – und ruiniert…» Er stockte und errötete – das berührte und beeindruckte mich: dieses faltenreiche, väterliche Gesicht von einem momentanen Rot übergossen. Dann fuhr er fort – wieder gefaßt und würdevoll: «Jedenfalls ist sie eine Dame von großem Talent und bemerkenswertem Hintergrund. Ich wage es in der Tat zu sagen, daß sie die *letzte* ist – die letzte würdige Repräsentantin des großen Stils, der echten Tradition. Ich habe in meiner Zeit viele gesehen; aber nur wenige, die der Baronesse de La Motte-Tribolière ebenbürtig wären – und keine, absolut *keine*, die sie übertraf. – Mein Ehrenwort!» schloß er mit fester und doch leicht zitternder Stimme. «Sie ist wirklich erstklassig. Glauben Sie einem alten Connoisseur, der genau weiß, wovon er spricht.»

Die feierliche, kleine Ansprache des Herrn Tulpitz hatte einen beachtlichen Eindruck auf mich gemacht. Ich rief mir seine Worte ins Gedächtnis, während ich die Baronesse weiterhin beobachtete – mehr und mehr von ihrer Erscheinung angezogen. Also so sieht sie aus – überlegte ich, als ich sie betrachtete –: die letzte der großen Kokotten…

Es ergab sich immer wieder, daß sie und ich die einzigen Personen in der Halle oder in der Bar waren – eine Stunde oder sogar länger. Sie pflegte dort zu sitzen – gelähmt von Langeweile oder

Melancholie, versunken in düsteren und geheimnisvollen Träumen. Sie war viel allein – verschwendete ihre Zeit mit vergilbten Zeitschriften oder starrte einfach vor sich hin ins Leere. Manchmal lächelte sie mir zu – ein flüchtiges, bedeutungsloses Lächeln – oder warf mir einen raschen Blick zu, voller Leiden und Verführung.

Wie verdiente sie nur ihren Lebensunterhalt, wo sie so extrem lustlos und passiv war? Wie konnte es sich eine professionelle Kurtisane leisten, wertvolle Stunden in einem Sessel zu vergeuden – träge zurückgelehnt, lethargisch, bewegungslos wie eine zerbrechliche Statue – eine kostbare Puppe aus Glas und Seide, aus sehr feinem, fast durchsichtigem Marmor?

Wenn sie Besucher empfing, benahm sie sich natürlich anders, sie wurde plötzlich spritzig und lebhaft – was aber selten vorkam; ungefähr einmal pro Tag, am späten Nachmittag. Dann produzierte sie sich und glänzte – bebend vor verführerischem und perlendem Gelächter. Wie bezaubernd sie war! – Wie entzückend die flinke Eleganz ihrer schnellen Bewegungen! Gleichzeitig jedoch konnte mich dieser schwindelerregende Auftritt auch ein wenig deprimieren. Ihre Vorstellung war von mechanischem Schwung – eine routinierte Ausgelassenheit, wie man sie in den Zügen und im Lächeln einer alternden Primaballerina entdecken kann – noch gefeiert, doch schon müde –, die dasselbe Ballett zum tausendsten Male tanzt. – Ich nehme an, es war zum Teil ihren Kavalieren zuzuschreiben, daß das ganze Bild so niederschmetternd wirkte. Die meisten von ihnen waren tatsächlich ziemlich öde – ältere Kerle mit verlebten, schlaffen Gesichtern; gräßliche alte Wüstlinge, groteske Figuren mit Monokel und lächerlicher Perücke – die verzweifelt versuchten, schneidig und jugendlich verrucht auszusehen. Wo kamen sie her, und warum trafen sie gerade hier zusammen? Las die Baronesse ihre Liebhaber in Krankenhäusern und Asylen auf? Hatte sie keinen Freund unter siebzig? Was stimmte nicht mit ihr? Denn, unbestreitbar, *irgend etwas* mit ihr war nicht in Ordnung...

Warum ging sie niemals aus?

Dies war der befremdlichste Zug an ihrem verwirrenden Verhalten –: daß sie niemals das Hotel verließ; nie auch nur ein wenig frische Luft atmete, niemals einen Fuß auf die Straße setzte. Sie schien eine Gefangene des Hotels Bellevue zu sein – verdammt dazu, den Rest ihrer sündigen Tage in dieser düsteren Halle zu verbringen, bewacht von der grimmigen Zärtlichkeit des Herrn Tulpitz. Wie eine Nonne durch ein feierliches Gelübde gebunden, ihr Kloster nicht zu verlassen, so wanderte sie immerfort – eine gespenstische und parfümierte Heilige – zwischen der staubigen Halle, der schwülen Bar und ihrem Appartement, Nr. 36: auf skandalöse Weise für eine lasterhafte Öffentlichkeit zugänglich, aber für mich aus irgendeinem geheimnisvollen Grund unerreichbar...

Wurde sie von der Polizei gesucht, und war das Bellevue der einzige Platz, wo sie sich vor einem Zugriff sicher fühlte – so wie in den frommen Tagen des Altertums sogar Mördern Schutz gewährt wurde, solange sie sich innerhalb der Mauern eines heiligen Ortes aufhielten? – Oder war sie durch ein Abkommen mit der Direktion verpflichtet, ihre Aktivitäten auf die Räumlichkeiten des Hotels zu beschränken? – Oder mußte sie vielleicht jeglichen Kontakt mit der Außenwelt vermeiden, weil die künstliche Maske ihres Gesichtes nicht die natürliche Berührung von Sonne, Wind und Regen aushalten konnte? Sogar die milde Brise eines Frühlingstages könnte sich für die dem Verfall geweihte Substanz ihres delikaten Fleisches als verhängnisvoll erweisen; es würde sich unter den Liebkosungen der kraftvollen Luft sofort in Nichts auflösen – so wie bestimmte Mumien, die, in der dunklen Geborgenheit ihrer Grabkammern hervorragend konserviert, sofort zerfallen, wenn sie der Feuchtigkeit, Kälte und Hitze ausgesetzt werden. – Oder fürchtete sie nur die Häßlichkeit und grausame Nüchternheit unserer modernen Welt?

Ich hatte begonnen, bruchstückhafte Gedanken über ihren Charakter und ihre Lage zu notieren – über das komplizierte Phänomen ihrer Existenz. Die gründliche Analyse dieses merkwürdigen Typs – die letzte Kurtisane –, darüber grübelte ich. War das allmähliche Verschwinden dieses Frauentyps – genannt die große Kokotte – nicht eine Tatsache, die eine höchst ernsthafte Überlegung verdiente? Sie starben einfach aus – wie manche Riesensalamander, Zwerghunde oder überkommene literarische Manierismen. Wie konnten zeitgenössische Chronisten eine so aufregende Entwicklung vernachlässigen – einen so bitteren und grausamen Verlust? Schließlich hatten sie früher eine tragende Rolle in der Weltgeschichte gespielt – diese schillernden Damen; von Aspasia bis zu den aristokratischen Vamps der Renaissance, von der Pompadour und der Du Barry bis zu den grandiosen Halbweltdamen des neunzehnten Jahrhunderts – halb Ausgestoßene, halb Königinnen: sie lebten im Glanz, starben im Elend und wurden schließlich von Balzac und Heinrich Heine, Maupassant und Zola, Renoir und Toulouse-Lautrec verewigt. – Heute gibt es natürlich immer noch Damen von zweifelhaftem Ruf – ausgehaltene Frauen, Femmes fatales in den verschiedensten Schattierungen – «Hauruck-Mädchen», gierige Abenteurerinnen. Aber ihr Stil und Geschmack, ihre Tricks und Ambitionen haben sich in bedauerlicher Weise verändert. Heute wollen sie Karriere beim Film oder im Geheimdienst eines totalitären Staates machen. Das ganze Spiel ist geschäftsmäßig und prosaisch geworden –: ohne jede Romantik.

Eine vom Fieber einer dauernden Krise geschüttelte Welt hat weder Raum noch Zeit für die ausgefallenen Launen von Individuen. Es sind in der Tat schlechte Zeiten für die Ars amandi. Ein neues, militärisches Pathos, laut, roh und unerbittlich, fegt die Sünden und die Reize einer gefestigteren Gesellschaft hinweg. Eine oberflächliche Freizügigkeit entwertet die althergebrachten Rituale und raffinierten Umständlichkeiten kostspieliger Laster: die merkwürdige Moral von 1940 hat keine Einwände gegen das Bombardement offener Städte, mißbilligt aber streng sinnliche Finessen, die der Stärke der Nation abträglich sein könnten. Die Reichen finanzieren lieber politische Parteien statt verwöhnte Frauen; die Armen werden von der dröhnenden Eloquenz der Diktatoren betäubt; Tyrannen werden zu Asketen – junge Burschen zu Mördern – und die Baronesse de La Motte-Tribolière verbringt ihre Tage in trister Einsamkeit – sie grübelt über die grausame Veränderung aller weltlichen Dinge... Ähnelt sie nicht wahrhaftig jenen tragischen Hexengestalten, denen man gelegentlich in den kunstvollen Märchen einer verschnörkelten deutschen Romantik begegnet? Auch sie sind sehr einsam – jene letzten Zauberinnen –, fürchterlich verlassen in einer Welt, aus der die Philosophie der Aufklärung und die Erfindung der Glühbirne alles Geheimnisvolle und allen Zauber verbannt haben…

So spekulierte und träumte ich vor mich hin, indem ich von Zeit zu Zeit einige sporadische Worte und Sätze niederschrieb – als unvermutet die Baronesse hinter mir stand. Sie war geräuschlos und katzenhaft nähergekommen –: ich bemerkte sie erst, als ich mit einem leichten, recht angenehmen Schauder die eisige Zärtlichkeit ihrer Fingerspitzen auf meinen glühenden Schläfen spürte. Da war ihr silberhelles Lachen – melodiös, obschon etwas gezwungen. – «Wie schrecklich geschäftig Sie sind! Ich kann das nicht länger mit ansehen. Ich beobachte Sie schon seit einer halben Stunde. Es macht mich unglaublich nervös, einen Mann mit solch gräßlichem Eifer arbeiten zu sehen. – Was kritzeln Sie hier überhaupt? Etwas über *mich*? Was für ein unartiger Junge Sie sind!» – Sie hob einen weißen, zerbrechlichen Finger und drohte mit spielerischer Strenge – eine unpassende und ziemlich lächerliche Geste. Noch nie zuvor hatte ich sie so völlig ihres Charmes und ihrer Würde beraubt gesehen.

«Und, nebenbei bemerkt, was wissen denn Sie von mir?» fragte sie voll banger Ahnung. «Wohl *gar nichts*, nehme ich an – außer den lächerlichen Geschichten des Herrn Tulpitz – der Arme…» Die letzten Worte sprach sie langsam aus, mit einem seltsam lauernden Zwinkern. Ich versicherte hastig: «Herr Tulpitz ist so diskret, wie man nur sein kann. Ich habe nie auch nur ein Wort des Klatsches von ihm gehört.» Sie zuckte mit den Schultern und schien eine Spur enttäuscht. «Der Arme», wiederholte sie; und dann fügte sie hinzu, während sie ihr Make-up in einem winzigen Spiegel überprüfte: «Er ist übergeschnappt, total plemplem. Armer, alter Liebling.»

Es lag etwas überraschend Hartes und auch Vulgäres in ihren Worten und in dem abrupten kleinen Lachen, das folgte. Ihr Lächeln und ihre Stimme wurden jedoch weicher, als sie fortfuhr:

«Er lebt in seiner eigenen Welt. Ich bin sicher, er glaubt *wirklich*, daß er früher sehr reich gewesen ist, daß die Leute ihn mit Exzellenz anredeten und wir – er und ich – in einer wundervollen Wohnung in Paris lebten – vor vielen Jahren. Das ist eine ganz schöne Geschichte. Ich war die große Kurtisane und er der Adlige, der mich retten wollte... Aber ich verliebte mich in den kaiserlichen Prinzen, und es gab einen Skandal in Wien – einen Riesenskandal, tout le monde sprach darüber... Also flohen wir nach Paris, und da betrog ich ihn wieder; denn ich war die Unverbesserliche – und er liebte mich, und dann kam der Krieg, und er verlor sein ganzes Geld und seinen Titel und überhaupt alles: nur seine Liebe zu mir behielt er – seine ewige, unsterbliche Liebe –, und ich verdiente Geld für ihn. Er war nicht mehr eifersüchtig – er konnte es sich einfach nicht leisten. Aber er liebte mich immer noch. Wir hatten eine herrliche Zeit – bevor wir hier an diesem trübseligen Platz landeten... Aber das war natürlich vor langer, langer Zeit...»

Ihre Stimme hatte den schläfrigen, rhythmischen Singsang angenommen, womit Mütter ihren Kindern Märchen erzählen. Aber dann kam wieder jenes harte, aggressive kleine Klirren ihres nervösen Lachens. «Das ist natürlich alles reine Erfindung», schloß sie. «Aber er glaubt es wirklich. Und schließlich, warum auch nicht? Wenn er sich dabei besser fühlt...»

Dann fragte sie mich, so ganz nebenbei, ob ich Lust hätte, sie heute abend zum Essen auszuführen.

Als ich sie zwei oder drei Stunden später in der Halle wiedertraf, hatte sie sich umgezogen und sah in der Tat umwerfend aus – mit ihrem zarten, feinen Gesicht, das in seiner durchscheinenden, delikaten Blässe unter der schweren Krone ihres üppigen, kastanienbraunen Haares hervorleuchtete. Ich fragte sie, wohin sie gehen wolle – worauf sie mich mit einem traurigen, vorwurfsvollen Blick durchbohrte. – «Es gibt nichts, wo man hingehen könnte.» – Sie erschauerte, als ob ein eisiger Wind ihre blassen Schultern berührt hätte. Da stand sie, die Lippen fest zusammengepreßt – von geheimnisvollen Ängsten verfolgt oder durch geheime Schwüre und Verpflichtungen gebunden –: zerbrechlich und schön in ihrem prächtigen Gewand. Sie trug ein gänzlich ausgefallenes Abendkleid – eine komplizierte Kreation mit einer endlosen Schleppe; überladen mit Federn, Juwelen, bunten Spitzen und allerhand phantastischen Verzierungen. Es hätte ein kurioses Modell aus dem Jahr 1890 – oder die freche Kaprice eines supermodernen Modeschöpfers sein können…

Ihre Finger spielten nervös an den purpurnen Federn eines überdimensionalen Fächers. Ich sagte zu ihr: «Sie sehen aufregender aus denn je», was sie sogleich wieder zum Lächeln brachte.

«Das Restaurant unseres reizenden Hotels», verkündete sie mit einer grandiosen Handbewegung hin zum Speisesaal, der in bedrückender Dunkelheit dalag. «Es ist immer noch der eleganteste Platz weit und breit.» – Dann fügte sie mit jener falschen Scherzhaftigkeit, die manchmal die Unterhaltung mit ihr so peinlich machte, hinzu: «Außer, Sie finden es kompromittierend, mit so einem schlimmen Mädchen wie mir vor all Ihren Freunden zu dinieren…»

Ich antwortete, daß ich nicht erwartete, viele Bekannte an diesem verlassenen Ort zu treffen. Sie aber bestand mit irritierender Fröhlichkeit darauf: «Oh, es gibt eine Menge von ihnen… Sie werden sehen… mon ami – Sie werden sehen…»

Aber als wir das Restaurant betraten, sah ich leere Tische und Stühle. Nur ein Tisch war gedeckt und von einer altmodischen Lampe schwach beleuchtet.

«Gaston hat meine Lieblingsecke für uns reserviert!» gurrte die Baronesse. «C'est charmant! Die Herzogin wird vor Wut platzen… Schauen Sie jetzt nicht hin! Da ist sie ja…»

Ich war ziemlich beunruhigt, als sie ihr arrogantes, zerstreutes Lächeln durch das trübe Zwielicht des verlassenen Raumes schickte. – «Der Herzog schneidet mich auch», flüsterte sie nahe an meinem Ohr – verärgert und amüsiert. «Ah, comme c'est rigolo! – Aber was könnte er schließlich sonst tun? *Sie* würde ihn mit Sicherheit umbringen, wenn er es wagen würde, einen Blick auf mich zu werfen…»

Kein Zweifel, ihr Geist war ein wenig auf Wanderschaft. Sie sah diesen verlassenen Ort von Feinden und Bewunderern, Rivalinnen, Liebhabern und Kupplern wimmeln, sie hörte das vertraute Summen von Klatsch und Intrigen, sie hörte Begierde, Neid und Mißbilligung flüstern, so, wie sie es am selben Ort vernommen hatte –: vor wie vielen Jahren? – «La petite Lolotte!» kicherte sie. «Mon dieu! Aufgeputzt wie ein Zirkuspferd. Ich möchte wirklich wissen, was der Oberst an ihr findet...»

Sie beruhigte sich etwas, als wir schließlich unseren Tisch erreichten. – «Das Essen ist mies hier», bemerkte sie und hatte im flackernden Schein der Lampe plötzlich das verdrießliche und müde Gesicht einer sehr alten Frau. Dann stürzte sie sich ziemlich abrupt in eine hastige und elegante Konversation. Ich hörte ihrem beschwingten und leeren Geplauder zu – halb amüsiert, halb befremdet, da sich für mich die meisten Namen und Ereignisse, auf die sie sich bezog, seltsam unbekannt anhörten. Außerdem kam es mir verrückt vor, daß sie so völlig au courant sein konnte über den Klatsch der mondänen Gesellschaft in Venedig, Cannes und Paris, über die Rennen in Auteuil und Monte Carlo, die Opernsaison in London, über die neuesten Skandale von Biarritz bis Baden-Baden – obwohl sie niemals diesen provinziellen Ort oder auch nur dieses Hotel verließ... In ihrer Art zu sprechen lag eine natürliche Kultiviertheit – irgend etwas Verbindliches und Brillantes, zugleich aber etwas Abgestandenes, Erfrorenes, ohne wirkliches Leben. Als ich schließlich wagte, einige Bemerkungen zu den jüngsten Hollywood-Filmen zu machen, verstummte sie und schien auf unerklärliche Weise gekränkt – ihr Gesicht wurde schlaff, als ob ich sie durch endlose Tiraden über ein Thema völlig jenseits ihres Verständnisses beleidigt hätte. – «Diese Blumen», unterbrach sie mich schließlich, «dieser Flieder...: herrlich, nicht wahr. – Sie wissen nicht, mein Freund, was Blumen mir bedeuten.» – Ihr Lächeln war matt und rührselig, ihre Handbewegung linkisch, als sie auf jene Blumen deutete, die sie sah. «Ich liebe sie», flüsterte sie. Aber der Tisch war leer. Sie lächelte einem kahlen Tisch zu.

«Dort sind keine Blumen», sagte ich reichlich grausam.

Sie nickte traurig. «Ich weiß, ich weiß... Keine Blumen – leider! Keine Blumen mehr...»

Es entstand ein Schweigen, während ihre Augen dem Rauch ihrer Zigarette folgten. Als sie endlich wieder sprach, klang ihre Stimme dumpf, unendlich traurig. «Keine Blumen mehr», beharrte sie, und dann fuhr sie fort mit der düsteren Würde von Kassandra, der Seherin. «Schlechte Zeiten werden kommen, mein armer Freund», prophezeite sie, und ihre Stimme klang wie die Posaunen des Jüngsten Gerichts. «Grausame Zeiten und blutige Heimsuchungen! Die große Prüfung – ich sehe sie näherkommen... Wir sind verdammt – wir alle. Sie und ich und alle diese fröhlichen Männer und Frauen. Die Blumen, der Champagner, die schönen Mädchen; die Künstler, die Kurtisanen, die Fürsten, die Abenteurer und die Dichter – dem Untergang geweiht, verloren, vorbei. Keine Spielereien mehr, kein Luxus, keine Freude, keine Zärtlichkeit. Nur Disziplin und Langeweile, Grausamkeit und Tod.»

«Sie scheinen in Hochform, Madame la Comtesse.» Dies war der väterliche Baß des Herrn Tulpitz. Während sie lamentierte, hatte er sich langsam aus dem dunklen Hintergrund genähert.

«Hallo, liebe alte, kleine Exzellenz!» gurrte die Baronesse – sie legte ihre Kassandra-Rolle ebenso unvermittelt ab, wie sie sie angenommen hatte. «Enchantée de vous voir, cher ami!»

Er küßte ihre Fingerspitzen: «Wie geht es Ihnen heute abend, Madame? Sie amüsieren sich gut, nehme ich an?»

Sie nickte mit einem schwachen, förmlichen Lächeln. «Der Baron ist ein angenehmer Gesellschafter», bemerkte sie ziemlich vage – woraufhin Herr Tulpitz mit einer schnellen und überraschenden Bewegung etwas, was er hinter seinem Rücken versteckt hatte, präsentierte. Es war ein Strauß Flieder, völlig verblichen und verwelkt.

«Diese schönen Blumen», verkündete er mit zärtlicher Feierlichkeit, «wurden soeben abgegeben...»

«Woher kommen sie?» fragte sie und ergriff rasch die welken Blüten. «Kommen sie von – *ihm*?»

«Von Seiner Kaiserlichen Hoheit», bestätigte er und schmunzelte, als er das glückselige Lächeln um ihren Mund erblickte. «Danke», flüsterte sie und versteckte ihr strahlendes Gesicht zwischen den verwelkten Blumen.

Was für eine alptraumhafte – was für eine bezaubernde Szene! Herr Tulpitz – in einer barocken und pompösen Uniform mit breiten Epauletten und glitzernden Verzierungen, mehr Franz-Joseph denn je – hatte begonnen, eine Art phantastische Pantomime aufzuführen – er hüpfte und tänzelte mit der unbeholfenen, plumpen Anmut eines Tanzbären um die herausgeputzte und mit Juwelen behangene Person – die Baronesse de La Motte-Tribolière, Stolz des Bellevue, die letzte der großen Kurtisanen. Da stand sie, den Kopf gebeugt unter dem flackernden Licht, ein erstaunlicher Vogel – überladen mit glänzenden Federn, dem Glitzer und dem überwältigenden Gewicht ihrer Jahre. War sie neunzig Jahre alt? Oder hundert? Jedenfalls vom Wahnsinn wunderbar konserviert…

War auch Herr Tulpitz verrückt? War er ihr Liebhaber? Ihr Arzt? Oder einfach ihr Angestellter, den sie für seine Teilnahme an dieser makabren Vorstellung bezahlte?

Jetzt macht er einen Luftsprung, vollführt kleine Verbeugungen – trotz seines Alters erstaunlich gelenkig; außer sich vor Entzücken über ihre farbenfrohe Aufmachung. «Mein Herzens-Schmetterling!» ruft er aus. «Ma chérie! Ah! plus ravissante que jamais!» – Und sie akzeptiert sein Kompliment mit dem schauerlichen Lächeln des Wahnsinns.

Vielleicht ist die ganze Vorstellung ein schlauer Trick, um die Phantasie und Neugier der Reisenden zu wecken? Herr Tulpitz könnte auf die Idee gekommen sein, unschuldige Opfer so zu den sündhaft teuren Exzessen von Appartement 36 zu verführen… Wer vermag diese dunklen Geheimnisse zu durchschauen? Wer weiß wirklich, was Herr Tulpitz meint, als er jetzt – während er sich verbeugt und herumscharwenzelt – ausruft: «Diese Robe! Sie ist ein Traum – ma foi! Diese Farben! Welcher Stil! Direkt aus Paris, nehmen ich an? Man sieht es sofort… Dernier cri – das ist es! Der letzte Schrei!…»

«Der letzte Schrei!» wiederholt sie – und bricht plötzlich in schallendes Gelächter aus. Was für ein gräßliches Lachen! – unendlich schlimmer als jedes Weinen. Wie es ihr Gesicht verunstaltet, ihren zerbrechlichen Körper erschüttert! Und ihre Stimme – wie jammervoll sie klingt! «Der letzte Schrei!» wimmert sie wieder und wieder, von Lachen und Schmerz geschüttelt. «Sie haben recht, mein Freund! Oh, wie recht Sie haben! Unser letzter Aufschrei – hier ist er! *Ich* bin der letzte Aufschrei – der letzte Seufzer – das letzte Grinsen einer Epoche... Le dernier cri – c'est moi...»

Sie hebt die Arme, breitet sie aus – eine Hand umklammert das Blutrot ihres enormen Fächers, während die andere noch immer das verwelkte Bukett festhält. Ihr Lachen klingt wie verzweifeltes Schluchzen; aber ihre Augen sind trocken – ihre schönen Augen, so unverhältnismäßig groß in dem feinen Oval ihres alterslosen Gesichts.

Diese gewaltige Pose überbordender Verzweiflung hält mehrere Sekunden an. Schließlich tätschelt Herr Tulpitz – wieder in einen verständigen alten Mann zurückverwandelt – mit schwerer Hand ihre zitternden Schultern. «Pauvre enfant!» murmelt er. «Komm, komm! Es ist Zeit, schlafen zu gehen...»

Hennessy mit drei Sternen

Es macht keinen Spaß, allein beim Abendessen zu sitzen. Besonders in einem Restaurant kann man seine Mahlzeit ohne Gesellschaft nicht genießen, und es ist einigermaßen peinlich, den Gesprächen an anderen Tischen zuzuhören. Man will natürlich gar nicht mithören, aber man kann einfach nicht anders. Denn eigentümlicherweise ist selbst das oberflächlichste Gespräch zwischen zwei Leuten, die man vorher nie gesehen hat und die man niemals wiedersehen wird, irgendwie attraktiver als eine Zeitschrift oder eine Zeitung.

Man kann von einer Stimme gefangen sein, ehe man die Gelegenheit hat, einen ersten Blick auf das Gesicht zu werfen, zu dem die Stimme gehört. Jene Frauen zum Beispiel waren zuerst nur zwei Stimmen – die weiche Sprechweise einer gesetzten Dame und das durchdringende Flüstern einer jüngeren Frau.

Die ältere meinte in einem freundlichen Konversationston: «Du wirst die Dinge in Boston viel weniger verändert finden als hier in New York.» Darauf die jüngere Stimme, mürrisch und schläfrig: «Ich finde nicht, daß sich New York sehr verändert hat, seit ich es zuletzt gesehen habe.»

«Elf Jahre sind eine lange Zeit», stellte die alte Stimme vielsagend fest. Und die junge: «Elf Jahre? Es scheint mir viel länger. Warte mal… 1925… Im Jahr 25 ging ich nach Frankreich.»

«Genau», bestätigte die betagtere Tonlage und fügte mit zärtlicher Pedanterie hinzu: «Aber du bist seitdem zweimal hiergewesen… Einmal im Jahr 28, und dann natürlich bei deiner Reise 29.»

«Warum sagst du ‹natürlich›?»

«Ich werde immer daran denken, wie deine arme Mutter starb.» Die sonore Stimme bebte in der traurigen Erinnerung und vor Mißbilligung über deren Mangel bei der Jüngeren.

Die hellere Stimme klang ziemlich ratlos, als sie hastig und ein wenig zu laut ausrief: «Natürlich, wie dumm von mir! Ich kam zur Beerdigung *gerade* zu spät...» Ein abruptes, kleines Kichern, wie bei einem komischen Zwischenfall, war zu hören. Mir gefiel das Kichern nicht, und dann entstand urplötzlich eine Stille. Ich trank meinen Whiskey aus und drehte mich um. Die beiden Frauen saßen nahe bei mir. Ich konnte sie leicht betrachten, wenn ich den Kopf ein bißchen nach rechts drehte.

Die ältere Dame – stattlich, Mitte sechzig – war ganz in Weiß gekleidet, was ihrer Erscheinung einen Hauch feierlicher Heiterkeit – etwas fast Priesterliches verlieh. Sie sah beneidenswert frisch und makellos aus. Das Lokal hatte keine Klimaanlage, und es war heiß draußen – einer jener Sommerabende in New York, an denen die ungeheuren Massen der aufgetürmten Steine die angesammelte Glut des Tages wie riesige Hochöfen abzugeben scheinen.

Die Dame sah würdevoll und ein wenig altmodisch aus; dagegen hatte ihre Begleiterin etwas Verblüffendes, fast Beängstigendes an sich. Ihr schwarzes Kostüm zum Beispiel war auf jeden Fall ein seltsames Kleidungsstück – vollkommen schmucklos und auffallend eng. Der geschmeidige Stoff stellte die reizvolle Zerbrechlichkeit ihres Körpers mit einer Art herben Schamlosigkeit zur Schau. Ihr kleiner Hut wirkte unerwartet frech – eine kecke Kappe aus hartem, glänzendem, fast metallischem Material: wie ein winziger Helm krönte er ihr beunruhigend bleiches Gesicht. Die Frau sah zugleich müde und aggressiv aus – halb erschöpfte Amazone, halb kämpferische Nonne.

Beide Frauen schienen völlig fehl am Platze in diesem billigen Restaurant voller lärmender und schwitzender Männer. Außerdem war es ziemlich spät – etwa halb elf, lange nach der normalen Abendessenszeit. Eine Gruppe Matrosen amüsierte sich an der Bar. Ihr wildes Gelächter übertönte alle anderen Stimmen. Gerade als die Ausgelassenheit der Matrosen ihren Höhepunkt erreichte, hörte ich die Stimme der jungen Frau wieder, und sie kämpfte mit verzweifelter Anstrengung gegen die Ausbrüche von solch überschäumender Freude. «Mein Gott», rief sie aus – und ich konnte sogar ohne hinzusehen erkennen, wie ein gezwungenes Lächeln ihre bleichen Lippen verzerrte. «Was sind wir doch fröhlich!» Sie schien außerordentlich irritiert.

«Sie sind jung», bemerkte entschuldigend die alte Dame. Und sie fügte mit leisem Vorwurf hinzu: «Ich hatte dich davor gewarnt, hierher zu gehen, Catherine. Das ist nicht der richtige Ort für dich. Es ist vulgär hier.»

Catherine erwiderte schnell und ärgerlich: «Jedenfalls ist es viel besser als in deinen sogenannten eleganten Restaurants.»

«Nun ja, ich dachte, du würdest französisches Essen bevorzugen – das ist alles.» Die alte Dame lächelte noch immer, war aber offensichtlich eine Spur verletzt.

«Französisches Essen – in New York!» fuhr Catherine voller Verachtung auf. Der Ton ihrer Stimme war beißend – in der Tat so abfällig, daß sogar die gutmütige Dame verunsichert schien. «Es tut mir leid, daß wir nicht in Paris sind», sagte sie ziemlich kühl. «Mir auch», schoß Catherine zurück.

Es entstand eine Stille – bedrückend und beängstigend.

Mir war nach einem weiteren Whiskey zumute. Aber der Kellner kam nicht, als ich ihn rief. Er war damit beschäftigt, die Bestellung der beiden Frauen aufzunehmen.

«Möchtest du keinen Nachtisch?» fragte die Ältere mit ihrer zärtlich besorgten Stimme.

«Nein, Tante Jane. Vielen, vielen Dank. Bloß keine Apfeltorte mit Käse.»

Und dann, ziemlich abrupt, mit einer scharfen Drehung des Kopfes zum Kellner hin: «Haben Sie Cognac da?»

Weil der Kellner nicht verstand, was gemeint war, erklärte ihm Tante Jane – ganz Nachsicht und mütterliche Würde: «Brandy, junger Mann! Die junge Dame möchte wissen, ob Sie Brandy haben.»

Er wurde rot und stammelte: «Wieso – ja – natürlich, Ma'am. Wir haben eine amerikanische Marke. Prima Zeug, sagt man.»

Catherine unterbrach ihn scharf: «Ich möchte einen Hennessy mit drei Sternen oder gar nichts.» Und die alte Dame fügte versöhnlich lächelnd hinzu: «Junger Mann, die Dame möchte einen *importierten* Brandy. Wären Sie wohl so liebenswürdig, den Barkeeper zu fragen, ob es noch französischen Brandy gibt.»

Der Kellner eilte zur Bar, beflügelt von dem Eifer, diese strenge und exotische Dame zufriedenzustellen.

«Hier bitte», strahlte er, immer noch nach Luft japsend, seine Stirn schweißnaß. «Und es ist ein echter importierter, die letzte Flasche. Jetzt gibt's keinen Hennessy mehr. No, Sir. Die Nazis besaufen sich dort drüben mit all dem französischen Champagner.» Er lachte plötzlich laut auf, überrascht von seinem eigenen Mut.

Catherine warf ihm einen ihrer schnellen, durchbohrenden Blicke zu. «Ça suffit», sagte sie mit eisiger Stimme.

Der riesenhafte Bursche war ziemlich eingeschüchtert. «Möchten Sie ein Pony?» fragte er mit einer steifen kleinen Verbeugung.

«Ein Pony?» Sie schien merkwürdig verärgert, sogar beleidigt von diesem Ausdruck, als ob er ein unschicklicher Antrag wäre.

«Freilich, wir servieren Drinks oder Ponys», versuchte er mit einem hilflosen Grinsen zu erklären. «Ein Pony ist ein kleiner Drink. Ein Drink ist ein doppeltes Pony.»

«Einen Drink also, würde ich sagen.» Catherine zuckte mit den Schultern; ihre Stimme bebte vor Verachtung und Ungeduld.

Als sie ihr Glas geleert hatte – das dauerte nur Sekunden – verlangte sie noch eins: «Aber kein Pony, wenn's recht ist!» warnte sie den Kellner etwas gnädiger.

«Ich komme aus Frankreich», bemerkte sie, während er die goldene Flüssigkeit in ihr Glas goß.

«Ja, Ma'am.»

«Ich liebe Hennessy», fuhr sie fort. «Auch mein Mann mochte ihn sehr. Es war seine Lieblingsmarke.»

Sinnende Zärtlichkeit lag in ihrer Stimme. Der Kellner wußte nicht, was er sagen sollte. Catherine erhob ihr Glas, wie zu einem feierlichen Trinkspruch. «Er ist tot», informierte sie den Kellner, immer mit diesem vagen, selbstvergessenen Lächeln. «Er war Pilot, wurde von den Boches getötet.»

«Ja, Ma'am.»

Sie hatte das Glas geleert.

«Noch einen», sagte sie sanft und sah sehr stolz und zugleich geistesabwesend aus.

Diesmal trank sie langsam. Sie schmeckte und genoß jeden Tropfen. Erst als sie ausgetrunken hatte, wandte sie sich wieder an Tante Jane. «Gaston mochte dieses Zeug *wirklich* sehr», sagte sie, als ob die alte Dame es bezweifelt hätte.

Tante Jane nickte milde: «Ich weiß.»

Aus irgendeinem Grund ärgerte diese harmlose Bemerkung die reizbare Nichte.

«Was ist daran verkehrt?» erwiderte Catherine schnippisch. «Alle Franzosen empfinden so. In der Tat tun dies die meisten zivilisierten Menschen», schloß sie kampfeslustig.

Wieder entstand ein eisiges Schweigen. Schließlich sagte Tante Jane: «Du bist heute abend in keiner sehr guten Stimmung, Catherine. Es tut mir leid. Glaubst du nicht, wir sollten lieber gehen?»

«Bitte nur noch *einen!*» bat Catherine und gab sich Mühe, wie ein verwöhntes, niedliches kleines Mädchen auszusehen. «Nur ein *winziges* Glas!» gurrte sie – während Tante Jane in stummer Resignation den Blick senkte.

Nach dieser neuerlichen Erfrischung wurde die junge Witwe wehmütig und erschreckend sanft.

«Du bist *so* süß und geduldig, Tantchen», seufzte sie und versuchte, die Hand der alten Dame zu ergreifen. «Bitte, sei mir nicht böse. *Bitte,* liebstes Tantchen, sag mir, daß du nicht böse bist!»

«Natürlich nicht.» Die alte Dame sah plötzlich sehr müde aus, wie erschöpft von einem langen, aussichtslosen Kampf.

«Warum sollte ich dir böse sein? Ich möchte nur gerne gehen, das ist alles.»

Ohne Tante Janes Bitte irgendwelche Aufmerksamkeit zu schenken, fuhr Catherine fort, sich mit unsicherer, jammernder Stimme selbst anzuklagen: «Ich *hasse* es, solch ein Langweiler zu sein! Glaubst du, ich *weiß* nicht, was für ein Langweiler ich bin?

Wie ich dir auf die Nerven gehen muß! Ich mache einen solchen Narren aus mir!»

«Sei nicht albern», sagte die alte Dame. «Du gehst mir überhaupt nicht auf die Nerven. Aber es ist jammervoll anzusehen, wie du dich selbst quälst. Könntest du nicht versuchen, Paris und den Krieg und deinen armen Mann wenigstens für ein Stündchen zu vergessen?»

«Wie könnte ich diese Dinge jemals vergessen?» Catherine starrte mit weit aufgerissenen Augen ins Leere. «Sie sind mein ganzes Leben. Ich *will* sie nicht vergessen. Sie sind alles, was ich habe.»

«Aber jetzt bist du *hier*, Catherine!» erinnerte die alte Dame flehentlich. «*Dies* hier ist dein Leben, Catherine! Dies ist dein Land, deine Zukunft!»

«Ist das wirklich *mein* Land?» Es klang eher nachdenklich und bekümmert als bitter. Sie schien auf eine Antwort zu warten; aber während Tante Jane irgend etwas über die Notwendigkeit der Anpassung an die realen Anforderungen des Lebens murmelte, fuhr Catherine mit ihrem klagenden Monolog fort. «Hier in Amerika haben die Dinge kein Leben, keine Substanz. Sie riechen nicht, sie leiden nicht. Es gibt weder echte Freude noch echtes Drama, weil es keine Geschichte, keine Tradition gibt. Wenn man in Paris gelebt hat...»

«Das reicht!» Die alte Dame nahm eine Haltung an, die keinen Widerspruch zuließ. «Ich möchte nichts mehr von Paris hören! Verstehst du mich, Catherine? Genug davon!»

Sie war durch ihren heftigen Ärger so abgelenkt, daß ihr sogar Catherines heimliche Verschwörung mit dem Kellner entging.

«Wie heißt du, mein Freund?» flüsterte Catherine. Er reagierte überrascht und geschmeichelt. «Carl», grinste er.

Er war schwedischer Abstammung, ein gutmütiger Bursche, groß und unbeholfen, mit einem glatten, gesunden Gesicht, und kam aus dem Mittleren Westen.

Nichts fände sie widersinniger – sagte Tante Jane – als die europäische Arroganz bestimmter Amerikaner, die einige Jahre «drüben» verbracht hätten. Sie fragte ihre Nichte, *was* denn ihrer Meinung nach an der französischen Niederlage und dem politischen System, das zu diesem beschämenden Zusammenbruch geführt hätte, so eindrucksvoll und bewundernswert gewesen sei.

Unterdessen hatte Carl verstanden, daß die Dame in Schwarz noch einen Drink wollte. Während er ihr Glas auffüllte, rief die alte Dame aus: «Schließlich ist es kein sehr erhebendes Schauspiel, was deine grande nation der Welt bietet. Nicht gerade das, was ich eine großartige Darbietung nennen würde!»

Catherine nippte an ihrem Cognac und blickte nachdenklich in ihr Glas.

«Wenn du recht hast», bemerkte sie endlich mit unheilverkündender Ruhe, «wenn das, was du sagst, richtig ist, Tante Jane – und ich glaube, du *hast* recht, – dann ist Gaston umsonst gestorben.»

Es war ergreifend zu sehen, wie die alte Dame erblaßte und ihr Gesicht erstarrte. Sie war auf das peinlichste berührt. «Ich wollte deine Gefühle nicht verletzen, Catherine, Liebste», stammelte sie.

Ich fürchtete, sie würde in Tränen ausbrechen.

«Es ist schon gut», sagte Catherine ohne ein Lächeln. «Vergiß es.»

Sie leerte ihr Glas und fuhr dann fort: «Es ist nichts an dem auszusetzen, was du gerade gesagt hast. Glaubst du denn, ich wüßte all diese Dinge nicht? Manchmal fürchte ich, Gaston könnte sie auch gewußt haben…»

Einen Moment lang bedeckte sie ihre Augen mit zitternder Hand, als ob sie eine unerträgliche Vision bannen wollte. «Was glaubst du denn, was mich derart verfolgt und quält?» fragte sie, und ihre Augenpartie war noch immer hinter dem zarten Gitter ihrer zitternden Finger verborgen. «Nicht, daß ich Gaston *verloren* habe. Ich war sehr glücklich mit ihm. Es konnte nicht von Dauer sein. Ich wußte immer, ich würde ihn verlieren. Er war Pilot, und er liebte seinen Beruf beinah so sehr, wie er mich liebte. Ich versuchte so mutig zu sein wie er. Ja, ich habe verzweifelt darum gekämpft…»

Sie nahm die Hand von den Augen; sie starrten, vor Schreck geweitet, ins Leere. «Ich versuchte, tapfer zu sein», sagte sie. «Aber in Wirklichkeit war ich halbtot vor Angst – die ganzen Jahre. Jedesmal, wenn er fortging, war ich vor Furcht wie gelähmt. Ich frage mich, ob du dir vorstellen kannst, was ich durchgemacht habe, Tante Jane... Als er diese verrückte Expedition nach Afrika unternahm und ich wochenlang nichts von ihm hörte – hast du eine Ahnung, was das bedeutet, Tante Jane?»

Es entstand eine kleine Pause. Die junge Frau in Trauer saß sehr aufrecht da: ihr Gesichtsausdruck hatte sich verändert. Was für eine seltsame Verwandlung hatte sich unter ihrem frechen und kriegerischen Hut vollzogen! Ein Glanz wie von einem weißen Blitz belebte ihre Züge. Ihr Lächeln strahlte vor Stolz, als sie fortfuhr:

«Aber als der Krieg kam, gab es keine Furcht mehr. Denn er *glaubte* an die Sache, für die er kämpfen sollte. Viele seiner Freunde glaubten nicht daran, aber *er* tat es, und ich tat es auch. Ja, wir beide glaubten an Frankreich – mit Leidenschaft, ohne Einschränkung. Wir waren felsenfest überzeugt, daß Frankreich kämpfen und siegen und die unterdrückten Völker Europas in eine bessere Zukunft führen würde. Manchmal überkamen mich Zweifel, aber ich war sicher, sie unterdrücken zu müssen, Gaston zuliebe. Erst als er tot war und ich seine Briefe hundertmal und immer wieder las, bis ich sie alle auswendig konnte; erst dann begann ich zu überlegen, ob er vielleicht dasselbe gedacht hatte, von denselben Zweifeln und Ahnungen geplagt worden war und sein Leben geopfert hatte – in dem Wissen, daß es vergebens war; und ob er ohne Hoffnung und Glauben und aller Illusionen beraubt gestorben war.»

«Armes Kind.» Tante Jane war äußerst bewegt. «Arme Catherine», sagte sie.

Die arme, kleine Catherine lachte kurz und näselnd auf: ein vernichtendes Lachen. Dann drehte sie mit einer wilden, herausfordernden Bewegung ihren Oberkörper. «*Garçon*», rief sie, und ihre Stimme war so schrill, daß sie sogar an diesem lärmenden Ort Aufmerksamkeit erregte. Die Leute fingen an, zu ihr hinzusehen und zu grinsen.

Sie wurde ärgerlich, da Carl sich in einer entlegenen Ecke des Restaurants herumdrückte.

«Garçon! Est-ce que vous êtes sourd?» schrie sie. «Merde alors!»

Woraufhin sich die alte Dame wie in einem krampfartigen Schmerz wand.

«Catherine! Bitte!» wimmerte sie. Aber ihre Nichte, ohne Beherrschung und gnadenlos wie ein ungezogenes Kind, wiederholte aus vollem Halse: «Merde – merde – merde alors!» – «Ich hoffe nur, daß hier niemand Französisch versteht!» seufzte Tante Jane.

Carl lächelte besorgt, als er die Flasche präsentierte – er tat es demütig und entschuldigend, so wie man einem launischen Tyrannen den fälligen Tribut zollt. «Noch ein Pony, Ma'am?» fragte er mit schwerfälliger Ironie.

Catherine sagte, die Stimme drohend gesenkt: «Geben Sie mir die Flasche.»

Er zögerte, grinste, wußte nicht, was er tun sollte.

«Geben Sie mir die Flasche!» wiederholte sie und durchbohrte ihn mit mörderischen Blicken.

«Ja, aber… Madam…» stammelte er. «Wenn Sie noch einen Drink wünschen, meine Dame, wäre ich nur zu glücklich…»

«Wie können Sie es wagen?» zischte Catherine, und ihr Gesicht war starr vor Wut.

«Catherine! Bitte!» Mit theatralischer Geste rang Tante Jane die Hände vor Catherines starrem Gesicht. «Laß uns gehen, Liebling! Bitte, mach keine Szene!»

«Ich werde keine Szene machen», erklärte die junge Witwe mit jener gezwungenen Würde, die bei Frauen typisch ist in dem Stadium der Trunkenheit, das dem totalen Zusammenbruch vorausgeht.

«Laß mich nur diese kleine Angelegenheit selbst erledigen. – Danke schön. Ich weiß das zu schätzen», fügte sie mit erfrorenem, abwesendem Lächeln hinzu.

«*Welche* Angelegenheit, um Gottes willen?» stöhnte die alte Dame.

«Dieser junge Mann hier versteht mich nur zu gut.»

Sie schleuderte tödliche Blicke.

«Er ist ein Spion», schloß sie sanft und mit furchterregender Freundlichkeit.

«Wie das?… Meine Dame…» Sein Mund stand weit offen. Er war vollkommen verblüfft.

«Streiten Sie es ab, junger Mann?» Sie verschränkte die Arme vor der Brust.

«Ich weiß nicht, wovon Sie reden», brachte er schließlich hervor.

«*Tatsächlich?*» Sie betonte jede Silbe ihrer rhetorischen Frage, während ihre gnadenlosen Augen sein puterrotes Gesicht durchforschten. «Ich werde dir sagen, was ich meine, du Schurke!» schrie sie in einem plötzlichen Ausbruch von Zorn. «Dein Name ist Carl, nicht wahr?» Sie sprang von ihrem Stuhl auf und ging drei Schritte auf ihn zu. «Nicht wahr?» wiederholte sie und schaute ihn aus bedrohlicher Nähe an.

Er nickte, es hatte ihm die Sprache verschlagen – woraufhin sie ein heiseres, triumphierendes Lachen hervorstieß. «Ein deutscher Name!» rief sie aus mit einer leichten Drehung des Kopfes, wie an ein imaginäres Publikum gewandt. «Genau, was ich vermutet habe. Der Fall ist nur zu klar», schloß sie mit einer zierlichen, aber ausdrucksstarken Geste. «Carl, der Kellner, ist schuldig der Aktivität in der Fünften Kolonne und des Hochverrats.» Sie machte eine steife, kleine Verbeugung, als erwiese sie einem Kriegsgericht die Ehre, das sie gerade von der Schuld des Angeklagten überzeugt hatte.

Dann gaben ihre Knie nach; sie schwankte. Carl stützte sie mit automatischer Höflichkeit und führte sie zu einem Stuhl. Sobald sie saß, gewann sie ihre drohende Haltung wieder. «Meine Flasche!» forderte sie, während die alte Dame wimmerte: «Cathie! Kind! Siehst du nicht, was du mir antust! Hör auf damit! *Bitte!* Ah! Der Skandal! Diese Schande!»

«Sei still!» unterbrach sie die junge Witwe, gnadenlos und

grob. Erst dann fing Tante Jane an zu weinen – lautlos und ohne ihr Gesicht zu verbergen. «Wir müssen morgen um sieben Uhr aufstehen», murmelte sie, während winzige Tränen wie Perlen die ausgedehnte Fläche ihres faltenreichen Gesichtes verzierten. «Erinnerst du dich nicht! Der Acht-Uhr-Zug! Unsere Verabredungen in Boston!»

«Meine Flasche!» wiederholte Catherine – und plötzlich schnappte sie Carl die Flasche weg, als er gerade einen plumpen Versuch machte, sie hinter seinem Rücken zu verstecken.

Sie hatte die Flasche; sie strahlte und triumphierte; sie liebkoste sie, schaukelte sie in ihrem Schoß wie ein geliebtes Baby nach einer langen Zeit der grausamen Trennung. «Mon chou!» flüsterte sie und drückte ihre Wangen und Lippen zärtlich gegen die kühle Biegung des bernsteinfarbenen Glases. «Mon chou – fleur! Ma petite bouteille!»

Als ihr Mund die runde Öffnung umschloß, entstand ein kleines, schmatzendes Geräusch. Sie nahm langsame, ausgiebige Schlucke aus der Flasche, die sie mit beiden Händen fast im rechten Winkel zu ihrem sich entspannenden Gesicht hielt.

Die Leute begannen, sich um sie zu sammeln. Gelächter und spöttischer Applaus begleiteten die erstaunliche Szene. Seeleute, Kellner und Mädchen weideten sich an Catherines Erniedrigung. «Sie hat jedenfalls einen guten Zug», bemerkte einer der Seeleute, und die ganze Meute wieherte vor Lachen. Ein Mädchen mit einem Gesicht wie eine grelle Maske sagte mit scharfer, gehässiger Stimme: «Die lustige Witwe. Ist sie nicht ein Herzchen!»

Mitten im allgemeinen Aufruhr hörte ich Tante Jane stöhnen: «Was für ein Skandal! Mein Gott! Wie kommen wir bloß hier raus! Oh, mein Gott!»

Genau in diesem Augenblick begann Catherine zu singen. Zuerst war es nur ein Summen; aber nach und nach wurde es stärker, als versuche sie, Tante Janes Jammertiraden zu übertönen.

Catherine sang mit einer seltsam farblosen Stimme – ihr Oberkörper bewegte sich im Rhythmus der Melodie:

«Valencia, tu es une fille étrange…»

Ihr Gesicht blieb blaß und bewegungslos – erstarrt in einer Art kalten und wilden Ekstase.

«Savez-vous planter des choux – à la mode de chez nous… à la mode, à la mode…»

Einer der Seeleute konnte ein wenig Französisch. Sein kraftvoller Baß verschmolz mit Catherines schrillem Sopran. Andere stimmten ein… Mädchen, Seeleute, Kellner.

«J'ai deux amours – mon pays et Paris…»

«Sie war schon immer anders…» Erstaunlicherweise sprach die alte Dame mit mir. Ihre Verzweiflung und ihr Entsetzen waren so groß, daß sie ihre vornehmen, zurückhaltenden Manieren, ihre neuenglische Würde vergaß. Ihre Augen weiteten sich vor Qual, sie plauderte mit einem Mann am nächsten Tisch – einem Mann, den sie niemals zuvor gesehen hatte: ein Fremder, der so taktlos gewesen war, ihre Unterhaltung mit anzuhören – und Pechvogel genug, um Zeuge des makabren Auftritts ihrer exzentrischen Nichte zu sein. «‹Catherine ist so anders›, pflegte meine arme Schwester zu mir zu sagen… Sie starb vor vielen Jahren, als Catherine schon im Ausland war… um Musik zu studieren… wie sie sagte…»

Tante Jane lachte bitter und zwinkerte mit den Augen, als ob sie andeuten wollte, die Musikstunden seien, ihrer Meinung nach, nichts anderes als ein plumper Vorwand zu allerhand losen und niedrigen Geschichten gewesen.

«Mais je l'aime! C'est mon homme!» Catherines Stimme klang schriller denn je; es war mehr Kreischen als Gesang zu nennen.

«He's my ma – an», wiederholte der Chor und dehnte das letzte Wort in einem Ausbruch sinnenfroher Begeisterung.

In der Zwischenzeit fuhr Tante Jane fort, mir verzweifelt zuzuflüstern: «Ich habe es von Anfang an mißbilligt… Ein junges Mädchen – allein in Paris! Man bedenke nur die Versuchungen! Die lasterhaften Ausländer!… Aber Catherine *weigerte* sich zurückzukommen… Sagte, sie könne Amerika nicht aushalten. So ein Unsinn! Schließlich ist sie ein amerikanisches Mädchen. Warum sollte sie ihr Leben in den Cafés von Montparnasse verbringen und Hennessy und solche gräßlichen Sachen trinken? *Warum*, um alles in der Welt, sollte sie das tun?»

Die alte Dame machte eine dramatische Pause, als ob sie von mir eine Antwort erwartete. Aber ich wußte nicht, was ich sagen sollte, und zuckte nur die Achseln, während der donnernde Chor «It's a long way to Tipperary» anstimmte. Catherine hatte offensichtlich ihre Kraft wiedergewonnen. Jetzt sprang sie auf einen Stuhl, um aus erhöhter Position die singende Menge zu dirigieren. Tante Jane zog es vor, diese neue und höchst empörende Entwicklung zu ignorieren. Sie rückte ein bißchen näher an mich heran, beugte sich vor, seufzte und sprach, schluchzend und mit sorgenvoller Vertraulichkeit. «Und dann, diese Heirat!» sagte sie. «Eine Tochter von Patricia Ferguson – und irgendein kleiner, dahergelaufener Franzose! Stellen Sie sich das bloß vor!»

«We built a little home – just made for two...» Aus Catherines Stimme klang wilder Jubel.

«Und dann auch noch ein Pilot!» Tante Jane schüttelte den Kopf: die Tatsache, daß Catherines französischer Ehemann Pilot gewesen war, schien ihr unfaßbarer als alles andere.

Das war jetzt die Marseillaise: Catherine sang sie allein – sie stand sehr aufrecht auf ihrer zerbrechlichen Plattform und schwang die leere Flasche wie eine Waffe oder wie ein Banner.

«Allons, enfants de la Patrie...»

Als nur einige vereinzelt einstimmten, hielt sie inne und legte ihre Hand hinters Ohr, mit jener neckischen Geste, die typisch ist für gewisse bekannte Sänger, die gern wollen, daß ihre Zuhörer in den Refrain einstimmen. «Was ist los?» fragte die lustige Witwe mit falschem französischem Akzent. «Ich kann nichts hören!» Sie machte aufmunternde Gesten, wiederholte den Anfang der Hymne und unterbrach wieder – noch unzufrieden mit der Reaktion.

«*Mais c'est honteux!*» schimpfte sie. «Kriegst du denn den Mund nicht auf – du da? Fünfte Kolonne!»

Es war Carl, der Kellner, an den sie sich wandte. Er wurde rot und versuchte, sich hinter einem riesigen Seemann zu verstekken. Aber Catherine, fröhlich und unerbittlich, ließ nicht locker: sie nannte ihn einen Feigling, einen unartigen Jungen, und bestand darauf, er müsse singen. Die Menge schien sich über diese lustige Show zu amüsieren. Die Seeleute brüllten vor Lachen und stießen einander mit den Ellbogen an, um zu zeigen, wie sehr sie die Vorstellung genossen. «Sie ist in Ordnung», erklärten sie. Und andere sagten: «Sie ist verrückt» oder «Sie ist ein netter Kerl.» Eines der Mädchen fügte voller Anteilnahme und Anerkennung hinzu: «Sie ist sternhagelvoll.»

Zweifellos war Catherine ein beachtlicher Erfolg.

Von einigen farbigen Burschen, die in der Küche arbeiteten und von dem ansteigenden Lärm herbeigelockt wurden, kam die Melodie der Marseillaise zurück, während sie lachend Catherines kühne und dramatische Pose nachäfften. Ich bemerkte plötzlich eine Vielzahl neuer Gesichter in der bunt gemischten Menge: eine kleine Chinesin, zwei alte Männer mit langen, grauen Bärten, eine stämmige, schwere Frau, die sehr laut russisch mit einem kleinen, pausbäckigen Jungen sprach, einige amerikanische Soldaten Arm in Arm mit einer Gruppe britischer Seeleute, eine junge Dame in einem wunderbaren Abendkleid – auffällig gut aussehend und eifersüchtig bewacht von einem alternden Kavalier, der in seinem Smoking schwitzte. Ich hatte keine Zeit, darüber nachzudenken, ob all diese Leute von draußen zu unserer Gruppe gestoßen waren oder ob sie in diesem Restaurant – etwa in versteckten Nischen – gesessen hatten. Wie auch immer, sie waren da wie hergezaubert – sie füllten, übervölkerten die Szenerie gleich einem Chor, der die Bühne beim grandiosen Finale einer Oper stürmt. Aber die Laute, die sie von sich gaben, waren nicht gerade das, was man von einem gut eingespielten Opern-Ensemble erwartet. Die großartige und wohlbekannte Melodie der Marseillaise wurde auf eine höchst eigenwillige Art umschrieben, umgeformt und verzerrt. Einige Sänger improvisierten einen absurden englischen Text. Andere schrien und pfiffen bloß, während wieder andere die verschiedensten Lieder grölten – «God Bless America» oder «Old Man River» oder «God Save the King».

Es war eine unglaubliche Szene – ein Spektakel voller Trunkenheit, verrückter Freude und wilder Verbrüderung.

Männer und Frauen hakten einander unter; sie trampelten und schmetterten und schaukelten hin und her – aufgepeitscht und beflügelt in einer Art dionysischer Verzückung. Einer der Soldaten küßte die russische Matrone, während ein englischer Seemann mit dem wundervollen Mädchen zu tanzen begann – sehr zum Ärger seines dicklichen Begleiters.

Catherine – eine unwiderstehliche Mänade – dirigierte und verzauberte die Menge. Sie war beängstigend schön, verklärt in einer wilden und aggressiven Trance. Ich betrachtete sie mit Entzücken und Besorgnis. Was für eine beunruhigende Göttin der Trunkenheit! – Die weiße Flamme ihres Gesichtes von dem schrägen Helm gekrönt; die linkische Grandezza ihrer Gesten; Glanz und Elend ihres mageren Körpers. Ihr Mund war weit geöffnet – ein schwarzes Loch in einer tragischen Maske.

« Le jour de gloire est arrivé… »

Catherines Schrei – rauh und triumphierend – erhob sich über den chaotischen Lärm. Aber jetzt stockte ihre Stimme. Ich bemerkte mit schmerzlicher Überraschung, daß die schimmernde Blässe ihres Gesichtes noch durchsichtiger werden konnte. Sie schwankte: in wenigen Augenblicken würde sie fallen. Ich hatte das Gefühl, ich sollte sie stützen, sie beschützen, einen Arzt holen, die Polizei, irgend etwas tun…

Aber ich blieb bewegungslos und stumm – gelähmt vor Furcht und Mitleid und Bewunderung. Ich wollte nicht an ihren unaufhaltsamen Zusammenbruch denken – nicht jetzt! Nicht, solange dieser überwältigende Augenblick anhielt – der Moment des gemeinsamen Singens, der universalen Umarmung, der bacchantischen Kommunion. Noch weniger wollte ich ihre ekstatische und hinreißende Pantomime stören, das Glückselige ihres Lächelns, die schwingende Bewegung ihrer ausgebreiteten Arme – die Menge zugleich herausfordernd und segnend; die Menge, die sie für einen flüchtigen und doch wunderbaren Augenblick beherrschte und vereinte.

Ermittlung

«Ich will nur Ihr Bestes, Orloog!» Der junge Anwalt wischte sich den Schweiß von der Stirn. Die Luft in der Zelle war drükkend. «Sie sollten mir vertrauen», sagte er. «Ich bin Ihr Verteidiger.»

«Ich brauche keinen Verteidiger. Es ist alles klar. Ich habe alles gesagt.» Die Stimme des Gefangenen klang seltsam tief – zugleich salbungsvoll und bellend. Er hockte bewegungslos auf seinem schmalen Bett – die Umrisse des hageren Gesichts verschwammen im Dämmerlicht.

«Ich hab ja gestanden, sie umgebracht zu haben», fügte er mit einem Ausdruck finsterer Zufriedenheit hinzu.

«Ich weiß, ich weiß.» Der Anwalt wippte mit dem Fuß ungeduldig auf und ab. Dieser Orloog machte ihn noch wahnsinnig. Was für ein unbelehrbarer Kerl! Und zum Verzweifeln selbstgerecht! Hielt sich für einen Ausbund an Tugend. Lehnte Zigaretten ab; würde niemals einen Drink anrühren. Verbrachte ungefähr zwei Stunden jeden Morgen damit, in der Bibel zu lesen – und zwar mit den Fingerspitzen. Es war äußerst faszinierend zu beobachten, wie sein Zeigefinger rasch und geschickt über die Reihen der erhabenen Buchstaben wanderte. Verblüffend, wenn man daran dachte, was ein Mensch ertragen und leisten konnte. Ein blinder Mann, der völlig allein herumreiste – von San Francisco nach Chicago, von Buffalo nach New York… Immer ordentlich gekleidet und offensichtlich sehr von sich eingenommen. Ein hilfloser Krüppel, der sich mit lockeren Damen herumtrieb und sich in große Schwierigkeiten brachte, dieser Orloog. Höchst eigenartig das Ganze.

Auf den ersten Blick hätte man seine Blindheit kaum bemerkt. Orloog machte den Eindruck eines respektablen Mannes Anfang sechzig. Er war erst vierundfünfzig, sah aber älter aus, mit seinen ergrauten Schläfen und den tiefliegenden Augen; auf eine verstaubte Art ziemlich würdevoll. Ein kleiner städtischer Beamter, könnte man meinen, oder vielleicht ein Schulmeister, oder ein Mann, der einen bescheidenen Laden irgendwo in der Provinz besitzt und Briefpapier, Bleistifte und religiöse Erbauungsschriften mit bunten Bildern verkauft. Danach schaute Orloog aus, selbstverständlich völlig harmlos.

Und dann war man natürlich ganz betroffen von den lichtlosen Abgründen seiner Augen.

Wenn überhaupt irgend etwas, dann wird ihn seine Blindheit vor dem Stuhl retten, grübelte der Anwalt. Ich muß versuchen, an das Mitgefühl der Geschworenen zu appellieren...

«Seien Sie nicht so verdammt halsstarrig, Mann!» rief er schließlich aus mit aufmunternder und zugleich tadelnder Stimme. «Haben Sie immer noch nicht erkannt, daß Sie ganz schön in der Klemme sitzen? Ich will Ihnen *helfen*, Orloog. Dafür werde ich bezahlt. Das ist mein Beruf.»

«Ich habe Sie nicht bezahlt», entgegnete Orloog und wirkte dabei überaus hochnäsig.

«Aber Ihre Schwester tat es», sagte der Anwalt, woraufhin der Gefangene seinen Kopf schüttelte, merkwürdig sanft und geistesabwesend lächelnd. «Arme Amelie», sagte er weich. Dann fügte er irgendwie geheimnisvoll hinzu: «Mein Gewissen ist rein.»

«Also *mußten* Sie zwei Morde begehen, ja?» Der junge Jurist verlor die Beherrschung: Orloogs kalte Gleichgültigkeit ging ihm auf die Nerven. Immerhin saß der Kerl wegen eines zweiten Mordes in Haft. Vor wenigen Monaten erst war er aus einem Gefängnis in San Francisco auf Bewährung entlassen worden. Dort hatte er wegen Mordes an einer Frau gesessen, verurteilt zu einer lebenslangen Freiheitsstrafe.

«Kein Mord, bitte schön!» Orloog hob seinen langen, dürren Zeigefinger mit einer seltsam priesterlichen Geste – feierlich und pedantisch. «Was in San Francisco geschah, war ein Unfall. Ich wollte sie nicht töten. Das haben sogar die Geschworenen eingesehen. Und was meine arme Frau Betty angeht... Aber das ist eine ganz andere Geschichte.»

Ein Unfall? Der Anwalt war nicht so sicher. Es war schon etwas sonderbar, wenn man einer Frau direkt ins Herz schoß – ganz zufällig und aus Versehen.

Der Rechtsanwalt, ein gewissenhafter junger Mann, hatte alle Unterlagen des Falls «Orloog», die er nur bekommen konnte, sorgfältig geprüft. Sein Mandant war als Junge in dieses Land gekommen, zusammen mit seiner Mutter und seiner Schwester Amelie. Die Familie kam aus Rußland, aber manchmal behauptete Orloog, daß er griechischer Herkunft sei, sein Vater ein Kaffeehaus in Athen betrieben habe und später nach Amsterdam übergesiedelt sei und daß seine Mutter in Bukarest geboren wäre. Es war alles überaus verworren und kompliziert. Der alte Orloog war jedenfalls schon tot, als die Familie Europa verließ, und seine Frau starb einige Monate nach ihrer Ankunft in Amerika. Es war kein Geld vorhanden, und der junge Orloog mußte das College verlassen. Er hatte Lehrer werden wollen oder Priester, aber seine Studien nicht beenden können. Seine Schwester Amelie war eine Damenschneiderin, nicht ganz ohne Erfolg. Aber als sie schließlich genug Geld verdiente, um ihren Bruder unterstützen zu können, war es zu spät: sein Leben war bereits ruiniert.

Was die genauen Umstände des Dramas in San Francisco anging, so gab es darüber widersprüchliche Aussagen und Interpretationen. Es passierte auf einem Hochzeitsfest, und alle Anwesenden waren ziemlich betrunken. Einer der Jungs neckte Orloog, der gerade bei einer der großen Schiffahrtsgesellschaften arbeitete. Seine Kumpels lachten über ihn und nannten ihn «den Professor», weil er den größten Teil seiner Freizeit mit dem Lesen gelehrter Bücher verbrachte und sich nicht um Mädchen kümmerte. So versuchten sie auch auf diesem Hochzeitsfest, sich auf seine Kosten zu amüsieren, und machten allerlei Scherze über seine Augen und daß er wegen seiner albernen Leserei noch erblinden würde. Er schimpfte auf die dämlichen Kerle, ohne die Sache ganz ernst zu nehmen. Denn er war solche Frotzeleien gewohnt. Erst als sich auch eines der Mädchen zu den fröhlichen Quälgeistern gesellte, verlor er die Beherrschung. Sie war eine der Brautführerinnen in der Kirche gewesen und, nach allen

Aussagen, auffallend attraktiv, blond und kurvenreich und ziemlich aufreizend. Die Anwesenden lachten schallend, als sie zu Orloog sagte, daß er nach ihrer Meinung praktisch schon blind wäre, obwohl seine Augen noch gut genug seien, all das dumme Zeug zu entziffern, das er dauernd lese. «Aber für eine Frau hast du keine Augen», sagte sie. «Ich möchte wetten, daß du keine Ahnung hast, wie ich aussehe.»

Sie wollten den «Professor» nur veralbern; niemand beabsichtigte, ihn ernsthaft zu verletzen. Die allgemeine Stimmung war derart harmlos, daß alle mit dröhnendem Gelächter reagierten, als Orloog plötzlich eine Pistole zog und erklärte, daß er die Hänselei satt habe und nun beweisen wolle, daß mit seinen Augen alles in Ordnung sei: er würde ein Loch in ein Bild schießen, das die Wand direkt hinter dem Platz schmückte, an dem die üppige Blondine stand. Das Bild zeigte eine sinnliche Nackte, die mit einem großen, weißen und böse aussehenden Vogel herumspielte. Es wurde «Leda und der Schwan» genannt. «Ich werde auf ihre Brust zielen», erklärte Orloog. Alle klatschten: niemand nahm an, daß der Revolver geladen sein könnte. Das Mädchen bewegte sich nicht. «Du kannst mich nicht erschrecken», sagte sie. Dann schoß er – aber nicht in Ledas Brust.

Er traf ihr Herz mit unheimlicher Genauigkeit. Sie war sofort tot. Viele der Zeugen erklärten später, daß sie beobachtet hätten, wie er auf die Brust der Brautjungfer zielte. Aber er bestand darauf, sie nicht vorsätzlich getötet zu haben: «Ich wollte sie nur erschrecken. Sie war zu verdorben und aufreizend. Ich mußte ihr eine Lektion erteilen. Aber sie töten? Niemals!»

Alles geriet durcheinander – erklärte Orloog –, als er versuchte, auf Ledas gemalte Brust zu zielen. Das lebende Mädchen schien versteinert, während Leda grinste und ihn mit sehr schockierenden Gesten lockte. Dann war der ganze Raum in eine Art dichten, silbrigen Nebel gehüllt – eine weiche Dunkelheit verschleierte und verschluckte beide Frauen, das gestikulierende Trugbild und die bewegungslose Lebendige – und die Braut und die anderen Gäste und schließlich ihn selbst. «Es trat eine schreckliche Stille ein», sagte Orloog. «Und dann war ihr Schrei zu hören.»

Während er im Gefängnis saß, schickte seine Schwester ihm jeden Monat einen Scheck über zwanzig Dollar. Er rührte das Geld nicht an. In all den Jahren verbrauchte er keinen Cent. Er war sogar zu geizig, um etwas für seine Augen zu tun, die immer schlechter wurden. Als er wegen guter Führung auf Bewährung entlassen wurde, nach dreizehn Jahren, hatte er mehr als dreitausend Dollar gespart, aber sein Augenlicht verloren: er war vollkommen blind.

Eine der Fragen, die dem Anwalt Kopfzerbrechen machten und ihn verwirrten, war die: Warum hatte Orloog auf dem Weg von San Francisco nach New York seine Reise ausgerechnet in Chicago unterbrochen? Wäre es für einen blinden, einsamen Mann nicht zweckmäßiger gewesen, die Fahrt fortzusetzen, um seine Schwester zu treffen, die ihn in ihrer Wohnung in der Bronx bereits erwartete? Sie war der einzige Freund, den er besaß, und hatte bereits die rührendsten Beweise ihrer treuen Hingabe geliefert, während er im Gefängnis saß. Er kannte keine Menschenseele in Chicago, hatte dort nichts zu suchen. Was also zog ihn dorthin? Fast vier Wochen brütete er ganz allein in einem finsteren kleinen Hotel. Erst dann, nach vier Wochen vollkommener Einsamkeit, traf er Miss Betty. Sie hatte irgendeinen Job in einem Nachtlokal. Der Anwalt wußte nicht genau, was sie arbeitete, ob als Kellnerin, als Sängerin oder was auch immer. Jedenfalls war sie da, als Orloog an einem Sonntagnachmittag hereinschaute. Er dachte, es sei ein normales Restaurant, und wollte eine Kleinigkeit essen. Es war aber kein gewöhnliches Restaurant. Betty fing an zu plaudern. «Ich erkannte an dem Klang ihrer Stimme, daß sie die richtige Frau für mich war», sagte Orloog. «Ich hatte immer den Wunsch zu heiraten. Das wollen alle. Jeder hat das Recht auf ein Quentchen Glück. Als ich Bettys Stimme hörte, war es fast wie ein Wunder: Sie war das bißchen Glück, das mir zustand.»

Sie heirateten in Chicago, drei Wochen, nachdem sie sich kennengelernt hatten. Orloog geriet ins Schwärmen, als er die

Hochzeitszeremonie beschrieb und die ausgelassene Feier, die darauf folgte. Nach seinen Worten mußte es eine großartige und fröhliche Angelegenheit gewesen sein. Der blinde Mann schwelgte in Erinnerungen an die Einzelheiten des opulenten Mahls, an die lebhafte Unterhaltung, die glanzvolle Gesellschaft – siebenundzwanzig Leute zählte er gewissenhaft auf: attraktive Frauen und vornehme Männer. Schließlich war jeder betrunken, einschließlich des Priesters, und Betty küßte den Bräutigam vor der ganzen angeheiterten Versammlung. Sie nannte ihn auch «Zuckerstückchen» und erklärte, daß sie mindestens ein halbes Dutzend Kinder von ihm haben wolle. Eine unvergeßliche Feier: Orloog erwähnte sie nie, ohne hinzuzufügen, daß es sicher das schönste Erlebnis seines Lebens gewesen sei.

Man verlebte die Flitterwochen in Buffalo: Betty hatte darauf bestanden, wegen ihrer lieben alten Mutter dorthin zu gehen. Der blinde Ehemann wurde der charmanten älteren Dame vorgestellt und auch einem jungen Burschen namens Jim – angeblich Bettys Bruder. Orloog sagte, daß er eine wundervolle Zeit mit Betty und ihrer Familie verbracht habe – traumhaft und voll ungetrübter Freude. Aber alles dauerte nur drei Tage; dann verließ sie ihn und nahm sein gesamtes Geld mit – alles, was von den dreitausend Dollar übriggeblieben war. Der sogenannte Bruder, Jim, verschwand ebenfalls. Als Orloog Bettys Mutter bat, ihm zehn Dollar für die Busfahrt nach New York City zu leihen, wurde sie sehr ärgerlich und sagte, daß sie mit alldem nichts zu tun habe: sie sei nicht Bettys Mutter und Jim nicht Bettys Bruder – die ganze Sache war ein übler Scherz. So telegraphierte Orloog seiner Schwester, Amelie schickte zwanzig Dollar, und er fuhr zu ihr in die Bronx.

Der Anwalt kannte die Wohnung von Miss Orloog in der Bronx – zwei winzige Räume, ziemlich verwahrloste Zimmer. Gemütlich, aber auf eine scheußliche Weise. Vollgestopft mit schauderhaftem Nippes, künstlichen Blumen, verstaubten Souvenirs. Und Miss Orloog – eine traurige alte Jungfer, unglaublich häßlich – inmitten dieser alptraumhaften Umgebung. Das einzig Freundliche in den beiden gräßlichen Räumen war die gewaltige Reproduktion eines Frauenbildnisses. Es war Betty – in der Tat sah sie blendend aus, mit großen, schmollenden Lippen und einer vorwitzigen kleinen Stupsnase; prächtig herausgeputzt in einer langen plissierten Robe, verschwenderisch geschmückt mit allen möglichen Phantasiegebilden – Blumen, Spitzenmustern und Verzierungen. Ihr Gesicht, unter einer üppigen Fülle von Locken, strahlte ein kaltes, gnadenloses Lächeln aus.

Orloog lebte ungefähr drei Monate bei seiner Schwester, als Bettys Brief eintraf: «Kannst du mir jemals verzeihen? Ich sehne mich nach dir.»

«Sie waren glücklich, als Sie den Brief erhielten?» fragte der Verteidiger.

Orloog zögerte, zuckte mit den Schultern und erklärte schließlich: «Ich denke schon – irgendwie war ich es.»

«So liebten Sie sie noch, als Sie nach Chicago fuhren?»

«Sie war meine Frau», sagte Orloog, geheimnisvoll und ohne innere Regung.

«Natürlich», stimmte der Anwalt rasch zu und fuhr fort – indem er bereits die Umrisse seiner Verteidigungsrede für die Herren Geschworenen entwickelte: «Aber sie demütigte Sie in einem fort, betrog und bestahl Sie, nicht wahr? Zuerst in Bufalo, und dann wieder in Chicago. Die erste Enttäuschung war, daß sie nicht am Bahnhof aufkreuzte. Sie hatten sie gebeten, Sie am Zug zu treffen, aber sie kam nicht. Da waren Sie nun – ein blinder, hilfloser Mann…»

«Ich hatte sie nicht wirklich erwartet», meinte Orloog.

«Aber warum schlugen Sie dann vor, daß sie Sie treffen sollte?»

«Es war ein Teil meines Planes», sagte Orloog. Er beugte sich mit dem Oberkörper vor, seine lichtlosen Augen auf den Rechtsanwalt gerichtet, der ziemlich nervös zu werden begann.

«*Welcher Plan*, Mann? Reden Sie nicht in Rätseln! Ich habe es eilig. Immerhin sind Sie nicht der einzige Mandant, um den ich mich kümmern muß.»

«Mein Plan, sie zu prüfen und in Versuchung zu führen. Jede Einzelheit war durchdacht und vorbereitet. Ich hatte den ganzen Ablauf mit Amelie besprochen, dutzendfach und hundertmal.»

«Mit Ihrer Schwester? *Wußte* sie denn, was Sie vorhatten?»

«Ich wußte es ja selbst nicht», sagte Orloog, woraufhin der Fragesteller erleichtert aufatmete. Seine ganze Beweisführung beruhte auf der Voraussetzung, daß der Beschuldigte nach Chicago gefahren war, nicht um seine Frau zu töten, sondern mit der Absicht, seine Ehe zu retten.

«Er funktionierte sehr gut – mein Plan», sagte der Gefangene, mit einem reichlich bösartigen Grinsen. «Ich nahm ein Taxi und nannte dem Fahrer mein Ziel. Ich wußte natürlich, was er für ein Gesicht machen würde, wenn er diese üble Adresse hörte. Junge, der war überrascht! Ja, Sir, gut, Sir – sagte er, und dann zögerte er und sagte noch einmal: Wie Sie wünschen, Sir. Ich frage mich nur, sagte er, ob das der richtige Ort ist – für einen Mann in Ihrer Verfassung. Was meinen Sie mit – *ein Mann in meiner Verfassung*? fragte ich ihn. Nun ja, Ihre Augen, Sir, sagte er, und ich mußte beinahe lachen, weil er so verlegen war. Es ist ein sehr verrufener Patz, Sir, sagte er. Viele Mädchen dort. Hübsche Mädchen auch. Aber Sie können sie ja nicht sehen. So sagte ich ihm dann, daß er sich keine Sorgen zu machen brauche: ich hätte dort nur etwas zu erledigen, und er sagte, er verstehe schon. Aber als wir ankamen, war er immer noch ein bißchen verwirrt. Er betrachtete meine Tasche und sagte: Wollen Sie hier übernachten, Sir, soll ich Ihr Gepäck hineintragen, oder soll ich in ungefähr einer Stunde wiederkommen und Sie dann zu einem ordentlichen Platz bringen? Ich gab ihm ein Trinkgeld und erklärte ihm, daß er in einer Stunde zurückkommen solle: denn, sehen Sie, ich war ziemlich sicher, daß alles in einer Stunde vorüber sein würde. Die Tasche ist nicht schwer, sagte ich, ich trage sie selber. Sie war sogar sehr leicht – nur das Messer und das Geld und einige wenige Dinge für die Nacht und natürlich die Bibel lagen darin.»

Eine Stille trat ein. Orloog schien in seine Erinnerungen versunken. Er dachte an die dünne Stimme des farbigen Mädchens, das die Türe öffnete – die Tür jenes schäbigen Hauses, wo Betty ihr sündiges, skandalöses Leben führte. Das Mädchen fragte ihn, zu wem er wolle, und er erwiderte, daß er eine Verabredung mit

Miss Betty habe, und dann war da die schwüle Luft im Treppenhaus – erfüllt von ordinären Parfums, den ekligen Gerüchen von Schweiß und Gin und staubigem Plüsch und nackten Mädchen... und dem Duft der verwelkten Blumen, die die Mädchen in den Haaren trugen. Die Farbige führte ihn in Bettys Zimmer hinauf. Dort mußte er ungefähr zehn Minuten warten, und er nutzte die Zeit, um den Raum zu erkunden – er betastete die Möbel, die Vorhänge und den Spiegel, die Blumen, die Kissen, die Flakons, ihren Lippenstift, ihre Hausschuhe, ihr Nachtgewand, das ausgebreitet über dem Sofa lag – ein vornehmes Gewand aus schwerer Seide. «Muß einiges gekostet haben», stellte Orloog fest, wobei ein begehrliches Lächeln über sein Gesicht huschte.

Alles war genauso, wie er es sich immer vorgestellt hatte: die Luft im Zimmer und dann ihr stürmischer Auftritt. Er hatte gewußt, daß sie ein bißchen betrunken sein würde und daß ihr Haar leicht nach Schnaps riechen würde. Sie küßte ihn – genau mit jener flüchtigen Heftigkeit, die er erwartet hatte – und sagte sehr hastig: «Da bist du nun, Süßer, schön dich wiederzusehen, wie geht's, nimm einen Drink, warum bedienst du dich nicht, hier ist die Flasche, hast du sie nicht gesehen, oh, ich vergaß, du *kannst* ja nicht! 'schuldigung, Zuckerstückchen, wie war die Reise, ziemlich heiß hier, ist schön, dich wiederzusehn, aber warum sagst du denn nichts, ich hab mich so nach dir gesehnt, Süßer, wie findest du übrigens mein neues Kleid, deine kleine Frau ist sehr einsam gewesen...»

Dann küßte sie ihn wieder, und er berührte ihr trockenes Haar, diese Lockenmähne, die gefährlich mit Elektrizität aufgeladen war.

«War sie *sehr* betrunken?» fragte der Anwalt.

«Nicht mehr als sonst auch. Na gut, sie war voll bis an den Rand. Deshalb küßte sie mich auch so lange und öffnete den Mund dabei. Sie öffnet ihren Mund nur, wenn sie vorher eine ganze Menge getrunken hat.»

«Und dann? Nachdem sie Sie geküßt hatte? Sagte sie Ihnen, daß sie wieder mit Ihnen zusammenleben wolle?»

«Sie sagte: Nun habe ich dich wieder, Zuckerstückchen, du siehst gut aus, ehrlich, und vergiß nicht, daß wir verheiratet sind. Ich sagte, ich vergesse nichts, weil ich ein ziemlich gutes Gedächtnis habe: ich erinnere mich an alles – an Buffalo zum Beispiel, und würde ich hundert Jahre, ich vergesse niemals, was du mir angetan hast. Das habe ich ihr gesagt – und dann versuchte sie wieder ihre alten Tricks – ein Unschuldsgesicht und dieses kindisch dumme Gerede: Was willst du denn, mein Liebling? Stimmt was nicht? Gib deinem kleinen Frauchen einen Kuß. Aber ich küßte sie nicht noch einmal und erzählte ihr, daß die alte Frau alles gestanden hätte: daß sie nicht Bettys Mutter sei und Jim nicht ihr Bruder und daß die ganze Bande mich betrogen hätte – betrogen, beraubt und zum Narren gehalten. Das machte sie furchtbar wütend, sie schmetterte das Glas auf den Boden, rannte herum und brüllte. Diese alte Hexe, schrie sie, ich hab ihr zehn Kröten gezahlt, wie konnte sie nur, diese stinkende alte Ratte. Aber dann, auf einmal, wurde sie ganz anders, wieder sehr weich, legte mir ihre Arme um den Nacken und sagte, wir sollten doch all das garstige Zeug vergessen: es sei doch nur ein Scherz gewesen – und jetzt sei's vorbei, wir sollten es vergessen und nur noch Spaß haben.»

«Sagten Sie denn gar nichts über die zweitausendfünfhundert Dollar, die sie Ihnen gestohlen hatte?»

«Wozu denn? Sie sollte doch glauben, daß ich wieder auf ihren Schwindel hereingefallen wäre. Das war ein Teil meines Plans. Und er funktionierte vorzüglich.» In seiner Stimme klang ein finsterer Triumph, als er langsam fortfuhr:

«Ich sagte ihr, daß ich bei ihr bleiben wollte – diese Nacht, morgen und immer; und sie kicherte und sagte: Das ist prima, du liebst mich also noch, mein großer Junge, das ist schön. Es ist komisch, daß du mich so sehr liebst, sagte sie – und plötzlich wurde sie ganz ernst – und du weißt ja nicht einmal, wie ich aussehe, wie hübsch ich bin, nicht einmal meine Haarfarbe kennst du, weil du blind bist. Ich kann dich sehen, Betty, sagte ich. Ich kann dich sehen mit meinen Fingerspitzen und mit meinem Mund und mit meinem Körper. Das ist komisch, sagte sie.

Du siehst mich also mit deinen Fingerspitzen. Hört sich aufregend an. Laß uns ins Bett gehen, sagte sie. Es ist schon spät. Ich bin müde. Und sie gähnte und setzte sich auf das Sofa. Es ist ein hartes Leben, sagte sie, ein sehr hartes Leben, das ich führe. Laß uns zusammen irgendwo hingehen. Ich habe schon immer das Land geliebt, sagte sie. Kühe und Blumen und all das. Laß uns irgendwo hingehen. Das hier hängt mir zum Hals heraus, und auch Chicago, einfach alles. Ich sagte ihr, daß wir das morgen besprechen wollten, sie solle so freundlich sein, meine Tasche für mich zu öffnen und meine Sachen für die Nacht auszupacken. Sie sagte etwas wie: Okay, Chef, mit einer piepsigen Stimme, die sehr müde klang. Und dann öffnete sie die Tasche. Das war der entscheidende Augenblick.»

«Was meinen Sie damit – der entscheidende Augenblick?»

«Der Augenblick, in dem sie das Geld sah – und das Messer.»

«Was hatte das Messer mit Ihrem Plan zu tun?» Der Anwalt klang, als würge er an einem Klumpen in seinem Hals.

«Ohne das Messer», erklärte Orloog, «mußte mein ganzer Plan scheitern. Zuerst sah sie das Geld – drei brandneue Hundert-Dollar-Noten, hübsch plaziert neben meine alten Hausschuhe. Dies war die erste Versuchung. Daß sie nach dem Geld griff, den dreihundert Dollar, die mir Amelie geliehen hatte, war schon schlimm genug. Aber es war noch kein ausreichender Beweis für ihre abgrundtiefe Schlechtigkeit. Nicht genug, um sie zu verurteilen. Sie mußte noch weitergehen. Sie mußte die ganze Bösartigkeit ihres Charakters enthüllen. Dafür brauchte ich das Messer: um herauszufinden, ob sie es wagen würde, es gegen den Mann zu wenden, der sie so geliebt hatte und dem sie alles genommen hatte, was er besaß.»

«Klingt ziemlich melodramatisch, nicht wahr.» Der Anwalt versuchte, überlegen und distanziert zu wirken.

«Es war alles sehr einfach», sagte der Angeklagte. «Zuerst hörte ich, wie sie sich vorbeugte, um nach dem Geld zu greifen – sie hielt den Atem an, als sie in dieser gebückten Haltung dastand: dick und fett, wie sie ist – und dann das schwache Knistern von Seide, als sie sich Amelies Hundert-Dollar-Scheine ins Dekolleté steckte. *Gib das Geld heraus*, sagte ich. Denn ich wollte fair sein und ihr eine Chance geben, ihre Sünden zu bereuen. Aber es war wohl schon zu spät. Sie *konnte* nicht mehr zurück: Der Teufel hatte sie bereits restlos in seinen Klauen. Welches Geld, Zuckermöpschen? fragte sie. Sie hatte niemals vorher diesen dummen Ausdruck verwendet. Zuckermöpschen, ist doch völlig idiotisch. Ich frage mich, warum sie ihn gerade in dem Moment verwendete, als ich sie aufforderte, mir das Geld zu geben, ihn erfand aus reiner Bosheit und Furcht und Schlechtigkeit…»

Er schwieg etwa zwei Minuten lang. Und dann entfuhr ihm, völlig überraschend, ein kurzer, krächzender Laut wie ein Schluchzen. Aber als er erneut zu sprechen begann, klang seine Stimme wieder normal – nur ein bißchen heiser, so, als ob er lange Zeit nicht gesprochen hätte. «Gut», sagte er – und der Verteidiger war von dem Gedanken gepackt, daß da ein plötzliches Aufblitzen in der schattigen Tiefe seiner Augen gewesen sei – «schließlich hatte sie es satt zu lügen und wurde sehr ausfallend und schrie mich an: Du blinder Bastard, du Krüppel, du Heuchler und was weiß ich. Woher hast du nur die Nerven, zu behaupten, ich hätte dein blödes Geld gestohlen, schrie sie. Und wenn es so gewesen wäre – du hättest es nicht sehen können, du elende Mißgeburt! Ich forderte sie auf, ihr empörendes Gerede zu lassen. Hör auf, sagte ich. Ich warne dich, Babette Orloog! Geh nicht zu weit. Vergiß nicht, du redest mit deinem Mann. Es gibt gewisse Dinge, die sollte keine Frau zu ihrem Ehemann sagen. Zu ihrem *Ehemann*?! Sie hätten ihre Stimme hören sollen, Herr Anwalt – ihre furchtbare Stimme, als sie diese Worte schrie – dreimal, viermal, immer wieder – zu ihrem *Ehemann*! So ein Witz! Zu ihrem *Ehemann*! …Und dann ihr Lachen! Es ließ einem das Blut in den Adern gefrieren. Sie war ganz offensichtlich vom Teufel besessen – rasend vor Bosheit und völlig außer sich. Wenn sie bei Verstand gewesen wäre, warum hätte sie im zügellosen Wahn aussprechen sollen, was ich nur befürchtet, aber nicht gewußt hatte bis zu diesem Augenblick? Wie komisch! schrie sie. *Ehemann*, er glaubt es! Was für ein Trottel ist er doch, der Spinner! Was bist du für ein Idiot! brüllte sie. Was für ein Holzkopf – trotz all deiner Bücher! Sich einzubilden, daß ich tatsächlich einen blinden Kerl heiraten könnte, einen Ex-Sträfling, einen Krüppel und Mörder, einen dreckigen Langweiler, einen lausigen Heuchler! Ich sprang zu ihr hin, ergriff sie an der Kehle und fragte sie, was sie damit meine – daß sie nicht meine Frau sei, nicht zu mir gehöre und ich nicht ihr Mann sei? Sie bekam genug Luft um zu keuchen: Nein, ich bin nicht deine Frau... Nein, nein, nein, sie schnappte nach Luft, ich habe dich übers Ohr gehauen, alter Blödmann, die Zeremonie war vorgetäuscht, alles Schwindel, der Priester war falsch wie der Standesbeamte und die Gäste, sie waren meine Freunde: Huren wie ich, und ihre Zuhälter, und meiner auch – sie hatten einen Riesenspaß dabei, die ganze Bande, hättest du sie nur sehen können, du blinder Scheißkerl! Wenn du nur ihre Faxen gesehen hättest und was sie so alles getrieben haben, während du am Ende der Tafel gesessen bist, der glückliche Bräutigam, der würdevolle Ehemann, der Trottel, der Idiot...»

Der Anwalt war vor Staunen sprachlos. Er brauchte einige Sekunden, bis er die Sprache wiederfand. «Die Zeremonie war vorgetäuscht? Sie war nicht wirklich Ihre Frau?...Aber Mann! Das ändert doch alles. Warum haben Sie mir das nicht von Anfang an erzählt?»

Es kam keine Antwort. Orloogs Gedanken und seine lichtlosen Augen schweiften offenbar in weit entfernten, unheilvollen Regionen umher, die grellen Geheimnisse einer unerreichbaren Landschaft zu erkunden. Erst als der Verteidiger seine Frage wiederholte, murmelte er schließlich: «Ich weiß es nicht. War mir peinlich.»

Der Anwalt schüttelte den Kopf, während er bereits über diesen neuen Gesichtspunkt nachdachte, der geeignet schien, sein ganzes Plädoyer umzuwerfen. Rechtfertigte nicht Bettys unglaubliche Verderbtheit Orloogs Tat? Auf jeden Fall ergaben sich so eine Menge unbezahlbarer strafmildernder Umstände. Die Entdeckung dieser widerwärtigen Betrügerei mußte den Blinden auf das Äußerste getroffen und aufgeregt haben. Da stand er –

glücklich, die Frau in die Arme schließen zu können, die er für seine gesetzmäßige Ehefrau hielt…

«Ich hatte es schon immer gewußt.» Orloogs dumpfe Stimme unterbrach die vorschnellen Gedanken des ehrgeizigen jungen Anwalts. «Im Grunde meines Herzens hatte ich immer gewußt, daß an dem Hochzeitsfest etwas faul gewesen ist. Ich war gar nicht so überrascht, als sie es mir erzählte. Es war vielmehr ihre Unverschämtheit, die mich fertig machte – diese Unverfrorenheit, mit der sie auftrat, diese schrille, schamlose Stimme… Sie war noch schlechter, als ich angenommen hatte. Sie bereute nichts – *sie* nicht. Sie genoß ihre Sündhaftigkeit. Das war einmalig, prahlte sie. Der raffinierteste und tollste Streich, der mir jemals gelungen ist. Und jetzt hau ab, sagte sie zu mir. Und ein bißchen dalli! Ich bat sie zum letzten Mal, mir das Geld zurückzugeben: dann würde ich gehen, und sie würde mich nie mehr wiedersehen. Aber das reichte, um sie wieder wütend zu machen. Es ist *mein* Geld, schrie sie, so laut sie konnte. Du schuldest es mir nach allem, was ich für dich getan habe. Warum, denkst du, bin ich mit dir ins Bett gegangen? Wohl kaum aus Spaß! Weißt du nicht, daß es mein Beruf ist? Dreihundert Kröten sind bestimmt nicht zuviel, sagte sie, wenn man daran denkt, was du für einer bist. Die zweitausendfünfhundert Dollar hatte sie offenbar ganz vergessen. Deshalb erinnerte ich sie daran und schüttelte sie an den Schultern. Es war schrecklich, denn ihre Schultern waren so weich und schön… Aber ihre Stimme klang vollkommen kalt, als sie mich anschrie: Faß mich nicht an, du Mörder, oder ich kratz dir den Rest deiner dreckigen Augen aus! Aber ich schüttelte sie weiter und fragte sie nach dem Geld. Da erhob sie das Messer, das sie die ganze Zeit über in der Hand gehalten hatte. Jetzt holte sie aus und zischte plötzlich – völlig tonlos: Hier ist dein Geld, Zuckerstück. Und sie wollte mich mit meinem eigenen Messer erstechen. Aber ich war natürlich schneller, weil ich mich auf diesen Augenblick vorbereitet und jede Bewegung geübt hatte, viele Wochen lang. Ich sprach kein Wort – entriß ihr bloß das Messer, stieß sie zurück, und dann warf ich das Messer.»

«Dann haben Sie sie also tatsächlich in Notwehr getötet?» fragte der Anwalt und fügte vergnügt hinzu: «Sie hätte *Sie* getötet, wenn Sie ihr nicht zuvorgekommen wären.»

«Sie hätte es sicher versucht.» Der Gefangene lachte kurz und näselnd, verächtlich und schroff. «Aber ich denke, sie hatte dazu keine rechte Chance. Sie war ziemlich unbeholfen. Kein Geschick, keine Übung, keine Disziplin. Und dann war sie ja sturzbetrunken.»

«Sie denken aber langsam, Mann. Merken Sie nicht, worauf ich hinaus will?» Der junge Verteidiger schien äußerst animiert – ganz plötzlich von neuer Hoffnung getragen. «Was Sie mir gerade erzählt haben – erstens, daß sie die Hochzeitszeremonie nur vorgetäuscht hat, zweitens, daß sie Sie gerade töten wollte, bevor Sie das Messer warfen, das bedeutet eine enorme Verbesserung Ihrer Lage, wenn Sie sich nicht selbst mit törichtem, verwirrendem Gequassel um jede Chance bringen. Hören Sie mir zu, Orloog, und versuchen Sie zu verstehen, was ich Ihnen jetzt sage. Die zentrale These meines Plädoyers wird sein, daß Sie in *Notwehr* gehandelt haben…»

«Vergessen Sie es, mein Lieber!» Der Gefangene unterbrach ihn mit feierlicher, unheilvoller Stimme. «Ich brauche keinen Verteidiger, und ich habe es Ihnen von Anfang an gesagt. Ich habe ein Stück Dreck aus der Welt geschafft, das war alles. Ein lächelndes, stinkendes, süßes und skandalöses Stück Sünde und Unrat. Ich habe es ausgemerzt. Und das war richtig. Es war in der Tat genau das Werk, an dem Gott sein Wohlgefallen hat.»

Der Anwalt zuckte mit den Schultern. «Gott vielleicht… aber die weltliche Autorität?»

«Die weltliche Autorität darf sich nicht an dem heiligen Willen des Herrn vergreifen. Und wenn sie's tut – um so schlimmer für sie. Der Herr wird mit Feuer und Schwert über sie kommen. Was man mit mir macht, ist mir gleichgültig. Ich fürchte mich nicht.»

«Aber warum haben Sie sich dann nicht sofort der Polizei gestellt? Warum haben Sie den Ort Ihres Verbrechens verlassen und den wartenden Taxifahrer gebeten, Sie zum Busbahnhof zu fahren, um den Bus nach New York zu nehmen? Sie haben die

Tat ja erst bei Ihrer Verhaftung hier in Manhattan zugegeben. Vor was sind Sie davongelaufen – wenn Sie sich vor nichts fürchten?»

«Weil ich unbedingt noch meine Schwester umarmen wollte, ihr die dreihundert Dollar zurückgeben und ihr mitteilen mußte, daß alles gut geklappt hatte, genau, wie wir es geplant hatten. Der Skandal ist aus der Welt. Das lasterhafte Weibsbild ist tot. Ich hab sie sterben sehen. Ich habe ihre Schultern, ihre Lippen, ihre Brust berührt, und ich habe gewartet, bis sie kalt zu werden begann. Es dauerte eine ganze Weile. Es hätte jemand kommen und mich entdecken können, aber das war mir egal. Ich setzte mich auf ihr Bett und wartete. Es war reichlich ungemütlich, wegen der fürchterlichen Musik, die von unten heraufdrang. Ich hatte sie vorher nicht wahrgenommen; muß zu nervös gewesen sein, zu sehr von meinem Plan besessen. Aber nun, als sie tot war und es nichts mehr zu tun gab, als zu warten, bis sie kalt war – nun hörte ich die Musik. Sie klang so süß und so eklig: Ich dachte, ich müßte kotzen. Es war diese Art von Musik, mit der sie immer die Männer anlocken und sich in Stimmung bringen; dieses sündige Gedudel, dieses widerwärtige Zeug. Gerade als ich gehen wollte, denn Bettys Lippen und Hände waren schon ziemlich kalt, spielten sie ihr Lieblingslied, eine dumme, kleine Melodie, die sie immer pfiff und vor sich her summte, die ganze Zeit über...»

Es trat eine Stille ein. Der junge Anwalt überlegte, ob es nicht ratsam wäre, im Fall Orloogs auf Unzurechnungsfähigkeit zu plädieren. Aber er verwarf diesen Gedanken, als er seinen Mandanten noch einmal genau ansah. Der verhärmte Mann schien zu wachsen – schien in dem unheimlichen Dämmerlicht der Gefängniszelle riesengroß zu werden.

«Sie sang es, als ich sie zum ersten Mal traf, in dieser schäbigen Spelunke», sagte er langsam mit tiefer, trauriger Stimme. «Und auf unserem wunderbaren Hochzeitsfest, und in Buffalo – sie sang es überall. Nun spielte es unten das Orchester. Aber sie konnte ihren Mund nicht mehr öffnen, ihre Lippen nicht mehr bewegen. Sie war starr und steif und schon ziemlich kalt. Mit ihrem Schweigen büßte sie für ihre vielen Betrügereien und ihre Lieder und ihre vielen Sünden.»

Nun verstummte auch er. Es dauerte lange, bis er wieder sprach – und der Anwalt ahnte, daß dies die letzten Worte waren, die er von ihm hören sollte:

«Es ist mir egal, was sie mit mir machen. Der Stuhl oder lebenslänglich. Was soll's. Ich bin mit allem fertig. Es ist eine schlechte Welt. Ich hab genug von ihr gesehen.»

Er bedeckte die lichtlosen Augenhöhlen mit seiner großen, schweren Hand – einer seltsam unmenschlichen Hand mit hervortretenden bläulichen Adern und kurzen, spachtelförmigen Fingern, die wie aus Holz, Blei oder Eisen gemacht waren – ein unerbittliches Werkzeug des Strafgerichts, der Peinigung und der Rache.

Afrikanische Romanze

Doris und Marcel wußten nicht viel voneinander, obwohl sie so gut wie zusammen lebten. Ihre Vertrautheit war ganz natürlich, unter den Umständen geradezu zwangsläufig. Ausländer machten sich in diesen Tagen rar in Französisch-Marokko. Die meisten Touristen reisten ab, als der Krieg ausbrach; während andere bis zum Zusammenbruch Frankreichs blieben. Danach kamen alle möglichen düsteren Gerüchte in Umlauf. Glaubte man dem Oberkellner des «Palace Arabe», war Marokko dabei, Deutschland den Krieg zu erklären, eine Allianz mit Hitler einzugehen, unter italienischen Einfluß zu geraten, amerikanische Kolonie, das Hauptquartier von General de Gaulle oder gar der private Tummelplatz des Feldmarschalls Hermann Göring zu werden. Der Empfangschef hatte Informationen, daß alle Briten, die noch in diesem Teil Afrikas wohnten, in Kürze interniert, wenn nicht vor ein Kriegsgericht gestellt und hingerichtet würden.

Das französische Viertel von Fez – einst strotzend vor grellem Leben – nahm nach und nach den düsteren Charakter einer Geisterstadt an. Was das «Palace Arabe» betraf – eine phantastische Karawanserei inmitten der eigentlichen Araberstadt – es hätte genauso gut schließen können, wären da nicht Doris und Marcel gewesen. Zur Lunchzeit waren sie in dem riesigen, leeren Speisesaal völlig allein. Es wäre albern und wahrhaftig beängstigend gewesen, an zwei getrennten Tischen zu essen. Also teilten sie ihre Mahlzeiten und ihre Sorgen.

Erst zum Cocktail kamen einige Leute vorbei – Einheimische von hohem sozialem Rang, französische Offiziere und Beamte und hie und da eine Gruppe geheimnisvoller deutscher Touristen. Die Araber sahen würdevoll und malerisch aus in ihren schweren seidenen Burnusgewändern mit unbewegten, bärtigen

Gesichtern. Verglichen mit ihnen wirkten die französischen Offiziere viel zerbrechlicher und nervöser, während das anmaßend Vulgäre der teutonischen Besucher besonders schmerzhaft mit der schweigsamen Größe der Muselmanen kontrastierte.

«Irgendwie peinlich, deine Landsleute», bemerkte Doris und blies dabei den Rauch ihrer Zigarette auf eine aggressive Art in die Luft.

«Welche Landsleute meinst du?» – Marcel war offensichtlich irritiert. «Wenn du zufällig diese ulkigen Preußen meinst…»

Aber sie unterbrach ihn mit ihrem einschmeichelnden und zweideutigen Lächeln. «Du liebe Zeit!» sagte sie. «Schau nicht so böse, Liebling! Ich wollte deine Gefühle nicht verletzen – bestimmt nicht. Warum sollte ich diese Nazis als deine Landsleute bezeichnen? Ich weiß, daß du Franzose bist, chéri…»

«Wann hätte ich jemals so getan, als ob ich Franzose wäre?» murmelte er. «Mein Vaterland ist das Großherzogtum Luxemburg, wie du inzwischen wissen könntest.» Sie kicherte und zuckte die Schultern. «Luxemburg, Frankreich, Deutschland», sagte sie, «wo ist der Unterschied? Für mich ist das alles dasselbe. Es ist mir wirklich gleichgültig, ob ich einen dieser Trümmerhaufen jemals wiedersehen werde.»

Er schaute sie mit Mißtrauen und Bewunderung an. Sie sah entwaffnend attraktiv aus – ein nachdenklicher, eleganter Page im kurzen, enggeschnittenen Bolero, mit grauer Flanellhose. Die Form ihres Hinterkopfes hatte etwas anziehend Kühnes, Knabenhaftes. Marcel studierte gern die sich verändernde Farbe ihres Haares und ihrer Augen. Manchmal glich das Haar dem von der Sonne ausgetrockneten und gebleichten Stroh. Zu anderen Zeitpunkten schien es honigfarben mit reichen Goldtönen. Ihre weit auseinanderstehenden Augen unter einer breiten, nachdenklichen Stirn hatten die schillernde Tiefe von stillem, aber unberechenbarem Gewässer. Sie waren nicht blau, ihre Augen, sondern von einem strahlenden Grau; wirklich ein außergewöhnliches Grau mit einem Strich ins Silbriggrüne. Zuweilen wirkten sie klar und hell wie Edelsteine – glänzten mit einer fast unmenschlichen Reinheit. In anderen Augenblicken wieder verdunkelten sie sich und wurden beinahe schwarz – als ob sie plötzlich von geheimnisvollen Wolken verdüstert würden.

‹Ein seltsames Wesen›, dachte Marcel, während er sie ansah. ‹Wie kann sie nur so engelsgleiche Züge haben und doch eine solche Lügnerin sein? Welchen trügerischen Traumbildern hängt sie nach, wenn sie mir diese falschen Blicke zuwirft? Wenn ich nur wüßte, was für ein Mädchen sie in Wirklichkeit ist!›

Was immer sie über ihren Hintergrund und ihre Tätigkeit erzählte, er glaubte ihr kein Wort. Sie sagte, sie sei in Bern geboren: das bedeutete wahrscheinlich, daß sie aus Finnland oder Australien kam. Angeblich war sie mit einem brasilianischen Diplomaten verheiratet; aber Marcel hielt es für wahrscheinlicher, daß sie die Witwe eines russischen Generals war oder die zehnte Frau eines indischen Maharadschas oder daß sie der Organisation militanter Amazonen angehörte, deren Ziel es war, die Männer umzubringen, anstatt sie zu heiraten.

Was machte sie überhaupt in Fez? Welche unvernünftige Laune, welche geheime Mission hielten sie im verlassenen «Palace Arabe» fest? Sie gab vor, als Korrespondentin für schwedische und portugiesische Zeitungen in Marokko unterwegs zu sein, aber sie zeigte ihm nie eine ihrer journalistischen Arbeiten. Die meiste Zeit wirkte sie untätig und gelangweilt – bis sie plötzlich sehr geschäftig wurde, zum Telefon hastete, Telegramme erhielt und mysteriöse Ausflüge in das französische Viertel oder in eine benachbarte Stadt unternahm. Bei solchen Gelegenheiten neigte Marcel dazu, sie für eine Spionin zu halten – eine Geheimagentin im Dienste Nazi Deutschlands oder Großbritanniens oder des Scheichs von Tunesien. Bei anderen Gelegenheiten verdächtigte er sie, eine verruchte und schlaue Abenteurerin zu sein, die von einer kleinen Armee reicher Liebhaber in den verschiedensten Gegenden Nordafrikas ausgehalten wurde. Und es gab Zeiten, da hielt er sie für ein hilfloses Stück Strandgut, wie er selbst es war; für einen der vielen Flüchtlinge aus einem der vom Krieg heimgesuchten Länder; ein verlassenes Wesen der vertrauten, trübseligen Art.

Es gab Hunderte, Tausende von ihnen – in Lissabon, in Zürich, in Casablanca: alle von denselben Ängsten und Illusionen verfolgt; sie gaben ihr letztes Geld in irgendeiner düsteren Familienpension oder in einem pompösen Grandhotel aus; sie eilten zu den Konsulaten von Ecuador, Mexico oder den Vereinigten Staaten, sie telegraphierten ihre monotonen SOS-Rufe an Freunde in Milwaukee, Melbourne oder Montreal; sie warteten auf eidesstattliche Erklärungen, Visa, Flugzeug- oder Schiffsreservierungen; sie warteten immer...

Vielleicht war Doris nur eine von diesen Unglücklichen; oder aber ihr Leben war voller lasterhafter und schillernder Geheimnisse. Im Grunde interessierte es Marcel nicht wirklich. Spionin oder Flüchtling – sie war bezaubernd und auch ein guter Kamerad – auf ihre ausweichende, geistesabwesende Art. Es machte Spaß, Arm in Arm mit ihr durch das schwüle Labyrinth der Araberstadt zu schlendern. Sie pflegten einander davon zu berichten, wie leidenschaftlich sie verliebt seien – nicht ineinander, sondern in diesen verzauberten und bezaubernden Ort namens Fez. In der Tat, die grellen Plakate der französischen Reisebüros übertrieben nicht, wenn sie Fez als das Herz und die Perle der arabischen Welt bezeichneten. Die märchenhafte Szenerie dieser Moscheen und Basare erfüllte die überschwenglichsten Versprechungen. Kein Tourist würde bedauern, der Aufforderung gefolgt zu sein:

«Visitez Fez, la Mystérieuse! Fez, la Reine de l'Afrique du Nord!»

Es lag etwas unglaublich Fesselndes in den Gerüchen und Farben, in der eindrucksvollen Geschäftigkeit dieser engen, schattigen Gassen. Doris und Marcel genossen jede Minute ihres «Einkaufsbummels». Nicht der Kauf von irgendwelchen Kuriositäten amüsierte und faszinierte sie: tatsächlich kauften sie so gut wie nichts. Aber sie wurden niemals müde, den farbenprächtigen Plunder zu durchstöbern, der aus den höhlenartigen Geschäften gleichsam auf das Pflaster quoll – all die bunten Gewänder, die süßlichen Parfums, giftig aussehende Naschereien, die eleganten Sachen aus marokkanischem Leder.

Doris und Marcel kicherten wie Kinder in sich hinein, wenn

die bärtigen Händler vor ihnen die traditionelle Palette eindeutiger Tricks entfalteten, zusammen mit dem billigen Flitterzeug, das sie zu einem unangemessenen Preis zu verkaufen hofften. Die zwei kindlichen Touristen ergötzten sich an der redegewandten Hartnäckigkeit wie an einer Varietévorstellung und fühlten sich wohl, wenn sie das aromatische Gebräu, genannt Café Turque, schlürften, das den Kunden umsonst angeboten wurde. Schließlich stellten sie zu ihrer peinlichen Überraschung fest, daß sie gar kein Geld mitgenommen hatten.

Die meisten der enttäuschten Verkäufer reagierten mit einem freundlichen Lächeln. Ménalque, der sogenannte Prinz der Basare, war die einzige Ausnahme.

Seine Sammlung von Kuriositäten war angeblich die großartigste und kostbarste der ganzen Gegend. Doch aus irgendeinem unerfindlichen Grund hatten Doris und Marcel bisher keine Lust verspürt, Ménalques berühmte Schätze zu besichtigen. Schließlich überwanden sie ihren seltsamen Widerwillen. Sie gingen zu Ménalque, um einen Blick auf seine vielgelobten Antiquitäten zu werfen. Was sie sahen, war wirklich eindrucksvoll. Trotzdem fühlten sie sich leicht unbehaglich in dem ausgedehnten, schwach beleuchteten Geschäft, vollgestopft mit Spiegeln, Pfeifen, Lampen, grotesken Figuren und verzerrten Masken, Holzschnitzereien und Elfenbeinstatuen, absonderlichem Spielzeug und unheimlichen Altertümern.

Sie mochten weder den Ort, noch behagte ihnen sein Eigentümer. Es lag irgend etwas Unfreundliches um Ménalques mageres, intelligentes Gesicht – bläßlich unter dem scharlachroten Fez. Seine Augen versteckten sich hinter riesigen blauen Gläsern. Er sprach wunderbar, mit tiefer, salbungsvoller Stimme.

Die kleine runde Dose aus schwarzem Metall, die er ihnen verkaufen wollte, war offensichtlich einer der weniger wertvollen Gegenstände. Er konnte kaum wirklich an den 250 Francs interessiert sein, die er verlangte. Jedenfalls klang seine mehrfach wiederholte Erklärung, daß es ihm nicht um das Geld gehe, völlig überzeugend. Doch warum machte er wegen einer solchen Kleinigkeit eine Ausnahme? Angeblich wollte er nur, daß «unsere wundervolle Lady» und «göttliche junge Frau», wie er Doris anredete, die Blechdose besitze, die, so Ménalque, einen Zauber beinhalte, völlig unentbehrlich für jeden, der die wirklichen Geheimnisse des Orients zu entdecken beabsichtige.

Doris schien halb amüsiert, halb angewidert von seinen blumigen Komplimenten. Sie lauschte, errötete, lachte und runzelte mißbilligend die Stirn; lauschte und lächelte wieder. Irgendwann schien sie dann bereit, die Büchse zu kaufen: sie umklammerte die Büchse mit seltsamer Gier und Zärtlichkeit. Aber plötzlich änderte sie ihre Meinung und erklärte, mit einer gewissen nervösen Eile, daß sie das Ding zwar gern hätte, es sich aber leider im Moment nicht leisten könne. Mit unbeweglicher Miene begleitete Ménalque seine Besucher zur Türe – ganz eisige Höflichkeit und würdevoller Ernst. «Es tut mir leid für Sie, Madame», war alles, was er sagte, während Marcel und Doris Entschuldigungen murmelten. Noch auf der Straße, die sie mit den vertrauten Geräuschen empfing und beruhigte, hörten sie die klangvolle Stimme des Händlers hinter ihnen mit düsterem Nachdruck wiederholen: «…sehr, sehr leid für Sie, junge Frau.»

Es klang unheilvoll und ziemlich furchterregend – beinahe wie ein Fluch.

Sie sprachen nicht viel auf ihrem Heimweg über diesen unerfreulichen Besuch. Oder genauer: während des ersten Teils ihres Weges blieben sie gedankenverloren und schweigsam. Etwa auf halbem Weg zwischen Ménalques Basar und dem «Palace Arabe» trafen sie Salem und schlossen mit ihm Freundschaft. Marcel bemerkte ihn zuerst – ein kleiner Araberjunge beschattete sie, lautlos und flink wie eine Katze oder ein Pantherbaby. Marcel fragte ihn etwas schroff, was zum Teufel er eigentlich wolle. Der Kleine – er konnte nicht mehr als zehn oder elf Jahre alt sein – zuckte wiederholt auf theatralische Weise die Schultern, wobei er sich wie in einem Anfall koketter Verlegenheit wand. «Rien», flüsterte er – und krümmte sich vor Schüchternheit oder heimlichem Lachen. «Nichts. Salem wollen nichts von Monsieur. Nur Madame sehen – nur das wollen Salem.»

Sein furchtsames Lächeln war entwaffnend, in dem dicklippigen, unschuldigen Mund blitzten kräftige, makellose Zähne.

Er war niedlich und gerissen wie nur einer. Der goldig braune Teint seines hübschen Gesichts hob sich deutlich von dem tiefen Schwarz seines Körpers ab, dessen geschmeidige Nacktheit zwischen den erbärmlichen Lumpen, die er trug, sichtbar wurde. Doris war augenblicklich eingenommen von seinem spitzbübischen und wilden Charme. Sie küßte ihn, und Tränen standen in ihren Augen, als er erzählte, daß er ein Waisenkind sei – mittellos, verloren, niemand habe, der sich um ihn kümmere. Seine noch jungen, aber bereits deutlichen Reize sprachen ihre mütterlichen Instinkte an. Nach ein paar Tagen nannte sie Salem «mein kleiner Sohn». Marcel lachte, aber sie meinte es ernst. «Wir haben ihn als unser Kind adoptiert, nicht wahr», sagte sie feierlich und entschlossen.

Den ganzen Tag trottete ihr Kind hinter ihnen her. Doris verzärtelte und verhätschelte ihn. Jeden Morgen schlich er auf Zehenspitzen an ihr Bett und weckte sie mit einem Kuß. Sie betete ihn an. Er hatte als einziger die Fähigkeit, sie aufzuheitern, wenn sie traurig oder niedergeschlagen war. Einer seiner leuchtenden Blicke genügte, und sie fühlte sich besser. Wenn Salem sie mutlos vorfand, lockte er sie mit seinen kindischen Späßen und Komplimenten. «Madame – plus jolie que jamais», erklärte er mit seiner rauhen kleinen Stimme, woraufhin Doris sofort wieder bestens aussah – gleichsam erfrischt, verzaubert durch die Berührung dieser schmutzigen und flinken Hand.

«Ich möchte, daß du hübsch angezogen bist», sagte sie eines Tages zu ihm. «Warum soll mein Sohn in Lumpen herumlaufen? Ich mache einen kleinen Gentleman aus dir!»

Sie kaufte ihm auffallende Kleidung – gelbe Knickerbocker, eine purpurrote Samtjacke und einen Fez mit einer schönen Quaste. Salem strahlte und machte Luftsprünge. «Moi – maintenant – aussi beau que Madame!» prahlte er und jubilierte, während er durch den Raum stolzierte: «Salem – sein jetzt schönster Mann in Stadt! Le beau Salem, der Prinz der Basare!»

Doris schien, überraschenderweise, verwirrt, fast verletzt

durch die letzten Worte. «Ça suffit», sagte sie schroff. «Du gehst jetzt besser, frage den Koch nach dem Abendessen.»

Salems neue Kleider und seine vertrauten Kapriolen ließen Doris plötzlich kalt wegen der Anspielung auf Ménalques pompösen Titel. Aus irgendeinem Grund hatte man jede Erinnerung an den Zwischenfall mit der Zauberdose vermieden; weder Marcel noch Doris erwähnten ihn jemals. Salems unabsichtlicher Verstoß gegen dieses Tabu wirkte auf Doris offenbar wie ein Schock.

Während des Essens war sie sehr gesprächig, aber auf eine gezwungene, beinahe hysterische Art. Ihre Augen waren schillernder und verlogener denn je; sie jammerte über alle möglichen Plagen, die angeblich ihr Leben ruinierten – die wachsende Hitze, das erbärmliche Essen, die lästigen Moskitos. Aber Marcel hielt diese vorübergehenden Beschwerden nur für Erfindungen, um von dem eigentlichen Problem abzulenken. Mit Sorgen beobachtete er ihre Leiden und Lügen. Welche geheimnisvolle Qual überschattete ihre anmutige Stirn? Kein Zweifel, ihre Nerven und ihr Gesundheitszustand hatten sich in den letzten Wochen verschlechtert. Außerdem hatte sie an Gewicht verloren, was sie sich bei ihrer extremen Schlankheit kaum leisten konnte. Wie beklagenswert mager sah sie aus in ihrem weißen Abendkleid, das eine Spur zu niedlich und weiblich wirkte für ihren jungenhaften Typ. Marcel dachte, daß sie einem jungen Edelmann gleiche, der in den Kleidern seiner Schwestern aus irgendeinem romantischen, aber schrecklichen Grund nächtens aus der väterlichen Burg flieht. In ihrer Erscheinung lag in dieser Nacht etwas geradezu rührend Hilfloses. Marcel mochte sie mehr als je zuvor.

Nach dem Essen spazierten sie Arm in Arm durch den dunklen, schwülen Garten. Als sie sich eng an ihn schmiegte, begann sich Marcel zu fragen, ob sie vielleicht eine etwas eindeutigere Tröstung von ihm erwarte als nur höfliche Worte und ritterliche Aufmerksamkeiten. Er streichelte ihre Hand, die sie ihm jedoch, wie es schien, erschrocken entzog. Offensichtlich war es nicht diese Art Trost, den sie begehrte.

Doris erklärte, halbtot zu sein vor Müdigkeit und Kopf-schmerzen. Er begleitete sie zu ihrem Zimmer. Bevor sie sich trennten, schaute sie ihn aus den Augenwinkeln an und sagte hastig, mit einem schwachen, flüchtigen Lächeln – dem traurig-sten Lächeln, das Marcel jemals gesehen hatte: «Sei mir nicht böse, Lieber, weil ich so ein Ekel bin. Es ist wirklich nicht meine Schuld. Alles ist durcheinander heutzutage – mein Privatleben und die große Welt sowieso. Es ist wirklich schwierig, *nicht* auf Abwege zu geraten, wenn alles Risse bekommt und bebt und einstürzt.» Sie machte eine weite Bewegung, um den verworre-nen Zustand ihres Privatlebens und des gesamten Erdballs anzu-deuten. Dann änderte sich ihr Gesichtsausdruck und wurde ziemlich kalt, fast feindselig, als sie mit matter, leiser Stimme fortfuhr: «Egal. Tut mir leid, ich rede zu viel.»

Die Nervosität, unter der sie litt, wirkte ansteckend. Allein-gelassen war Marcel erfüllt von unerträglicher Spannung. Er ver-suchte im Garten zur Ruhe zu kommen; aber der schwüle Schi-rokko – erfüllt von Düften und Staubkörnern – verschlimmerte seinen Zustand nur noch.

Ein heiseres Flüstern riß ihn aus seinen Träumen. Es war Sa-lem – plötzlich aufgetaucht aus dieser wohlriechenden Nacht. Er grinste den entgeisterten Marcel an und enthüllte dabei seine kräftigen, blitzenden Zähne. Gleichzeitig rollte er mit seinen großen, leuchtenden Augen, wodurch er zwar drollig, aber auch gierig und ein bißchen verrückt wirkte. Seine Stimme klang ir-gendwie beunruhigend, als er sich mit abrupten Bemerkungen an Marcel wandte:

«Schön, Sie zu treffen. Monsieur – besorgt über Madame? Sa-lem – auch besorgt. Arme Madame – krank und traurig; nicht schlafen, nicht lachen, nichts. Salem besorgt um Madame. Sehr, sehr besorgt. Etwas muß geschehen.»

«Aber *was*?» fragte Marcel – mit verzeifeltem Ernst, als ob er zu einem verantwortungsvollen Erwachsenen reden würde.

Es war ein Zwinkern in den lieblichen und listigen Augen des Kindes. «Salem weiß!» prahlte er. «Salems Onkel – großer Dok-tor. Hat Zauberkraut, macht Madame singen und lachen. Onkel sagt, Zauberkraut ist einzige Medizin, die das können. Will Monsieur sehen.»

Welche unheimliche Eingebung ließ Marcel dem schelmischen Führer in das Araberviertel folgen? Geblendet und verhext, halb unabsichtlich, erlaubte er Salem, ihn durch das Labyrinth der schmutzigen, stinkenden Gassen zu führen. Der flinke Page hielt vor einem dunklen, verfallenden Haus. Mit nervös hastenden Bewegungen lud er – ganz plötzlich verstummt – Marcel ein, das Haus zu betreten. Während der Kleine noch gestikulierte, öffnete sich die schwere Türe. Salem zog sich zurück – schweigend, mit einem schiefen, ängstlichen Grinsen. Marcel trat ein.

Es gab weder eine Eingangshalle noch ein Treppenhaus; nur einen riesigen leeren Raum. Zunächst hinderte die trübe Beleuchtung Marcel daran, den Mann zu erkennen, der ihn, am Boden kauernd, empfing – seltsam isoliert und bewegungslos in der Mitte der düsteren, weiträumigen Szenerie. Aber die tiefe und salbungsvolle Stimme war nicht zu verkennen.

«Willkommen, mein Freund», sprach Ménalque, der Prinz der Basare. «Ich bin Salems Onkel.»

Aus einer unverständlichen Laune heraus tat er so, als ob sie sich nicht kennen würden. Vielleicht sollte die dunkelrote Kapuze, die jetzt seinen Fez ersetzte, seine Identität verbergen. Was seine riesengroße Brille mit den farbigen Gläsern betraf, konnte sie schwerlich diesen Zweck erfüllen; denn sie gehörte zu seiner normalen Aufmachung. Warum trug er sie aber – in der Nacht und in seinem eigenen Haus?

‹Vielleicht sind seine Augen von einem gräßlichen Leiden entstellt?› dachte Marcel mit flüchtigem Schaudern. ‹Oder aber, sein Blick ist so schrecklich und so gewaltig, daß er es nicht riskieren kann, irgend jemanden anzuschauen, außer die, die er zu töten beabsichtigt.›

«Setz dich, Fremder!» sagte Ménalque und bot mit einer großartigen Handbewegung den nackten Boden an. Er fügte mit diskret gesenkter Stimme hinzu: «Mein kleiner Neffe hat mir alles über euch erzählt.»

«Also, was für verrückte Sachen hat sich Salem über uns ausgedacht?» fragte Marcel mit einem kurzen, unbehaglichen Lachen.

Ménalque antwortete nicht, sondern nickte nur und grinste. Nach einer kleinen Weile murmelte er vieldeutig: «Ich weiß, ich weiß...» Und wieder Stille.

Es war Marcel, der erneut zu sprechen begann: «Salem – Ihr Neffe – ich meine unser kleiner Freund...» Er mußte sich räuspern und fuhr dann fort: «Er erwähnte eine Medizin – ein Heilkraut, wenn ich mich nicht irre, um nervöse Störungen zu heilen – genauer gesagt, Depressionen, melancholische Anwandlungen und dergleichen.»

«Das hat euch Salem gesagt?» Ménalque ließ ein tiefes, weiches Lachen hören. «Auf jeden Fall ein kluger kleiner Bursche!» rief er fröhlich, als ob er endlich seine beschwerliche, würdevolle Schicksalsmaske fallen ließe. Sehr sachlich – fast zynisch fuhr er fort: «Neben anderen Sachen handle ich mit Haschisch.»

Marcel empfand Erleichterung und zugleich Enttäuschung. ‹Darauf läuft's also hinaus›, dachte er. ‹Ein normaler Rauschgifthändler...› Er erklärte laut und ziemlich barsch: «Ich bin an Drogen nicht interessiert.»

Ménalque – jetzt wieder feierlich und dämonisch – erhob seinen öligen, melodiösen Baß: «Aber die junge Frau könnte es sein», sagte er mit geheimnisvoller Betonung. «Ihre wunderbare Lady braucht es. Vergessen – das suchen wir alle, mein Freund. Vergessen... Vergessen», wiederholte er mit klingender, hypnotisierender Stimme. «Haschisch gewährt es dir, die himmlische Tröstung des Vergessens. Ein kleiner Löffel der Zauberdroge, mein Freund, und du vergißt die Lügen und den Kummer dieser bösen Welt – du wirst, dank der wundervollen Pflanze, zu paradiesischen Gefilden emporgehoben.»

Noch während er sprach, zog er die kleine schwarze Büchse mit einer blitzschnellen und unauffälligen Bewegung aus seinem Ärmel oder aus seiner Kapuze, einem Zauberer gleich, der eine Taube oder einen Rosenstrauß aus seinen Schuhen oder seinen Nasenflügeln zieht.

«Da ist es!» rief er triumphierend aus. «Nur 250 Francs, die hübsche Dose eingeschlossen. Das ist ein gutes Geschäft, mein Freund! Und welche Qualität! Prinzenqualität!»

Da Marcel noch zögerte, nahm der Prinz der Basare seine riesige, farbige Sonnenbrille ab und enthüllte seine Augen.

Marcel kaufte das Haschisch für 250 Francs – denselben Preis, den Ménalque für die noch leere Dose verlangt hatte.

* * *

«Ménalque ist ein dreckiger Lügner», beschwerte sich Doris. «Ich kann nicht das Mindeste spüren. Seine Prinzenqualität besteht aus Kakaopulver mit Zimt vermischt.»

«Das ist doch zu dumm», sagte Marcel. «Nehmen wir auf jeden Fall noch einen Löffel. Es kann nichts schaden.»

Das Zauberkraut sah nicht sehr appetitlich aus – eine Art grünlich-schwarzer Staub. Sie hatten schon das Dreifache der von Ménalque empfohlenen Menge konsumiert. Jetzt schluckten sie eine weitere starke Dosis, ohne Rücksicht auf seine Warnungen.

Nach einer kleinen Weile wurden sie außerordentlich fröhlich. Alles brachte sie zum Kichern – die Form der Karaffe oder die Troddeln von Doris' Hausschuhen – der Name des Hotels, dessen Einrichtung so komisch war, oder der Name der arabischen Stadt, in deren lachhaftem Zentrum sich diese drollige Karawanserei befand. «Fez!» glucksten sie in sinnloser Heiterkeit. «Was für ein Name! *Visitez Fez, la Mystérieuse!* Warum besuchen Sie nicht Fez, *la Reine de L'Afrique du Nord*, wo jeder einen Fez trägt und jeder Fez einen Troddel hat? Warum zollen Sie nicht Tribut der troddeligen Königin von Nordafrika und ihren prinzlichen Basaren? Besuchen Sie das Herz und die Perle von Ménalques Fez mit Troddeln! Warum bezahlen sie nicht 250 Francs für die vergeßliche Büchse des prinzlichen Basars? *Mes princes, my reines, et mes bazares! Visitez donc –* wunderbare Lady brauchen das! *– le mystère de la qualité Ménalquienne; la Reine aux principes Hashishaux; le Hashish royale aux qualités mystérieux…*»

Sie kreischten vor Lachen über ihre albernen Wortspiele. Alles, was sie anrührten oder erwähnten, wurde unweigerlich lustig. Ungefähr eine Stunde lang amüsierten sie sich königlich. Dann schliefen sie unvermittelt ein.

Doris lag auf dem Bett; Marcel in einem Lehnstuhl hingestreckt, mitten in dem chaotischen Raum. Ihr Aufschrei durchdrang seinen tranceähnlichen Schlaf. «Oh! Mein Gott! Oh!» stöhnte sie – sie raste durch das Appartement, ihre Augen starr und geweitet in einem weißen, entsetzten Gesicht. «Ich muß sterben! Ich bin am Ende!»

«Was ist los?» fragte er – aus Schlaf und Betäubung erwachend.

«Dieses teuflische Zeug!» stöhnte sie. «Dieses Haschisch, wir sind vergiftet – alle beide… Oh! Mein Gott…!»

«Mir geht es soweit gut», sagte er und begann zu zittern. Sein Geist – sich drehend und zugleich unheimlich wach – versuchte verzweifelt, die verschiedenen Möglichkeiten, in die sich die Situation aufzulösen schien, festzuhalten. Vielleicht wollte Ménalque Doris töten, die im Dienst einer feindlichen Regierung stehen mochte. Oder aber Doris könnte selbst in die schreckliche Intrige verwickelt sein – sie könnte sie in der Tat inszeniert haben, um ihn, Marcel, zu vernichten, den sie für einen Agenten Großbritanniens oder des freien Frankreichs hielt. Da sie ein Nazispion war, hatte sie Befehl, ihn zu liquidieren. Salem und Ménalque waren ihre Werkzeuge, so wie sie ein Werkzeug jener dunklen Mächte in Berlin war. Diese höchst unangenehme Möglichkeit war auch die wahrscheinlichste. Jede Einzelheit stimmte. Ihr seltsames Benehmen in Ménalques Basar; ihre übermäßige Zuneigung zu Salem; ihre überraschende Bereitschaft, an dem Haschisch-Abenteuer teilzunehmen…

Aber ihr gequältes Stöhnen widerlegte Marcels Verdacht. Zweifellos waren ihre Angst und ihre Qual echt. Keine noch so gute Schauspielerin könnte dieses Entsetzen, das ihr Gesicht lähmte und entstellte, vortäuschen. Während sie unentwegt durch das Zimmer wanderte, versuchte sie zu erklären, was ihr im Schlaf passiert war – den überwältigenden Schock zu schildern, den sie erlebt hatte. «Ich war zu tief», murmelte sie – von einer unheilvollen Kraft angetrieben, ohne Unterlaß vom Bett zum Fenster gehend, wie ein verstörtes Tier im Käfig. «Viel zu tief unten…» fuhr sie in ihrem konfusen Bericht fort. «Es war beinahe der Tod… Oh! Mein armer Marcel! Wir müssen sterben…»

Er wollte den Arzt holen, aber Doris entschied: «Wir gehen selber!»

In ihrem Morgenmantel und den arabischen Pantoffeln? Er zögerte; aber sie zog ihn zur Tür – hinaus in die wohlriechende Schwärze der afrikanischen Nacht.

Sie mußten den Garten in seiner ganzen Länge durchqueren, um den Haupttrakt des Hotels zu erreichen. Außer dem schwachen Schein aus Doris' Zimmer und dem entfernten Schimmer der Haupthalle, wo der Nachtportier hinter der Telefonanlage schlummerte, leuchtete kein Licht mehr.

Die vielen Pflanzen und Blumen dufteten erregend süß in der feuchten, samtenen Luft.

Noch berauschender als der Geruch der Rosen und des Jasmins war das monotone Konzert der Frösche und Grillen. Ihre endlose Litanei ertränkte fast die vertrauten Geräusche, die von der arabischen Stadt über die Steinmauer in den Park geweht wurden. Diese Geräusche waren immer die gleichen: die gutturalen Rufe, mit denen sich die Halbwüchsigen von einem Versteck zum anderen verständigten; das traurige Bimmeln, das einen Aussätzigen ankündigte; das Bellen eines wütenden Hundes; der düstere Gesang eines Trinkers. Die verzauberte Stadt, *Fez la Mystérieuse*, schickte jeden Abend ihre unveränderlichen Beschwörungen hinauf in einen sternenlosen und unbewegten Himmel.

«Sag etwas!» bat Doris mit erstickter Stimme, während sie Seite an Seite durch das Labyrinth von Blumenbeeten und Blütengebüschen stolperten. «Wenn du nicht mit mir sprichst», wimmerte sie, «werde ich wieder fallen… oh! Ins Bodenlose… Warum sagst du nichts?»

Aber Marcel wußte nicht, was er sagen sollte. Er war von der plötzlichen Furcht besessen, daß sie den Weg zum Hauptgebäude verfehlen könnten. Sein kreisender Verstand wiederholte – verzweifelt, automatisch – die Worte, die er von Doris gehört hatte: «Es ist irgendwie schwierig, *nicht* auf Abwege zu geraten, wenn alles Risse bekommt und bebt und einstürzt…»

Es entstand eine lange Pause, bevor er – hilflos, tonlos wie ein verschrecktes Kind – flüsterte: «Mir ist gerade etwas Außergewöhnliches passiert. Ich fühle meinen rechten Arm nicht mehr. Er muß verschwunden sein. Und jetzt ist der linke Arm ab…»

«Was ist mit deinen Armen los, Marcel?» Sie rüttelte ihn an den Schultern, während sie ihn anschrie: «Oh! Dieses teuflische Zeug!»

Was Marcel in den folgenden Augenblicken durchlebte, war unbeschreiblich schrecklich. Es war der Wahnsinn. Es war die Hölle.

Zuerst flogen seine Arme weg; dann die Beine; dann sein Hals, sein Kopf, sein Körper. Er zerplatzte buchstäblich. Er explodierte, löste sich auf, zerfiel in tausend Stücke. Seine Identität zerbrach: die Bruchstücke seines Organismus flatterten durch den Park. Er durchlebte das unbeschreibliche Gefühl vollständiger physischer Auflösung. Sein Haar schmerzte und brannte – in einem dornigen Dickicht verheddert. Sein fremder, schrecklicher Mund stammelte aus der Krone einer Zypresse Gebete und Blasphemien. Seine Füße – ziellos und nachlässig – liefen durch die Blumenbeete, während sein Herz – ein Klumpen pulsierender, unverbundener Nerven – in den Abgrund der dunkelroten, unergründlichen Nacht fiel.

Marcels innerstes Bewußtsein war sich jedoch während der ganzen Zeit des entsetzlichen Spuks bewußt und beobachtete ihn.

Vielleicht war dies das allerscheußlichste an dem höllischen Abenteuer: daß er sich darüber klar war, was er durchmachte – er schaute mit unendlichem Schrecken und Ekel dem Prozeß seiner eigenen Spaltung zu. Sein Gehirn schwebte isoliert irgendwo inmitten dieses schizophrenen Chaos, aber keinesfalls umdunkelt oder gelähmt.

Er hörte die Stimme von Doris; sie kam überraschenderweise vom Dach des Hauptgebäudes. «Warum hüpfst du die ganze Zeit herum?» fragte sie einigermaßen verärgert. «Warum tanzt du? Hör auf zu tanzen!»

Marcels einsames Gehirn bemerkte nicht ohne Verwirrung, daß Marcels Stimme – entgegen allen Regeln der Logik und des Anstands – von der Spitze des Springbrunnens kam.

«Ich tanze nicht, wenns recht ist», machte die entflohene Stimme in Namen des Wesens, das einmal Marcel gewesen war, geltend. «Du mußt dir die Sachen einbilden. Wenn ich jedoch tanzen *würde*, wäre es nicht ich, der tanzte. Wie kann ich aufhören zu tanzen, wenn ich es nicht bin, der tanzen *würde, wenn* ich tanzte?»

Der Nachtportier dachte, sie wären betrunken, und schlug vor, sie sollten zu Bett gehen. Sie schrien und sprangen weiter in der Halle umher, bis der Geschäftsführer eingriff. Da er feinfühlender und erfahrener war als sein Angestellter, vermutete er, daß seine respektablen Kunden unglücklicherweise den Verstand verloren hätten. Er befahl dem Nachtportier, den Chauffeur zu rufen, der seinerseits den wahnsinnigen Herrn und seine verrückte Dame zum Militärkrankenhaus fahren sollte – zu dem einzigen Ort, wo man für solche Fälle zuständig war.

Es dauerte ungefähr dreißig Minuten, bis der Fahrer auftauchte: Er mußte aus einem arabischen Bordell geholt werden. Er war natürlich auf Grund der Unterbrechung in grimmiger Stimmung. So keifte er mit seinen merkwürdigen Fahrgästen herum die ganze Fahrt vom Zentrum der Araber-Stadt bis hinauf in die Hügel, wo das Hôpital Militaire lag.

Das Auto schwamm durch Wolken. Doris sang; Marcel versuchte zu tanzen. Der Fahrer sagte, sie sollten sich schämen. Marcel heulte vor Furcht auf, als sein Kopf wagemutig auf dem Dach einer großen Moschee herumhüpfte. «Sei still, verrückter Ausländer!» schrie ihn der Fahrer an. «Ich schlage dir den Schädel ein, wenn du das noch einmal machst.» Doris rang in der Zwischenzeit ihre Hände so heftig, daß man die Gelenke knakken hörte. Während der gesamten Fahrt sang sie und rang die Hände – vielleicht, um wach zu bleiben oder aus Verzweiflung oder weil sie einfach verrückt war.

Es war fast drei Uhr morgens, als der Fahrer sie am Eingang des Militärkrankenhauses absetzte. Die Luft war plötzlich abgekühlt, oder sie war immer frischer hier oben als im Dunst der arabischen Stadt. Es war noch ziemlich dunkel, aber die Dunkelheit war nicht mehr wie schwarzer Samt. Ein grauer Schimmer kroch über die Wipfel der Palmen und kündigte die Morgendämmerung an.

Die Soldaten bedrängten und neckten die zwei tanzenden Derwische, während der Fahrer einem älteren Mann im weißen Kittel Bericht erstattete. «Eine Überdosis Haschisch», hörte Marcel den alten Mann aus unermeßlicher Entfernung sagen. «Dumme Kinder sind sie. Wir werden ihnen etwas zum Schlafen geben. Sie sind jung: sie werden den Schock überstehen. Gut, daß du sie hierhergebracht hast.»

Seine Stimme klang freundlich und beruhigend. Marcel mochte den Mann. «Nein, wir sind keine Zigeuner», versicherte Doris den Soldaten, die über die farbenprächtigen Gewänder, die sie trug, höchst amüsiert waren. «Und verrückt sind wir auch nicht», fügte sie ziemlich beleidigt und hochmütig hinzu.

In diesem Moment bemerkte Marcel, daß Salem ihnen gefolgt war. Da war er nun, eine einsame, rührende Figur, die vor dem Eisentor herumlungerte: er hatte seine feinen neuen Kleider gegen seinen alten, schäbigen Kapuzenmantel getauscht – er trug ihn wie immer und trauerte um seine rasenden Freunde, Doris und Marcel. Er sah äußerst verzweifelt und verzagt aus, mit bläulichen Lippen in einem blassen, zitternden Gesicht – ein frierender, kleiner Affe in der Kühle dieser bleichen Stunde. Als die zwei Gefangenen vorbeigingen – von den grölenden Soldaten flankiert und gestützt –, hob er seine kleinen, schmutzigen Hände mit einer hilflosen, schönen Geste, als ob er sie um Verzeihung bitten wolle.

* * *

Man brachte sie in eine düstere Zelle, mit nichts darin als einem großen Doppelbett. Die Verwaltung des Krankenhauses hielt die Neuankömmlinge offensichtlich für ein Ehepaar, oder aber sie dachten, Doris wäre ein Junge – ein zerbrechlicher, zerzauster Jüngling mit grün-schwarzen Augen voller Angst.

Der ältere Mann in Weiß gab ihnen ein Schlafmittel – stark genug, um einen Riesen lahmzulegen.

Doris protestierte zuerst – sie erinnerte den Arzt an ihre Erfahrungen, was die merkwürdige Anziehungskraft des Bodenlosen anging. Der Arzt lächelte verständnisvoll. Er lächelte immer noch, als Marcel darauf bestand, daß es schließlich aus triftigem Grund unmöglich sei, in seinen Arm eine Injektion zu machen, weil nämlich kein Arm da sei. Er erhielt die Injektion ganz normal. Mit einem letzten väterlich feinen Lächeln in Richtung der zwei verwirrten jungen Leute zog sich der alte Mann zurück.

Sie waren allein – einander sehr nahe, und sie hatten keine Angst mehr. Sie waren gemeinsam durch die Hölle gegangen und hatten zusammen überlebt, von jetzt an konnten sie sich aufeinander verlassen, sie waren Kameraden für immer und ewig.

Ménalque hatte seinen finsteren Einfluß über sie verloren. Die Metalldose – bisher mit dem süßlichen Kraut des Verderbens gefüllt – war ihres Zaubers beraubt. Doris fürchtete sich nicht mehr vor dem Sog von Dunkelheit und Tod. Sie wußte, daß es einen Freund gab, der sie vor dem Fallen beschützen würde. Marcel seinerseits hatte das Gefühl, daß sich seine Identität wieder zusammenfüge – Stück für Stück und langsam; das Schlimmste vom Schlimmen jedoch war vorüber. Doris hatte dankenswerterweise einen pulsierenden Klumpen unverbundener Nerven, der irgendwo in den Büschen hing, aufgehoben – Marcels einsames Herz.

«Doris», flüsterte Marcel, «schläfst du?»

«Ganz fest.»

«Ich auch.»

Alle Fesseln und Bürden, allen Verwirrungen und Lügen ihres heimatlosen Lebens schienen gnädig verklärt, als sie sich im gemeinsamen Schlaf entspannten – ihr erstes Geheimnis miteinander.

Der Mönch

In der gesamten Kompanie hieß er «der Mönch», weil er kein Mädchen in der Stadt hatte und immer etwas verlegen wirkte, wenn die anderen sich ihre Frauengeschichten erzählten. Manchmal unterbrach er auch ihre Anzüglichkeiten mit einer sanften, aber irgendwie beeindruckenden Geste: «Es reicht! Bitte schön!» Natürlich war die Antwort ein homerisches Gelächter; aber überraschenderweise verstummte das Geschwätz kurz darauf oder wurde doch eine Spur zurückhaltender.

Was war mit dem Mönch nicht in Ordnung? Einige seiner Stubenkameraden vermuteten, daß er heimlich verheiratet sei und seiner Frau treu wäre, obwohl er behauptete, ein Junggeselle zu sein. Andere meinten, daß es religiöse Gründe für seine Prüderie gäbe; er war jedoch kein Kirchgänger. War er vielleicht krankhaft schüchtern? Oder war es einfach nur sein Alter, das ihn davon abhielt, sich zu amüsieren?

Er war tatsächlich schon recht alt, ungefähr fünfunddreißig, wenn nicht noch älter; auf jeden Fall war er bei weitem der Älteste in der Einheit, die großenteils aus jungen Burschen so um die zwanzig herum bestand. Sein Gesicht erschien seltsam zerfurcht, ledern und spröde, wie ausgedorrt von einer gnadenlosen tropischen Sonne. In seinem Ausdruck lag etwas leicht Mephistophelisches, verursacht vielleicht durch seine widerspenstigen schwarzen Locken und seine dunklen, buschigen Augenbrauen. Er hatte aber auch Züge eines melancholischen Clowns; in seiner stets zerknitterten Uniform, die viel zu weit war für seinen mageren, dicht behaarten Körper; mit seiner langen, spitzen Nase und seinem lächerlich gravitätischen Gang. Sein Blick war nachdenklich und kurzsichtig. Er hatte die dünnen Lippen und den herabhängenden, farblosen Mund einer alten, von Sorgen gequälten Frau.

Er war ein miserabler Soldat, rührend hilflos bei all seinen Anstrengungen und trotz seines Einsatzes. Wie er sich auch bemühte, niemals beherrschte er die Gewehrgriffe, und unvermeidlich brachte er seinen Zug beim Exerzieren durcheinander. Der First Sergeant verachtete ihn. «So 'n Schlappschwanz hat in der Armee nichts zu suchen», pflegte der Sergeant, entnervt von so viel Unbeholfenheit, zu brüllen. «Woher kommst du überhaupt, du komischer Vogel?»

Das Herkunftsland des Mönchs war ebenso schwierig zu bestimmen wie das, was er vor seiner Militärzeit gewesen war. Seine Sprechweise klang exotisch, ohne daß man einen ganz bestimmten fremdländischen Akzent erkennen konnte. Seinen wenigen Andeutungen zufolge war er in einer der kleineren südamerikanischen Republiken geboren. (Manchmal erwähnte er Ecuador, ein andermal aber auch Paraguay.) Aufgewachsen in Rumänien, besaß er die türkische Staatsbürgerschaft. Seine Heimat, wenn man davon überhaupt sprechen konnte, lag jedenfalls furchtbar weit weg.

Genauso ausweichend und unbestimmt war er, was seinen Zivilberuf betraf. Nur einmal, als ihn der Kommandant vor der gesamten Kompanie direkt danach fragte, gab er die Geheimniskrämerei auf. «Mein Beruf, Sir?» sagte er – träumerisch und wie geistesabwesend. «Ich war Bildhauer, Sir.» Aus irgendeinem Grund provozierte er mit dieser Antwort ein schallendes Gelächter – und zwar sowohl bei der Mannschaft als auch bei dem Captain. Der Mönch aber blieb würdevoll und gefaßt und bei aller Zurückhaltung erstaunlich selbstsicher.

Die meisten Jungs hatten kaum die leiseste Ahnung von dem, was überhaupt ein Bildhauer war. Wie auch immer, keiner glaubte dem Mönch. Einige meinten, daß er ein Uhrmacher gewesen sei – weil er so kindisch vernarrt in seine Uhr war, ein altmodisch großes Stück aus schwerem, glanzlosem Silber. Andere wiederum glaubten, daß er in der Vergangenheit einfach ein Landstreicher gewesen sei, ein ganz gewöhnlicher Taugenichts.

Dann kam die Geschichte auf, daß der Mönch mit einem Wanderzirkus herumgereist sei. Tatsächlich behauptete einer der

Jungs, ihn vor Jahren gesehen zu haben in einer Akrobaten-gruppe, die in einer kleinen kalifornischen Stadt auftrat, nahe der mexikanischen Grenze. Der Mönch sei – phantastisch herausge-putzt – dem Publikum vorgestellt worden als «der schnellste Porträtist aller Zeiten», und wahrhaftig habe er seine Zuschauer verblüfft durch die unheimliche Geschwindigkeit, mit der er ihr Profil aus schwarzem Papier schnitt, für 25 Cents das Stück.

Als ihn die Kameraden drängten, die Geschichte zu bestätigen oder zurückzuweisen, zuckte er bloß die Achseln und lächelte vielsagend. «Im Ernst», bohrten sie weiter, «ist es wahr oder nicht?» Seine Antwort war lediglich: «Meine Herren! Bitte schön. Ein bißchen mehr Zurückhaltung!» Aber einige Tage da-nach überraschte er alle, als er mit einer scharfen Schere und einem Packen schwarzen Glanzpapiers ankam. Der ganze Hau-fen staunte, als er im Handumdrehen die Silhouette des Küchen-bullen ausschnitt.

Er leistete wirklich gute Arbeit. Auf seiner Pritsche hockend, handhabe er sein Werkzeug mit bemerkenswerter Geschicklich-keit. Er schnitt die Profile seiner Kameraden und klebte sie dann auf kleine, weiße Pappstücke. Die Jungs, so wie sie der Künstler darstellte, sahen mehr oder weniger gleich aus. Einige ihrer be-sonderen Merkmale jedoch – eine Hakennase, eine hängende Unterlippe oder eine Brille – wurden deutlich herausgearbeitet. Insgesamt schmeichelten die Bilder ihren jeweiligen Modellen wegen ihres würdevollen und männlichen Charakters. Entzückt und ziemlich beeindruckt schickten die G.I.s die Scherenschnitte ihren Leuten nach Hause. Es war ein großartiger Erfolg.

Eine Zeit lang schien das Ansehen des Mönchs dank seiner unerwarteten Kunstfertigkeit zu wachsen. Sogar der First Ser-geant stimmte zu, sich porträtieren zu lassen. Aber gerade dabei geschah es, daß der Mönch – auf dem Höhepunkt seiner Karriere – sich um jede Chance brachte – vielleicht durch Unbeholfenheit oder weil er zu aufgeregt war oder vielleicht auch, weil er den gemeinen, ungebildeten Oberschleifer abgrundtief haßte. Was auch immer der psychologische Grund war, das Porträt, das er anfertigte, war eher eine verletzende Karikatur. Der mächtige

Mann geriet völlig aus dem Häuschen, und seine Wut ergoß sich in einen Wasserfall von nicht wiederzugebenden Wörtern. Obwohl der First Sergeant nur bei wenigen bebliebt war, stand doch in diesem Fall die ganze Kompanie hinter ihm. Es setzte sich die Meinung durch, daß der Mönch mutwillig den Zorn des Tyrannen provoziert und durch seine Tat nicht nur sich, sondern auch seine Kameraden in eine höchst unangenehme Lage gebracht habe. Natürlich sank das Ansehen des «Schlappschwanzes» nach diesem Vorfall noch tiefer, als es vor der Entdeckung seines Talents gewesen war. Was nützte sein unbestreitbares Können als Scherenschnittkünstler, wenn es ihm und anderen lediglich Ärger einbrachte?

Es gab nur einen einzigen Burschen, der sich jetzt noch – wenigstens zeitweise – um ihn zu kümmern schien: Corporal Mario Menutti, ein dunkelhäutiger kleiner Italiener aus Brooklyn, New York. Mario hatte wirklich Format, er war recht einflußreich in der Ausbildungseinheit, und mehr noch, er galt als «ganzer Kerl». Er hatte den Ruf eines Frauenhelden, und er genoß es, wenn die Rekruten seine Liebesabenteuer bestaunten. Sein Lächeln verschwand allerdings, als einer seiner Bewunderer ihn einmal «Brooklyn-Casanova» nannte: denn er hatte keine Ahnung, was das heißen könnte, und vermutete deshalb eine versteckte Beleidigung.

Es war der Mönch, der den Corporal beruhigte, indem er ihm in wohlüberlegten Formulierungen den Charakter und die Laufbahn des berühmten Liebhabers nahebrachte. Mario lachte sich halbtot und genoß sichtlich die sachkundige und leicht laszive Unterweisung. «Was wollt ihr'n eigentlich», fragte er seine Leute. «Der Kerl hier ist doch kein Mönch, wenn Mönch heißt, ein Trottel oder sowas sein. Ist verdammt noch mal schlauer als ihr denkt, und er kennt sich aus mit Frauen.»

Doch die anderen blieben skeptisch. Selbst Menuttis unbestrittene Autorität konnte sie nicht von den erotischen Kenntnissen des Mönchs überzeugen. «Nur Gerede das alles», warfen sie ein, während der Corporal sich noch über Casanovas Geschichten amüsierte. «Phantastereien, die er irgendwo aufgeschnappt hat...» Doch Menutti schmunzelte: «Die großen Worte könnten einmal nützlich sein...»

Für einige Tage war der Kleine mit den dunklen Augen – Mario Menutti aus Brooklyn – hingerissen von dem ausgesuchten Wortschatz des Mönchs. Er setzte seinen Ehrgeiz darein, soviel wie möglich von ihm zu lernen – vor allem aber medizinische Begriffe. Wörter wie «Paranoia» («Palanoia» in seiner Aussprache), «Sadismus» und «Masochismus» faszinierten ihn außerordentlich. «Was ist denn nun 'n Sadist?» fragte er mindestens zwanzigmal. Gespannt hörte er dann zu, wenn der Mönch bis in alle Einzelheiten erklärte, daß ein Sadist ein Mensch sei, der eine verbotene Lust dabei empfinde, anderen körperliche oder seelische Schmerzen zuzufügen.

Unglücklicherweise glaubte Mario fest daran, daß außer ihm und seinem Lehrer niemand die Fachausdrücke verstehe, die er für originale Erfindungen des schlauen Mönchs hielt. «Zeigt nicht Sergeant Peterson deutliche Anzeichen einer Palanoia, was meinst du, Mönch?» pflegte er durch das Kasino zu rufen – während der, von dem die Rede war, gerade in der Nähe stand. Es war der peinlich berührte Lehrer, der für die himmelschreiende Naivität seines Schülers zu büßen hatte. Sergeant Peterson, der den Corporal nicht anzugehen wagte, revanchierte sich beim «Schlappschwanz» mit zwei Wochenenddiensten.

Ärger kam es noch, als der Brooklyn-Casanova bei dem Tanzabend, den die Armee in der Stadt veranstaltete, einem Mädchen damit imponieren wollte, daß er die Unterhaltung mit der beiläufigen Bemerkung begann: «Ich bin übrigens ein großer Sadist, wenn Sie wissen, was ich meine...» Sie wußte es nur zu gut und verlor prompt die Beherrschung. Diesmal war Menutti ernsthaft verärgert. Die großen Worte hatten seinen Annäherungsversuch scheitern lassen, der eigentlich in eine nette kleine Romanze münden sollte. «Das ist alles deine Schuld», beschimpfte er den betretenen Mönch. «Hast du mir nicht erzählt, ein Sadist is 'n Casanova, und ein Masochist ist, wenn man seine Frau verprügelt und findet das toll. Verdammt noch mal, jetzt bin ich vollkommen durcheinander...»

Das war das Ende ihrer Freundschaft. Nicht daß Menutti den Mönch gänzlich fallen ließ: sein Verhalten gegenüber dem «Schlappschwanz» blieb gönnerhaft wohlwollend. Aber es war offensichtlich, daß er keine weiteren klugen Ausdrücke mehr von ihm lernen wollte.

So war der Mönch wieder allein – ein Außenseiter, ein Fremdling. Er sah nun noch verstörter aus als sonst, und er schien zusehends den Mut zu verlieren. Zweifellos bekam er auch die Folgen der harten Ausbildung zu spüren. Es war nicht leicht für einen Mann seines Alters und seiner Verfassung, mit einem Haufen junger, stämmiger Bauernburschen Schritt zu halten.

«Es ist kein Kinderspiel», murmelte er betrübt, wenn er von einer Geländeübung oder von einem 15-Meilen-Gepäckmarsch heimhinkte. Seine Stimme klang nicht sehr überzeugend, wenn er auf dem Schießstand oder im Wald während einer anstrengenden Nachtübung meinte: «Nun, meine Herren, schauen wir uns die Sache einmal genauer an!»

Die Heiterkeit, mit der solche Äußerungen von den anderen Soldaten aufgenommen wurden, war längst nicht mehr so laut und herzlich, wie sie noch während der ersten Wochen der Ausbildung gewesen war. Der Mönch war gar zu jämmerlich, um wirklich komisch zu sein. Er tat seinen Kameraden leid.

Er tat ihnen leid – ohne daß sie es übrigens zugegeben hätten – auch an jenem Abend, als er zum ersten Mal in seiner militärischen Laufbahn Wache schieben mußte. Er sah ziemlich elend aus an diesem Abend, trotz seines kriegerischen Äußeren, mit Helm, Gewehr, Patronengurt, Gamaschen – er zitterte vor Aufregung, als ob er an einem Todeskommando teilnehme und nicht lediglich für wenige Stunden an der üblichen, stumpfsinnigen G. I.-Routine. Seine Lippen bebten, als er die «Wachdienstordnung» vorlas – und er wiederholte sie immer wieder wie eine magische Beschwörungsformel gegen böse Geister. «Der Wachgang hat in militärischer Haltung zu erfolgen», betete der Mönch, während sich sein altes, ausgemergeltes Gesicht unter dem schweren Helm vor Anstrengung verzerrte. «In ständiger Alarmbereitschaft... Alles genau beobachten... Ja klar! ...Mit niemandem sprechen, nur im dienstlichen Rahmen... Mit niemandem – ist das klar? ...Den Posten nur bei Ablösung verlassen... Selbstverständlich... Jede Mißachtung der Dienstordnung zu melden... Mit aller Schärfe vorzugehen... Mit aller Schärfe. Oh, Gott, wie kann ich mit aller Schärfe gegen irgend etwas vorgehen? ...Dem wachhabenden Offizier jeden außergewöhnlichen Vorfall melden...»

Der wachhabende Offizier war Mario Menutti. «Ist ja toll», brüllte er los – sichtlich erheitert von dem grotesken Schauspiel, das sein früherer Lehrer und Schützling bot. «Der Mönch mit Anzeichen von Palanoia! Ist ja großartig!»

«In ständiger Alarmbereitschaft...» wiederholte der Mönch verbissen, während er Marios Worte mit einem milden und geistesabwesenden Lächeln zur Kenntnis nahm, so als ob sie übertriebene Komplimente enthielten, denen er jetzt keine allzu große Aufmerksamkeit schenken konnte.

Das Gebiet, das er zu bewachen hatte, reichte vom Offizierskasino bis zur protestantischen Kirche, mit dem Friedhof dazwischen, insgesamt eine Entfernung von etwa 400 Yards. Seine Wache ging von eins bis drei Uhr morgens. «Um diese Zeit passiert garantiert nichts», bemerkte der wachhabende Sergeant geringschätzig.

Bis Mitternacht hatte es heftig geregnet; doch nun war die Nacht wieder angenehm – ziemlich warm für Oktober. Wege und Bäume waren noch naß, und bisweilen tropfte es aus den Büschen mit einem leisen Rascheln. Abgesehen von diesen feinen Geräuschen herrschte eine undurchdringliche Stille. Es war sehr dunkel – die dunkelste Nacht und die stillste, die der Mönch, wenn er nachdachte, jemals erlebt hatte.

Er ging langsam und in strammer Haltung – so militärisch wie möglich – und nur, wenn er an dem Friedhof vorüber mußte, ging er etwas schneller. Er mochte Friedhöfe nicht; es war eine alte Abneigung.

Als er zum dritten Mal seine Runde gemacht hatte, begann er das Gewicht des Gewehrs zu spüren. Die Stille wurde drückend – wie eine schwere Last; ein schwarzer, undurchdringlicher Ne-

bel, der einem den Atem nahm. Der Mönch lauschte auf irgendeinen Ton, auf eine laute Stimme – das Bellen eines Hundes oder
das Lachen eines Kindes. Aber da war nichts – nur die gnadenlose, fürchterliche Stille.

Sollte er es wagen, eine Zigarette zu rauchen? Nein, das würde
bestimmt nicht zu einer militärischen Haltung passen.

Wieviel Uhr war es? Er schaute im schwachen Lichtschein,
der aus dem Offizierskasino drang, auf seine schöne, alte Uhr.
Erst fünfunddreißig Minuten nach eins. Wie lang zwei Stunden
sein können! Manchmal scheinen sie in der Tat endlos zu sein...

Er setzte seinen Rundgang fort. «In ständiger Alarmbereitschaft...» Warum war er eigentlich so aufgeregt? Warum erschreckte ihn die Dunkelheit? Warum schaffte er es nicht, diese
unsinnige Angst vor Friedhöfen zu überwinden? Vielleicht deshalb, weil er sich als Fünfjähriger in Polen so unbeschreiblich
gefürchtet hatte, als ihn die alte ukrainische Magd zum Dorf-
friedhof mitgenommen hatte, um ihm dort lauter Schauerge-
schichten über Tote und Gespenster zu erzählen. Er dachte ungern an Dinge, die mit seiner Kindheit zu tun hatten. Er ver-
abscheute Erinnerungen. Aber hier, in der unheimlichen Stille
dieser lauen, fürchterlichen Nacht, war er ihnen ausgeliefert.
Die Bilder drängten sich auf, die Stimmen – ungerufen, aber
machtvoll. All die schlimmen Ereignisse und Gestalten, die sein
ruheloses, entwurzeltes Leben überschatteten; die Erniedrigun-
gen, die Leiden und Verwirrungen; die bitteren und sinnlosen
Erfahrungen, die er so sorgfältig vor seinen robusten, unschuldigen und unwissenden Kameraden verborgen hielt. Gab es
denn keinen, der ihm den ganzen Spuk der Vergangenheit vom
Halse halten konnte?

Als er zum vierten Mal am Friedhof vorbeikam, hörte er eine
Stimme – oder eher ein Aufseufzen, ein heiseres Stöhnen irgendwo am Boden. Er rannte davon, blieb dann – starr vor
Schreck – wieder stehen. Er wartete. Nichts rührte sich. Schließlich flüsterte er: «Hallo... wer ist da?» Er hielt den Atem an.
Nichts passierte. Es mußte ein Irrtum gewesen sein. Der Wind in
den Blättern vielleicht, oder ein Tier. Am besten ging er einfach

weiter… In ständiger Alarmbereitschaft und in streng militärischer Haltung…

Wenn es aber doch ein Mensch war? Die Gedanken wirbelten durch seinen Kopf, während er, aufrechter als je zuvor, zur protestantischen Kirche marschierte. Es war zweifellos ein Stöhnen gewesen – und es hatte unmißverständlich nach einem Menschen geklungen. Möglicherweise ein verletzter Soldat? Oder ein Selbstmörder? Ein Verrückter vielleicht? Oder ein Geist… Ihn schauderte.

Mit angehaltenem Atem näherte er sich wieder der geheimnisvollen Stelle – dem verwunschenen Ort am Friedhof, wo er die schrecklichen Laute vernommen hatte.

Da war es wieder! Seine an die Dunkelheit gewöhnten Augen erkannten am Boden die Umrisse einer größeren Gestalt, die langsam und schwerfällig auf allen vieren über die Straße kroch. Das konnte keine Einbildung sein, oder er war doch neurotischer, als er glaubte. Es war auch kein Tier. Es war eine Frau. Sie stöhnte. Offensichtlich war sie schwer verletzt – vielleicht durch einen Autounfall? Oder sie war krank – im Fieberwahn, den Tod vor Augen…

Dem wachhabenden Offizier ist jeder außergewöhnliche Vorfall zu melden…

Sein erster Gedanke war, um Hilfe zu rufen. Dann aber trat der Mönch beherzt einige Schritte auf die kriechende Gestalt zu und brachte ein krächzendes, zittriges «Halt!» heraus. Die Frau reagierte nicht. Ohne sich stören zu lassen, setzte sie mit erstaunlicher Energie ihre unnatürliche, mühevolle Reise über den nassen, schmutzigen Boden fort. Der Mönch – bestürzt, bewegungslos – sagte mit ängstlich leiser Stimme: «Vortreten und melden!» – und haßte sich sofort, weil ihm nichts besseres als diese Formel eingefallen war, die in einer solchen Situation völlig absurd war.

Das tierische Wesen – das massige Reptil dort im Dreck – brach in bellendes Gelächter aus, das wie fürchterliche kleine Explosionen klang. Gleichzeitig machte es eine einladende Bewegung mit der Hand, unterbrach die Kriechbewegung und verharrte nun in einer mehr menschlichen, wenn auch unzivilisiert wirkenden Hockstellung.

Mit niemandem sprechen, nur im dienstlichen Rahmen…

Er zögerte – seine Lippen zuckten nervös. Nach einer langen Pause fragte er: «Wer sind Sie?» Er sprach sehr sanft, wie zu einem kranken Kind, das er am Straßenrand gefunden hatte.

Ihre Reaktion auf diese vorsichtige Anrede kam unerwartet und war völlig unpassend. «Süßer…» stammelte sie mehrere Male, und ein tiefes, gurrendes Glucksen begleitete ihre albernen Worte. Sie war offensichtlich noch jung und recht üppig – auf ihre wilde, schlampige Art fast attraktiv. Ihre Züge konnte man in der Dunkelheit kaum erkennen. Überdies war ihr Gesicht zur Hälfte von ihren aufgelösten Haaren und den Fransen eines breiten, schmutzigen Schals bedeckt, den sie locker über Kopf und Schultern geworfen hatte. Sie sah aus wie eine Meerjungfrau, die gerade einer Pfütze entstiegen war – Kleider und Haare tropften; im Gesicht und an den Händen war sie überall mit Matsch beschmiert. Kein Zweifel, sie mußte den größten Teil der regnerischen Nacht draußen gewesen und vermutlich zwischen dem Friedhof und dem Offizierskasino herumgekrochen sein. Sie war vollkommen durchnäßt.

«Sind Sie krank?» fragte sie der Mönch, und seine Stimme klang irgendwie besorgt. Sie kicherte und schüttelte den Kopf. «Süßer…» wiederholte sie hartnäckig und gut gelaunt. Ihre Stimme klang herzlich und warm, beinahe mütterlich.

«Aber meine Dame; ich muß doch bitten.» Die Augen des Mönchs füllten sich tatsächlich mit Tränen. Er war schrecklich aufgeregt.

«Mein süßer Schatz», neckte sie ihn und grinste dabei breit über das ganze verschmutzte Gesicht; nun halb aufgerichtet, kniete sie mitten auf der Straße, eine obszöne und fremdartige Erscheinung.

Der Mönch versuchte so sicher wie möglich zu wirken. «Ma'am», sagte er – in Hab-Acht-Stellung, wie vor einem Offizier –, «ich muß Sie bitten, mir zu folgen.»

Sie nickte und lachte dabei. «Sicher, Süßer, sicher: Ich will ja

gerne, aber ich kann nicht. Ich kann nämlich nicht laufen, Sü
ßer...» Sie wirkte beinahe kleinlaut, als sie mit einem einschmeichelnden Lächeln fortfuhr: «Muß ein hundsmiserabler Gin gewesen sein, den mir die Burschen spendiert haben... Bei Gott,
ich kann 'ne ganze Menge vertragen, aber das war zuviel für
mich...»

Sie war betrunken; nicht krank oder verletzt, sondern sturzbetrunken; jetzt erst begriff der Mönch die grelle, schockierende
Wahrheit.

Was für eine umwerfende Entdeckung! Eine betrunkene Frau,
hier im Camp! Zu dieser unmöglichen Zeit! Kriechend, wie ein
gemeines Tier – nein, wie eine teuflische Erscheinung –, und das
in einem militärischen Sperrgebiet! Wie konnte sie hier nur eingedrungen sein? Was wollte sie hier? Wer waren ihre Freunde
und Komplizen?

«Du mußt mich wohl tragen, Zuckerstückchen...» stammelte
sie langsam und schwerfällig. «Ich kann ja nicht laufen, wie du
siehst... Hundsmiserabler Gin... verdammt.»

Ihre Stimme erstarb. Sie weinte. Von hysterischem Schluchzen geschüttelt, barg sie das feuchte, fleischige Gesicht in ihren
Händen. «Gemein... sind sie», wimmerte es zwischen den
schmutzigen, zitternden Fingern hervor. «Alle Männer sind so
gemein, alle...» Und dann, mit einem überraschenden Wechsel
in Stimme und Ausdruck: «Nur du bist lieb...»

Sie war offensichtlich ein Mädchen von der billigsten Sorte –
höchstwahrscheinlich eine gewöhnliche Prostituierte. Wer hatte
wohl die Nerven besessen, sie in dieses Lager zu bringen und sie
dann, mitten in der Nacht und völlig betrunken, allein zu lassen?
Hatte sich einer der Rekruten diesen kriminellen Streich ausgedacht, oder war gar ein Offizier dafür verantwortlich? Vielleicht
war es kein Zufall, daß die elende Kreatur sich in der Nähe des
Offizierskasinos herumdrückte, nicht weit von den Offiziersunterkünften entfernt... Doch das war zu empörend, um überhaupt gedacht zu werden...

«Ich muß Sie festnehmen», sagte der Mönch, wobei er sich
verzweifelt anstrengte, seine Verwirrung zu verbergen.

Er erwartete, daß sie protestierte oder schrie; statt dessen lächelte sie. «Is' schon gut, Süßer», sagte sie folgsam, aber nicht ohne Würde. Sie zwinkerte mit den Augen, als sie fortfuhr: «Ich warne dich, Freund. Ich wiege einiges… Wirst an mir zu heben haben – du dünnes Gestell…»

Er mußte sie nicht wirklich tragen. (Das hätte seine physischen Kräfte auch überfordert.) Sie verhielt sich recht hilfsbereit und versuchte, ihre Füße zu bewegen – sie schlang ihre Arme um seinen Nacken und schmiegte ihren gewichtigen, weichen Körper an ihn. Einige Male stolperte sie und geriet aus dem Gleichgewicht; ohne seine zuverlässige und sichere Stütze wäre sie gestürzt. Sie lachte laut und ausdauernd, nah an seinem Gesicht. «Das war knapp…» kicherte sie ausgelassen. Dann wieder klammerte sie sich fester an ihn und flüsterte leidenschaftlich: «Bist 'n guter Junge… Süßer… Du bist mir nicht böse… Du nich'… Du nich'…» wiederholte sie tränenüberströmt.

Nach diesem kleinen, aber heftigen Gefühlsausbruch blieb sie ruhig und versuchte so gut wie möglich zu gehen, bis sie das Wachhaus erreichten. Dort angekommen, zögerte der Mönch. Sollte er es wagen einzutreten? Nein. Es würde zweifellos einen Aufstand geben, wenn er mit einer betrunkenen Prostituierten auftauchte. Keiner würde seine Geschichte glauben, die tatsächlich ziemlich unwahrscheinlich klang. Sie könnten ihn sogar beschuldigen, diese unmögliche Person ins Lager gebracht zu haben. Was für eine Situation! Das konnte niemals gutgehen. Alptraumhafte Vorstellungen – «verschärfte Haft», «unehrenhafte Entlassung» – schossen ihm durch den Kopf. Er zitterte am ganzen Leib.

Ihr Kopf ruhte schwer auf seiner Schulter. Er betrachtete sie, sah ihr weißes, etwas aufgeschwemmtes Gesicht unter dem wirren Haar. Ihre Augen waren geschlossen. War sie eingeschlafen? Ihr Atem klang wie Schnarchen. Sie wirkte friedlich und entspannt – eine Masse warmen, atmenden Fleisches in seinen schwachen, zitternden Armen.

Er machte sich große Sorgen um sie. Sie war schön. Nein, sie war natürlich abscheulich; aber sie hätte schön sein können – mit einem sauberen Gesicht, anständig gekleidet und ohne diesen schrecklichen Gestank. Es war nicht der Schnaps allein, obwohl der Geruch von Gin und Whisky sicher überwog in der teuflischen Duftmischung, die sie wie eine giftige Wolke umgab. Wie ihr durchnäßter Schal, so stanken auch ihre Hände und ihr Haar. Sie mußte sich übergeben haben und war nun überall ekelerregend beschmutzt.

Sie schlief nicht. Sie fühlte, woran er dachte. Denn plötzlich flüsterte sie: «Ich heiße Lulu» – wie um ihm Mut zu machen.

«Ist schon gut», sagte er. Und sie traten ein.

Menutti spielte gerade Karten mit dem Sergeant vom Dienst und zwei Soldaten. Sie hörten mit dem Spiel auf und blickten völlig entgeistert, als das unglaubliche Paar in der offenen Tür erschien.

Der Mönch war geblendet von dem grellen Licht und einem übermächtigen Schamgefühl. «Corporal, ich melde…» begann er vorschriftsmäßig; aber seine Worte gingen unter in einem einzigen Gebrüll. Es war Mario, von dem das wilde Gelächter ausging. Die ganze Gruppe fiel ein – einschließlich der Soldaten, die Seite an Seite in einem nahen Schlafraum geschlafen hatten. Sie kreischten, lachten, machten Luftsprünge, juchzten in heller Begeisterung; wie elektrisiert von dem Schauspiel, das sich ihnen bot.

Es war aber auch zu schön, um wahr zu sein: Das passierte doch nur im Traum. Welch ein Anblick! Was für ein prachtvoller Spaß! Der Mönch – sein Gesicht zu einer schiefen, schmerzverzerrten Grimasse erstarrt – versuchte vor den Vorgesetzten zu salutieren, aber dieses fabelhafte Weib in seinen Armen ließ seine Hand nicht los. Sie klebte an ihm, sang, stammelte, stöhnte. «Pistol packin' Mama», grölte sie und unternahm im selben Augenblick einen unbeholfenen Versuch, seine Nasenspitze zu küssen, die verdächtig rot aus der Blässe seines Gesichtes hervorragte.

Was für ein Anblick! Was für ein aufgetakeltes, herrliches, ekelhaftes, verführerisches Wrack! Ihr Gesicht sah kaum menschlich aus – bedeckt von Schmutz und den Resten ihrer Schminke, malerische Flecken: blau, karmesin, orange und schwarz. Während sie gestikulierte, ließ sie ihren Schal von ihren Schultern gleiten und entblößte die ganze Herrlichkeit ihrer Kurven. Sie trug ein billiges Abendkleid – hauteng, ein Harnisch aus glitzerndem, biegsamem Silber. Ihre Augen – groß und schwarz – starrten unter ihrem wirren Haar ins Leere. Kein Zweifel, sie war von einer wilden, üppigen Schönheit – die primitive Pracht ungezügelter Obszönität – während sie mit tastenden Fingern die dichten Augenbrauen des Mönchs liebkoste, die bleichen Wangen und eingekniffenen Lippen. «Du bist 'n guter Junge», flüsterte sie und berührte mit ihren obszönen Lippen seine Brauen. «Du bis' in Ordnung... Wirst auf mich aufpass'n...»

Ein neuer Heiterkeitsausbruch unterbrach ihr Stammeln. Sie drehte ihren Kopf langsam zu der Meute – erstaunt, als ob sie sie gerade erst bemerkt hätte. «'schuldigung», sagte sie leicht kichernd. Dann hob sie ihren Arm, um die Anwesenden mit einer weit ausholenden Geste zu begrüßen: «Hallo Jungs...»

In diesem Moment verlor sie das Gleichgewicht – sei es durch den Ansturm des tosenden Gelächters oder einfach, weil sie den Arm von der Schulter des Mönchs genommen hatte. Ihr massiger Körper schwankte; sie versuchte ein paar Schritte vorwärts zu tun, aber es ging nicht: sie stolperte, knickte zusammen, glitt zu Boden – sie fiel langsam und weich, mit geschlossenen Augen und halb geöffnetem Mund, auf tragische Weise hilflos, schwer wie ein Sack, als ob sie von einem Schlag betäubt würde oder von einem plötzlichen Anfall unwiderstehlicher, grenzenloser Müdigkeit.

Schon am Boden flüsterte sie mit einem verzückten Lächeln: «Er wird auf mich aufpassen... Er is' in Ordnung... Is 'n richtiger Kerl...»

*　*　*

Am nächsten Morgen kannte jeder im Camp die erstaunliche Geschichte: Der Mönch – man denke nur: der Mönch! – hatte eine besoffene Hure aufgegabelt und in das Wachlokal gebracht. Es war eine ungeheure Sensation – das lustigste und rätselhafteste Ereignis in den Annalen des Armee-Camps.

Niemand fand je heraus, wie die Frau es fertiggebracht hatte, sich durch die Sperren hindurch in das Lager zu schleichen. Keiner der Militärpolizisten wollte sie gesehen haben. Als sie im Stationshospital aufwachte, am späten Nachmittag, gab sie an, sich an nichts erinnern zu können. Ihr Gedächtnis – wenn sie denn eins hatte – war völlig leer. Die einzige Auskunft, die sie gab, war, daß sie aus Texas komme und nach Chicago wolle. Sie sagte, daß sie keinen Beruf habe, sich aber ein schönes Leben mache. Sie war ohne jeden Pfennig. Sie meinte, einige Scheißkerle hätten sie mit einem miserablen Gin betrunken gemacht. Sie konnte nur darüber lachen, als man sie fragte, ob sie eine Spionin sei. «Nein, Sir, mein Junge!» gluckste sie. «Ich nicht. Nicht Lulu!»

Bevor sie den Posten verließ, machte sie noch eine flüchtige Bemerkung über einen Menschen, an den sie sich schemenhaft zu erinnern glaubte –: «Ein ziemlich hagerer Typ», sagte sie verträumt. «Sehr zurückhaltend. 'n verflucht anständiger Kerl.» Doch als die Wachposten nachforschten, ob sie ihren Freund wiedersehen wolle, schüttelte sie den Kopf, zuckte die Schultern und seufzte: «Was soll's. Sagt ihm schöne Grüße von mir.»

Vielleicht waren es gerade diese Abschiedsworte, die die Gerüchte anheizten über Intimitäten zwischen dem Mönch und der fremden, betrunkenen Frau. Es gab eine Menge Klatsch, der sich rasch ausbreitete und üppig wucherte, bis er schließlich die Umrisse einer gesicherten Geschichte annahm. Der Mönch sei – nach dieser beliebten Version – beinahe von einem Colonel gestellt worden, als er es (man weiß schon was) mit Lulu im Gebüsch getrieben habe. Er wäre ganz schön in die Bredouille geraten, hätte er nicht diese geniale Idee gehabt, sie «festzunehmen» und ins Wachhaus zu bringen. Und es klappte! Er kam damit durch: Es wurde ein richtiger Triumph. Der Kommandant lobte ihn für seine Wachsamkeit und sein richtiges Verhalten. Der Mönch wurde befördert zum Obergefreiten. Der First Sergeant gratulierte ihm. Gestern noch eine komische, bemitleidenswerte Figur, hatte er sich, gleichsam über Nacht, zu einem «tollen Burschen», einem «prima Kumpel» und – höchstes G. I.-Kompliment – einem «richtigen Kerl» entwickelt. Durch

Lulus Berührung geheimnisvoll verwandelt wie durch den Kuß einer Märchenfee, erschien derselbe Mönch, früher tölpelhaft und melancholisch, nun seinen Kameraden als ein Ausbund an Witz und Männlichkeit. Er hatte seine Chance gehabt und genutzt. Ein richtiges Abenteuer hatte er erlebt. Sie bewunderten und beneideten ihn. Was machte ihn so verdammt raffiniert und draufgängerisch?

Sie versuchten, hinter sein Geheimnis zu kommen, aber er zeigte nur ein unbestimmtes und geistesabwesendes Lächeln. Schließlich brachte er sie mit einer sanften Geste zum Schweigen: «Meine Herren! Bitte schön! Ein bißchen mehr Zurückhaltung.»

An diesem Punkt schaltete sich Menutti ein: «Laßt ihn in Ruhe, Leute. Hab ich es euch nicht schon immer gesagt? Er ist 'n Schlitzohr. Er wird euch gar nichts erzählen. Er ist viel zu gerissen dazu. Aber mir wirst du's erzählen, Mönchlein», fügte er mit liebevoll gedämpfter Stimme hinzu. «Ich bin doch dein Kumpel. Ich hab immer zu dir gehalten, schon als du noch nicht so 'n großes Tier warst wie heute. Du mußt mir unbedingt erzählen, wie du's gemacht hast. Hast du's mit Sadismus gemacht? Mönchlein? Oder hatte deine Lulu nicht eine kleine Palanoia?»

«Nein, lieber Mario», sagte der Mönch – sanft und ernst. «Meine Freundin Lulu hat nichts Paranoides.»

«Erzähl mir, wie sie so ist!» beharrte Corporal Menutti. «Hat sie ein schönes Profil? Ich meine, ein schönes Profil auch da unten... Warum hast du von ihr kein Bild gemacht, Mönch? Mach doch 'n Bild von ihr und dir zusammen! So wie es war, als ihr euren Spaß hattet – du und sie. Du weißt, was ich meine – ohne Kleider und mit Sadismus und allem...»

«Also gut», sagte der Mönch mit einem matten, nachdenklichen Lächeln. «Wenn du willst, versuche ich es.» Er hockte sich auf seine Pritsche und begann sofort. Sein Kopf beugte sich tief über das Glanzpapier. Seine schlanken Hände handhaben die Schere mit unheimlicher Geschicklichkeit. Solange er mit seiner schwierigen Arbeit beschäftigt war, durfte ihn niemand dabei beobachten oder mit ihm reden. Sie warteten und flüsterten, eifrig bemüht, einen Blick zu erhaschen auf das obszöne Bild, das sie erhofften. Er arbeitete – ruhig und konzentriert; eine barocke Gestalt; ein Fremder; ein Künstler – grotesk anzuschauen, aber nicht ohne eine höchst wunderliche Autorität.

Es dauerte ein wenig länger als sonst, bis er die Silhouette beendet hatte. Nach ungefähr fünfzehn Minuten verkündete er dann: «Meine Herren! Ich bin fertig.» Die ganze Meute stürzte an sein Bett – man lachte und johlte vor Spannung. «Laß es mich zuerst sehen!» schrie Mario. «Ich bin dein Kumpel – oder nicht?»

«Gut denn, du sollst es zuerst sehen», sagte der Mönch. Und er zeigte ihm den Scherenschnitt. Der Corporal starrte auf das Bild.

«Ist es richtig scharf?» fragten die anderen. Aber der Corporal verzichtete auf eine Antwort. Alles, was er nach einem kurzen Schweigen zu sagen hatte, war: «Denke, es ist in Ordnung.» Dann ließ er die Meute einen Blick darauf werfen.

Sie sahen zwei menschliche Gestalten – eine Frau und einen Mann – klar im Profil zu erkennen vor dem weißen Untergrund. Sie standen nicht eng zusammen, sondern waren voneinander getrennt durch ein Kreuz und einen Spalt, der wie ein offenes Grab aussah. Die Frau war jung und stolz und sehr schön. Es war ein leichter Glanz um ihren Kopf – eine Aura von Jugend und Unschuld, wie es schien. Der Mann – gebeugt und hager – trug einen knöchellangen Mantel und einen großen Schlapphut, der ihm das Aussehen eines alten, romantischen Wanderers verlieh – ein Bettler, ein Magier, ein Priester. Aber merkwürdigerweise war es die Frau, deren Geste priesterlich wirkte. Die weite Bewegung ihrer Arme sah nicht nach Umarmung und Zärtlichkeit aus, und übrigens hätte sie den Mann über das Kreuz und das Grab hinweg auch gar nicht erreichen können. Dieser edelmütige Gruß bedeutete etwas anderes – es war ein Akt des Segnens, voller Gefühl dargeboten dem demütigen Pilger.

Die Soldaten lachten nicht. Sie betrachteten das Bild und schwiegen. Ihr Stubenkamerad, ihr Mitrekrut – der Mönch – war einfach unbegreiflich. Was hatte er sich nur jetzt wieder ausgedacht? Warum hatte er ihnen nicht alles über den Spaß, den er mit Lulu gehabt hatte, erzählt, so wie es jeder von ihnen getan hätte? Warum war er so geheimnisvoll? Warum konnten sie ihn nicht verstehen? Warum war er so anders?

Nachwort

«Er liebte die ganze Erde, und besonders Paris und New York, und floh vor sich selbst. Er zerrte am dünnen, flatternden Vorhang, der den Tag vom Nichts trennt, und suchte überall den Traum und den Rausch und die Poesie, die drei brüderlichen Illusionen der allzufrüh Ernüchterten. Er war voll nervöser Daseinslust und heimlicher Todesbegier, frühreif und unvollendet, flüchtig und ein ergebener Freund, gescheit und verspielt. (...) Zum Spaß war er ein Spötter, und wenn es ernst wurde, ein Idealist. Er bewies es, als ihn der Umschwung der Zeit aus einem Ästheten zu einem Moralisten machte; er bewies es im Exil.»

So charakterisierte der Schriftsteller Hermann Kesten seinen Kollegen Klaus Mann.[1] Was Kesten als lineare Entwicklung beschreibt – vom Ästheten zum Moralisten –, war jedoch eher ein bleibendes Spannungsverhältnis, auch im Exil. Klaus Mann lebte ständig in dem Widerspruch zwischen zwei Polen; in seiner Autobiographie hat er sie selbstironisch benannt: auf der einen Seite «die großen Mysterien des irdischen Daseins: Lust, Tod, Rausch, Einsamkeit, die unstillbaren Sehnsüchte, die schöpferischen Intuitionen», auf der anderen Seite «unsere sozial-politische Verantwortung – eine verdrießliche Sache, aber nun einmal nicht aus der Welt zu schaffen».[2]

Die Erzählung «Letztes Gespräch», eine der ersten im Exil entstandenen literarischen Arbeiten Klaus Manns, thematisiert diesen Widerspruch unmittelbar. Das letzte Gespräch führt noch einmal zwei Liebende zusammen, die gemeinsam vor den Nazis ins Exil fliehen mußten; dort ist der Mann Antifaschisten begegnet und wird sich dem Widerstandskampf widmen, die Frau ist ihres Lebens müde und verweigert sich der politischen Aufgabe. Diese Erzählung, schrieb der Autor einem französischen Kollegen, «ist schmerzlicher geworden, als ich sie erst vorhatte. Sie sollte eine *Auseinandersetzung* zwischen dem Zukunftsgläubigen, dem Revolutionär und der Verzagten, der ‹Todessüchtigen› werden. Ich fürchte nun aber selbst, die Todessüchtige hat den stärkeren Part bekommen. – Darüber gab es, wie Sie sich denken können, schon viele Diskussionen mit kommunistischen Freunden, die mir vorwerfen, die Geschichte sei ‹contre-revolutionär›. Das sollte sie nicht sein. Und es ist nicht meine Schuld, wenn sie traurig werden mußte.»[3]

Dieser Brief stammt vom 14. Februar 1934. Zur selben Zeit arbeitete Klaus Mann an seinem ersten Exil-Roman, «Flucht in den Norden».[4] Der Roman hat ebenfalls den Widerspruch von individuellen Mysterien und politischer Notwendigkeit zum Thema – aber mit anderem Ausgang. «Flucht in den Norden» handelt von einer jungen Deutschen, Johanna, die mit den Kommunisten sympathisiert und vor dem Faschismus nach Finnland flieht, auf das Gut ihrer Studienfreundin Karin. Zwischen Johanna und Karins Bruder Ragnar entwickelt sich eine heftige Liebesbeziehung. Doch während sich Johanna ihrem Glück hingibt, erreichen sie Nachrichten von den nach Paris geflüchteten deutschen Genossen. Als diese sie zur Rückkehr mahnen, entschließt Johanna sich schweren Herzens, dem Ruf der politischen Gefährten zu folgen und Ragnar zu verlassen.

Der Erzähler kommentiert die Entscheidung seiner Heldin mit einem zweifelnden Blick in die Zukunft: «Wirst du einen Sieg erleben, und wird er aussehen, wie man sich Siege erträumt – wenn er dann endlich kommt?»[5] Die damit bezeugte Gleichzeitigkeit von kämpferischer Entschlossenheit und prophetischer Skepsis entsprach ganz der Ambivalenz Klaus Manns. Nachdem er im Sommer 1934 die Sowjetunion besucht hatte, schrieb er seiner Mutter: «Ich fürchte, es ist schon ungefähr so, wie meine Johanna es empfindet –: das dort drüben ist das einzige – es ist nur erstens die Frage, ob wir seinen Sieg noch erleben werden, und die zweite, ob wir mittun könnten, wenn wir ihn denn erlebten.»[6]

Klaus Mann hatte Deutschland im März 1933 verlassen. Er wurde bald zu einem Repräsentanten der ins Exil getriebenen deutschen Schriftsteller. Sein Lebenszentrum war zunächst Amsterdam, wo er für den Querido Verlag eine antifaschistische Zeitschrift herausgab, unter dem programmatischen Titel «Die Sammlung». Klaus Mann gestaltete sie zu einem Forum der europäischen Literatur, in dem sich die ganze Vielfalt von Positionen der Faschismus-Gegner spiegelte. Im Februarheft 1934 der «Sammlung» wurde auch erstmals die bereits erwähnte Erzählung «Letztes Gespräch» gedruckt.

Die anderen kleinen Prosaarbeiten Klaus Manns, die in den ersten Exiljahren erschienen und die am Anfang des vorliegenden Bandes stehen, sind literarische Momentaufnahmen. In ihnen wird eine Figur skizziert oder ein besonderer, überraschender Vorfall berichtet. Von der Zeit des politischen Umbruchs, in der sie entstanden, lassen diese Texte kaum etwas ahnen.[7]

Nicht selten lagen authentische Erlebnisse zugrunde. Für «Une Belle Journée» etwa gibt es in Klaus Manns Tagebüchern vom Mai 1933 eine Notiz, in der die reale Begebenheit festgehalten ist: «Vorm Hôtel: ein junger Mann, der beim Wenden seinen Wagen (den Bugatti seines Schwagers) ins Wasser fährt. Die südländischen Gesten seiner Verzweiflung. ‹Oh, madame, comme je suis malheureux – je voulais me faire une bonne journée –› Weißbärtiger Herr, der ihm eine Zigarre anbietet, die er gierig raucht. – Ein Kran ist gekommen, den Wagen zu heben.»[8] Die Pointe der Erzählung, die ertrunkene Geliebte, taucht allerdings im Tagebuch nicht auf – sie war vermutlich Klaus Manns Einfall.

Bei einer der frühen Exil-Erzählungen reichen die Spuren der Entstehung vor die Zäsur von 1933 zurück. «In der Fremde», das Porträt eines amerikanischen Studenten in Europa, hatte Klaus Mann in einer ersten Fassung bereits im Frühjahr 1932 geschrieben; das Vorbild der Figur des Bobby Talbot war der junge amerikanische Schriftsteller Selden Rodman.[9] Diese erste Fassung, die dann im Mai 1933 in einer Beilage zum Schweizer «Arbeitsblatt» gedruckt wurde[10], hatte als Handlungsort München. 1937 erschien eine zweite Fassung, die auch dem Abdruck im vorliegenden Band zugrundeliegt, in der «Pariser Tageszeitung». Handlungsort war nun Wien, und statt aufs Oktoberfest geht der einsame Jüngling in den Prater. In die Schlußpassagen der kleinen Prosaskizze fügte Klaus Mann zwei neue Sätze ein, die angesichts der Exilerfahrung besonderen Klang hatten: «So ist das also, wenn man ‹draußen in der Welt› sich herumtreibt: man hatte es sich eigentlich etwas anders vorgestellt. Vor allem hatte man doch wohl nicht geglaubt, daß man selber die Bekanntschaft dieses trivialen Gefühles machen würde, welches Heimweh heißt...»

Bobby Talbot leidet an seinem Außenseiterdasein. Dieses Schicksal teilt er mit den Helden aller nachfolgend entstandenen Exil-Erzählungen Klaus Manns. Auch der bayrische König Ludwig II., Hauptfigur der Novelle «Vergittertes Fenster», ist ein Einsamer, ein Leidender. Dies war ein Kernpunkt von Klaus Manns Interesse an der Gestalt Ludwigs. In einem Essay über den König, veröffentlicht wie die Novelle im Jahr 1937, schrieb Klaus Mann: «Mit all seinen Marotten und Geschmacklosigkeiten, mit der asozial-ahnungslosen Hybris seiner skandalösen Verschwendungssucht werden wir versöhnt durch diesen einen großen Umstand: Daß er so ungeheuer viel gelitten hat.» Er polemisierte gegen die einschlägige Literatur über den Märchenkönig, die sich durch «Süßlichkeit» und «abgrundtiefe Verlogenheit» auszeichne, und er bekannte zugleich: «Sein Blick, in dem so viel echte Flamme ist neben so großer Not und Qual, läßt mich nicht los.»[11]

«Vergittertes Fenster» beleuchtet das Leben und Leiden Ludwigs vom Ende her, als der König 1886 mit der Paranoia geschlagen in einem Schloß am Starnberger See gefangengehalten wird, «angelangt an jener Stelle, wo es ganz und gar nicht mehr weitergeht». Ludwig findet sich in einem Zimmer, dessen Fenster mit Eisenstangen vergittert sind. In seiner Erinnerung werden noch einmal Momente von Glanz und Glück beschworen, die große Liebe zu Richard Wagner vor allem, den Ludwig vergöttert und gefördert hat; der Bau der Prachtschlösser Linderhof, Neuschwanstein, Herrenchiemsee. Klaus Mann begleitet den König mit einfühlsamer Sympathie in seinen Freitod.

«Lieber Herr Mann», schrieb dem Autor der ebenfalls im Exil

lebende Filmregisseur Max Ophüls, «ich habe das Buch ‹Vergittertes Fenster› zu Ende gelesen. Es ist wirklich, ohne auch nur im geringsten Komplimente zu machen, von einer packenden, aufregenden, konzentrierten Romantik, und das, was ich so oft bei Ihren Büchern finde: Es ist nervlich und seelisch so wahr und so nah und ohne Konzessionen (…). Ich finde immer, da wo Sie in die gedanklichen und seelischen Verwicklungen gehen, wenn die Vernunft und die Beherrschung aufhören bei Ihren Gestalten, da ist immer eine dramatische Echtheit und Lebensnähe, die mich kolossal packt und erregt.»[12]

Klaus Mann selbst hat die Ludwig-Novelle später in seiner Autobiographie als Beispiel für Eskapismus bewertet, als «einen munteren Ausflug ins Melancholisch-Ästhetizistische, ins liebe, alte, traulich-morbide Märchenland».[13] Nur ein Jahr vor «Vergittertes Fenster» hatte er den «Mephisto»-Roman veröffentlicht, eine scharfe Abrechnung mit dem Nazisystem und all den Künstlerkollegen, die in Deutschland geblieben waren und zur Dekoration des barbarischen Regimes beitrugen. Die beiden Werke zeigen den Widerspruch, der Klaus Mann nach wie vor beherrschte: Im «Mephisto»-Roman dominierte die politisch-kämpferische Einsicht, «Vergittertes Fenster» war in reiner Form das Produkt eines morbid-romantischen Lebensgefühls.

In einer Hinsicht war die Novelle aber mehr als eine bloße Eskapade. Klaus Mann hatte mit Ludwig II., wie schon zwei Jahre zuvor in seinem Tschaikowsky-Roman «Symphonie Pathétique», erneut eine homosexuelle Figur der Historie zum Helden gewählt. Dieser Stoffwahl lagen bittere Erfahrungen zugrunde: gerade im Exil mußte der Schriftsteller erleben, wie Homosexualität (die eigene erotische Neigung, zu der er sich schon 1925 in seinem ersten Roman, «Der fromme Tanz», bekannt hatte) diskriminiert wurde.[14] In einem Essay hatte Klaus Mann im Dezember 1934 verzweifelt appelliert, doch endlich zu begreifen: Homosexualität «ist eine Liebe wie eine andere auch, nicht besser, nicht schlechter; mit ebensoviel Möglichkeiten zum Großartigen, Rührenden, Melancholischen, Grotesken, Schönen oder Trivialen wie die Liebe zwischen Mann und Frau.»[15]

Bedenkt man diese Hintergründe, läßt sich die Ludwig-Novelle auch deuten als ein literarisches Plädoyer für Toleranz gegenüber der gleichgeschlechtlichen Liebe.

«Vergittertes Fenster» zählt für viele Kritiker zu den gelungensten erzählerischen Werken Klaus Manns. Marcel Reich-Ranicki etwa spricht in einer Rezension von einer «glanzvoll komponierten Novelle, die in unaufhaltsamer Steigerung gespenstische Visionen, bizarre Episoden und fieberhafte Monologe aneinanderreiht, um schließlich – nach dem Tod des Helden – in einer großen, ironisch-theatralischen Szene auszuklingen».[16] Der Germanist Friedrich Albrecht, der für die DDR eine Reihe von Ausgaben mit Werken Klaus Manns besorgte, wertet die Ludwig-Novelle als «das geschlossenste und effektvollste Stück Prosa, das Klaus Mann je geschrieben hat».[17]

Die Erzählungen, die im vorliegenden Band auf «Vergittertes Fenster» folgen, sind (mit Ausnahme von «Le Dernier Cri») bisher überhaupt nicht publiziert worden. Die Gründe dafür sind vielfältig. Zwischen der Ludwig-Novelle und «Speed» liegen nur drei Jahre Abstand; aber in diese Zeitspanne fielen entscheidende Zäsuren – in der Zeitgeschichte wie in der Biographie des Schriftstellers. «Es ist natürlich ein Wahnsinn, in Europa zu bleiben. Ich würde gerne auf und davon», hatte Klaus Mann seiner Mutter bereits 1935 geschrieben.[18] Er reiste mehrfach in die USA, hielt dort Vorträge, unternahm sogenannte «lecture tours». 1938, als die Naziherrschaft in Europa weiter expandierte, entschloß sich Klaus Mann, in den USA zu bleiben. Ein Jahr später begann in Europa, mit dem deutschen Angriff auf Polen, der Zweite Weltkrieg.

Klaus Mann entschied sich, in englischer Sprache zu schreiben. Das war «bittere Notwendigkeit – aus Spaß tut man so was nicht. Deutsche Bücher haben jetzt keinen Markt: wir sollten uns darüber nichts vormachen.»[19] In einem Tagebuch, das er in seiner Autobiographie veröffentlichte, notierte er unter dem 1. Juli 1940: «Quälendes Gefühl der Unsicherheit. Plötzlich ist man wieder ein Anfänger: Jeder Satz bereitet Kopfzerbrechen.» Und unter dem 24. September desselben Jahres: «Die Novelle

‹Speed› abgeschlossen, mein erster erzählerischer Versuch in der neuen Sprache. Nicht zufrieden. Der epische Stil scheint unvergleichlich schwerer zu treffen als der kritisch-deutende oder der reportagehaft-berichtende.»[20]

Alle Erzählungen Klaus Manns ab «Speed» sind in englischer Sprache entstanden. Sie mußten für den vorliegenden Band in die Muttersprache des Schriftstellers übertragen werden – Schicksal eines Exil-Autors! Klaus Mann schrieb sie für den amerikanischen Markt, aber er hatte dort wenig Erfolg. Dem Typoskript von «Three Star Hennessy», das im Klaus-Mann-Archiv in München liegt, ist ein Zettel des literarischen Agenten Franz Horch beigefügt, datiert vom 2. Mai 1942: «Die Geschichte war bei: Esquire, Bazaar, Mademoiselle, Ladies NJ, Woman NC, Story»; und man muß hinzufügen: vergeblich.[21] Auch die Zeitschrift «Decision», die Klaus Mann selbst 1941/42 in den USA herausgab (nach dem Urteil seines Vaters Thomas Mann «wohl wirklich die beste, farbigste literarische Revue, die Amerika je gesehen hat»[22]), fand nicht genügend Resonanz; sie mußte nach einem Jahr ihr Erscheinen einstellen.

Der Sprachwechsel hatte insofern einschneidende Folgen für Klaus Mann. In der Themen- und Motivwahl gab es dagegen keinen völligen Neuanfang, wie die zu Beginn der vierziger Jahre geschriebenen Erzählungen zeigen. Zwischen «Vergittertes Fenster» und «Speed» zum Beispiel existieren bei aller Verschiedenheit der Sujets erstaunliche Parallelen. In beiden Erzählungen findet sich der Held in einen Raum gesperrt; und Ludwig II. wie Karl Kroll beschwören in bedrängter Lage die Vorgänge und Gestalten ihrer Vergangenheit. Das Zimmer im bayrischen Schloß 1886 und die Abstellkammer in New York 1940 verbindet die Erfahrung der Protagonisten, ausgeschlossen zu sein – abgeschlossen von seinem Volk der König, ins Exil getrieben und dort isoliert der Emigrant aus Österreich.

In die «Speed»-Geschichte waren – wie so oft in Klaus Manns Prosa – eigene Erlebnisse eingeflossen: Für die Titelfigur des jungen drogensüchtigen Amerikaners ließ sich der Autor von einer Episode inspirieren, auf die er in seinen Tagebüchern anspielt. Unter dem 9. März 1940 vermerkt er dort Vorarbeiten «zu einer Short-story ‹Speed›, die ich vielleicht über das Buddy-Erlebnis machen will». Unter dem 23. August heißt es: «In den letzten Wochen: die shortstory, ‹Speed›, aufgesetzt; jetzt bei der 2. Fassung. (Genaue Verwendung meiner Erinnerungen an Buddy, kuriosen Angedenkens…)» Unter dem 10. September 1940 findet sich dann der Eintrag: «Gestern, noch einige Umarbeitungen an der ‹Speed›-story – nachdem Christopher sie gelesen, gut befunden und ein wenig korrigiert hat. (‹The character of Speed is certainly one of the best things you've ever written…›) Ich will ihm die Story widmen – weil er mir Mut gemacht hat.»²³ Seinem Kollegen Christopher Isherwood, von dem er sich beraten ließ, hat Klaus Mann in der Tat die «Speed»-Geschichte gewidmet.

Die Worte, mit denen der Ich-Erzähler den jungen Speed vorstellt, lassen an eine erotische Episode denken – so etwa, wenn die «flammende Nacktheit» (im Original: «inflamed nudity») von Speeds Lippen beschrieben wird. Aber der Autor beläßt es bei solchen Andeutungen einer sexuellen Attraktion. Noch in dem ein Jahr zuvor erschienenen Roman «Der Vulkan» hatte Klaus Mann offen von homosexueller Liebe erzählt. Machte er jetzt Kompromisse, um auf dem amerikanischen Markt keinen Anstoß zu erregen? Den Leserinnen und Lesern von Zeitschriften wie «Mademoiselle» oder «Ladies» mochte er solche Offenheit vielleicht nicht zumuten.

Die «Speed»-Story ist durchgängig aus der Sicht des gutbürgerlichen Karl Kroll geschrieben, in der Ich-Form. Mit diesem erzählerischen Kunstgriff wird das Aussparen der erotischen Sphäre glaubwürdig. Dem betulichen Österreicher Karl Kroll ist eine wirkliche Affäre mit dem verwahrlosten Speed kaum zuzutrauen. Die nur latente sexuelle Anziehung, die Krolls Männer-Freundschaft mit Speed prägt, wirkt daher diesem Erzähler-Ich ganz angemessen.

Auch andere der späten Stories Klaus Manns gewinnen besonderen Reiz aus der Kontrastierung von Milieus. In «Le Dernier Cri», in «Ermittlung» wie auch in «Der Mönch» gerät ein bürgerlicher Protagonist unversehens in die Welt der bezahlten Liebe. In der «Afrikanischen Romanze» lassen sich zwei naive Europäer von den exotischen Reizen Nordafrikas verführen: Doris und Marcel begeben sich in Marokko auf einen Horror-Trip mit Haschisch. Bei dieser Geschichte griff Klaus Mann erneut auf eigene Erlebnisse mit seiner Schwester Erika zurück, von denen er schon 1932 in dem Roman «Treffpunkt im Unendlichen» literarischen Gebrauch gemacht hatte.[24] In der «Afrikanischen Romanze» wird die Episode nun vor den düsteren Hintergrund des Zweiten Weltkriegs gestellt.

Ins Zentrum gerückt ist die Politik noch einmal in «Hennessy mit drei Sternen». Die Geschichte der jungen Catherine, deren Mann als französischer Pilot im Einsatz gegen die Nazis umkam, gipfelt in einer furiosen Verbrüderungsszene. Gäste und Personal des New Yorker Restaurants, in dem die Story spielt, vereinen sich zu einer «universalen Umarmung»; die schöne Catherine intoniert auf einem Stuhl stehend die Klänge der Marseillaise und dirigiert die bunte, verzückte Menge. Aber der Ich-Erzähler ahnt bereits den unvermeidlichen Zusammenbruch voraus. Catherines Ekstase ist letztlich ein Ausbruch von Verzweiflung, von tiefen Zweifeln: am Sinn des politischen Kampfes, für den ihr Mann Gaston gefallen ist. Ihr Rausch ist die kurze Illusion einer allzufrüh Ernüchterten.

«Is it all in vain, then?» läßt Klaus Mann einen G. I. fragen in der Fragment gebliebenen Erzählung «The Conquerors». In einer surrealen Szene begegnet dieser amerikanische Soldat des Zweiten Weltkriegs in Pompeji einem römischen Legionär, der einst unter Vespasian diente und Jerusalem erobern half. Die beiden Krieger reden über Gewalt, Eroberung und den jahrtausendealten Kampf gegen die Barbarei. War also alles vergeblich? «No», antwortet der Legionär. «It isn't in vain, something remains... Ups and downs... There still is a long way ahead...»[25] Die Auskunft klingt recht vage, und sie erinnert an die Skepsis, die Klaus Mann mit der Johanna-Figur in seinem Roman «Flucht in den Norden» verband.

Er selbst wurde 1942 Soldat der US Army. «Als gesitteter

Mensch ist man *natürlich* Pazifist, was denn sonst», schreibt er in seiner Autobiographie, aber: «Ein Krieg, der *unvermeidlich* geworden ist, läßt sich nicht mehr ‹ablehnen›, sondern nur noch gewinnen.»[26] Klaus Mann wollte seinen aktiven Beitrag dazu leisten, den Faschismus militärisch zu besiegen. Die Erfahrungen, die er bei seiner Ausbildung zum Soldaten in der amerikanischen Armee machte, spiegeln sich in seiner letzten Erzählung, «Der Mönch».

«Das Exerzieren fällt mir ziemlich *schwer*; vor allem mit dem Schießgewehr weiß ich gar nichts Rechtes anzufangen», berichtete der Schriftsteller am 14. Februar 1943 seiner Mutter. «In meinem Zelt, oder Bungalow, heiße ich ‹the Professor›. Nach Melvyn Douglas (…) bin ich wohl das Aparteste, was je in diesem Camp war.»[27] Zum Außenseiter unter den Kameraden stempelten ihn unter anderem sein Lebensalter, sein Status als Intellektueller, aber auch seine erotische Eigenart. In die US Army wurden Homosexuelle grundsätzlich nicht aufgenommen. In welche Nöte Klaus Mann das brachte, läßt ein Brief ahnen, den er aus dem Camp an die Jugendfreundin Lotte Walter schrieb. Er bittet darin um ein Foto, «weil ich meine Stubengenossen mit einem schönen Girl Friend impressionieren möchte. Schicke mir also ein recht verführerisches, mit nackten Schultern, schwülem Blick und allem.»[28]

In der Erzählung über «den Mönch» läßt der Autor offen, warum sein Titelheld sich an den üblichen Abenteuern mit Frauen nicht beteiligt. Kern der Handlung ist ein grotesker Zufall: Der außenseiterische Rekrut findet bei einem Patrouillengang eine betrunkene Hure, bringt sie zu seinen Vorgesetzten – und gerät so in den unverdienten Ruf, doch ein heimlicher Frauenheld zu sein. Aber auch nach diesem Abenteuer verhält sich der Mönch in den Augen seiner Kameraden rätselhaft. Die Story endet mit ihren insistierenden Fragen: «Warum konnten sie ihn nicht verstehen? Warum war er so anders?»

Vom politischen Inhalt des Krieges, für den die G.I.s ausgebildet werden, handelt «Der Mönch» nicht. Alle Versuche Klaus Manns, dieses Thema literarisch zu gestalten, blieben Fragment.

Er selbst kehrte 1944 mit einem Truppentransport nach Europa zurück und nahm am Feldzug der alliierten Streitkräfte in Italien teil. Im Mai 1945 betrat er, in amerikanischer Uniform, wieder deutschen Boden. «Die Zustände hier sind zu traurig», berichtete er seinem Vater. Er beschwor Thomas Mann, keinesfalls an Rückkehr zu denken, und prophezeite: «Diese beklagenswerte, schreckliche Nation wird Generationen lang physisch und moralisch verstümmelt, verkrüppelt bleiben.»[29]

Bei diesem bitteren Urteil blieb Klaus Mann. Er pendelte in den folgenden Jahren zwischen Europa und Amerika, ohne ein äußeres Lebenszentrum oder eine geistige Heimat zu finden. Am 21. Mai 1949 starb er in Cannes an den Folgen einer Überdosis Schlaftabletten. In einem erst posthum veröffentlichten großen Essay hatte er seine Bilanz der Nachkriegsentwicklung gezogen: «Der Kampf zwischen den beiden anti-geistigen Riesenmächten – dem amerikanischen Geld und dem russischen Fanatismus – läßt keinen Raum mehr für intellektuelle Unabhängigkeit und Integrität.»[30] Von den erzählerischen Arbeiten, die Klaus Mann in seinen letzten Lebensjahren begann, gelangte keine mehr zum Abschluß.

Uwe Naumann

Anmerkungen

1 In: Klaus Mann zum Gedächtnis. Amsterdam 1950, S. 83.
2 Klaus Mann: Der Wendepunkt. Ein Lebensbericht. München 1981, S. 241.
3 An Roger Martin du Gard. In: Klaus Mann, Briefe. Hg. von Friedrich Albrecht. Berlin und Weimar 1988, S. 155.
4 Vgl. Klaus Mann: Tagebücher 1934 bis 1935. München 1989.
5 Klaus Mann: Flucht in den Norden. Reinbek 1981, S. 241.
6 An Katia Mann, 30. August 1934. In: Klaus Mann, Briefe und Antworten 1922–1949. Hg. von Martin Gregor-Dellin. München 1987, S. 196.
7 So ist es symptomatisch, daß bis vor wenigen Jahren die Auffassung verbreitet sein konnte, «Une belle journée» sei von Klaus Mann erst nach dem Zweiten Weltkrieg geschrieben und publiziert worden. Vgl. Martin Gregor-Dellin, in: Klaus Mann, Abenteuer des Brautpaars, München ²1982, S. 276.
Diesen Fehler hat Friedrich Albrecht korrigiert; vgl. dessen Editorische Notiz in: Klaus Mann, Letztes Gespräch, Berlin und Weimar 1986, S. 378.
8 Klaus Mann: Tagebücher 1931 bis 1933. München 1989, S. 137.
9 Ebenda, S. 41 f.
10 «Bunte Woche», 21. Mai 1933, S. 8.
11 Klaus Mann: Ludwig II., König der Bayern. In: «Die Weltwoche», 18. Juni 1937.
12 Brief an Klaus Mann, 29. April 1938. Im Klaus-Mann-Archiv (KMA) der Stadtbibliothek München. – Klaus Mann und Ophüls dachten damals an eine Verfilmung der Ludwig-Novelle, mit dem französischen Schauspieler Pierre Blanchar in der Hauptrolle; der Plan wurde aber nicht realisiert.
13 Klaus Mann: Der Wendepunkt, a. a. O., S. 425.
14 Vgl. Uwe Naumann: Klaus Mann. Reinbek 1984, bes. S. 71 f.
15 Klaus Mann: Die Linke und «das Laster». In: «Europäische Hefte / Aufruf», Dezember 1934. Hier zitiert nach dem Wiederabdruck in: Klaus Mann, Heute und Morgen. Schriften zur Zeit. München 1969, S. 134.
16 Marcel Reich-Ranicki: Einsamkeit und Todessehnsucht. In: «Die Welt», 2. Dezember 1960.

17 Nachwort in: Klaus Mann, Letztes Gespräch, a.a.O., hier S. 370.

18 An Katia Mann, 11. März 1935. In: Klaus Mann, Briefe und Antworten, a.a.O., S. 211.

19 Interview mit Klaus Mann, 1940. Typoskript im KMA.

20 Klaus Mann: Der Wendepunkt, a.a.O., S. 459, 469.

21 Zitiert nach Michel Grunewald: Klaus Mann 1906–1949. Eine Bibliographie. München 1984, S. 182.

22 In: Klaus Mann zum Gedächtnis, a.a.O., S. 8.

23 Diese Zitate stellte mir freundlicherweise einer der Herausgeber von Klaus Manns Tagebüchern, Joachim Heimannsberg, zur Verfügung. Der entsprechende Band der Tagebuch-Edition soll 1991 erscheinen.

24 Vgl. Klaus Mann: Treffpunkt im Unendlichen. Reinbek 1981, S. 213–251. Der autobiographische Gehalt ist verbürgt durch die Schilderung in Klaus Mann, Der Wendepunkt, a.a.O., S. 276–281. Auch die Figur des arabischen Jungen Salem ging auf authentische Erlebnisse zurück; vgl. Klaus Manns Bericht «Salem» in: «Velhagen & Klasings Monatshefte», Februar 1931, S. 634–638.

25 Typoskript, entstanden vermutlich 1944, im KMA. Der Text wurde, da er wie etliche andere Prosaversuche Klaus Manns Fragment blieb, in den vorliegenden Band nicht aufgenommen.

26 Klaus Mann: Der Wendepunkt, a.a.O., S. 462.

27 In: Klaus Mann, Briefe und Antworten, a.a.O., S. 498.

28 Brief vom 28. Februar 1943. Ebenda, S. 502.

29 Brief vom 16. Mai 1945. Ebenda, S. 779.

30 Klaus Mann: Die Heimsuchung des europäischen Geistes. In: ders., Heute und Morgen, a.a.O., S. 337.

Editorische Bemerkungen

Wert der Ehre. Erstdruck in: Prager Tagblatt, 4. April 1933, S. 3/4.

April, nutzlos vertan. Erstdruck in: Bunte Woche, Wochenausgabe «Das kleine Blatt», Wien, Nr. 25, 1933.

Une Belle Journée. Erstdruck in: Der Monat, Prag, Jg. 1, Nr. 7, S. 13–14 (ohne Datum, ca. Ende 1933/Anfang 1934). Hier gedruckt in einer leicht abweichenden, vermutlich späteren Fassung aus: das silberboot, Salzburg II. Jg., 1. Halbjahrsband: März–Juli 1946, S. 23–26.

Letztes Gespräch. Erstdruck in: Die Sammlung, Jg. 1, Heft 6, Februar 1934, S. 297–305.

Der Bauchredner. Erstdruck in: Der kleine Bund, Bern, Jg. 6, 15. Dezember 1935, S. 398–400.

In der Fremde. Erstdruck in: Pariser Tageszeitung, 12. September 1937, S. 3/4.

Vergittertes Fenster. Erstausgabe, mit der Widmung «Für Thomas Quinn Curtiss», im Querido Verlag, Amsterdam 1937.

Triumph und Elend der Miss Miracula. Bisher unveröffentlicht. Gedruckt nach einem Typoskript im Klaus-Mann-Archiv (KMA), München. Entstanden vermutlich 1938.

Speed. Bisher unveröffentlicht. Typoskript in englischer Sprache (Titel: Speed) im KMA. Entstanden 1940, gewidmet «To Christopher Isherwood».

Le Dernier Cri. Erstdruck (in englischer Sprache) in: Esquire, New York, Mai 1941, S. 28, 29, 147, 148, 150.

Hennessy mit drei Sternen. Bisher unveröffentlicht. Typoskript in englischer Sprache (Titel: Three Star Hennessy) im KMA. Entstanden vermutlich 1941/42.

Ermittlung. Bisher unveröffentlicht. Typoskript in englischer Sprache (Titel: Inquiry) im KMA. Entstanden vermutlich 1941/42.

Afrikanische Romanze. Bisher unveröffentlicht. Typoskript in englischer Sprache (Titel: African Romance) im KMA. Entstanden 1942.

Der Mönch. Bisher unveröffentlicht. Typoskript in englischer Sprache (Titel: The Monk) im KMA. Entstanden 1943, gewidmet «For Cpl. Johna Pimper».

Die Textfassungen der in diesem Band veröffentlichten Erzählungen folgen in der Regel den Erstdrucken bzw. den Typoskripten im Klaus-Mann-Archiv. Die englischsprachigen Erzählungen wurden für diese Edition von Heribert Hoven und Monika Gripenberg ins Deutsche übertragen. Die Übersetzer danken Fredric Kroll (Freiburg) für seine freundliche Unterstützung. – Für Auskünfte und Materialien, die bei der Entstehung des Bandes nützlich waren, gilt der besondere Dank des Herausgebers Michel Grunewald (Metz), Joachim Heimannsberg (München), Fredric Kroll (Freiburg) und Maria Kühn-Ludewig (Paris).

Klaus Mann

TAGEBÜCHER

Herausgegeben von Joachim Heimannsberg, Peter Laemmle und Wilfried F. Schoeller. Mit einem ausführlichen Nachwort, Anmerkungen und Personenregister.
Leinen DM 48.—
Paperback DM 29.80

In den privaten Aufzeichnungen schälen sich Klaus Manns unmittelbare Gefühle, seine Abneigungen und Vorlieben, seine Hoffnungen und seine Enttäuschungen heraus. Details seines Tagesablaufs, Gedanken, die Rekonstruktion seiner Träume, Lektüre, literarische Entwürfe, Korrespondenz und persönliche Begegnungen ergeben überzeugende Einblicke in das literarische und gesellschaftliche Leben einer turbulenten Epoche, darüber hinaus wird der Mensch und Literat Klaus Mann sichtbar und gewinnt dabei neue und deutliche Kontur.

Band 1: 1931–1933
Band 2: 1934–1935
Band 3: 1936–1937
Band 4: 1938–1939
Band 5: 1940–1942
Band 6: 1943–1949

Preise: Stand 1989

edition spangenberg

KLAUS-MANN-SCHRIFTENREIHE

Die umfassende Darstellung der veröffentlichten und nachgelassenen Werke, des Lebens und der Zeiten Klaus Manns, wissenschaftlich belegt durch umfangreiche archivalische Recherchen sowie Gespräche und Korrespondenz mit seinen Zeitgenossen in Europa und den USA.

Herausgegeben von Fredric Kroll

Band 1: Bibliographie
Band 2: 1906–1927 / Unordnung und früher Ruhm
Band 3: 1927–1933 / Vor der Sintflut
Band 4: 1933–1937 / Repräsentant des Exils
Band 5: 1937–1942 / Trauma Amerika
Band 6: 1943–1949 / Der Tod in Cannes

Bisher sind die Bände 1, 2, 3 und 5 erschienen.
Band 4 und 6 in Vorbereitung.

Subskriptionspreis bei Abnahme aller 6 Bände.

Erhältlich in Ihrer Buchhandlung

EDITION KLAUS BLAHAK · WIESBADEN

Klaus Mann

rororo

C 1048/10

Heinrich Mann

**Die Jugend
des Königs Henri Quatre**
Roman
rowohlt jahrhundert Band 017

**Die Vollendung
des Königs Henri Quatre**
Roman
rowohlt jahrhundert Band 018

Professor Unrat
Roman
rororo 35

Heinrich Mann
in Selbstzeugnissen und Bilddokumenten
dargestellt von Klaus Schröter
rowohlts monographien Band 125

ro
ro
ro

C 156/2